現代日本イデオロギー評註

太田昌国
OTA Masakuni

「ぜんぶコロナのせい」
ではないの日記

藤田印刷エクセレントブックス

はじめに

ジュリー・ガブラス監督の『ぜんぶ、フィデルのせい』というフランス映画があった（二〇〇六年）。ジュリーはコスタ・ガブラス監督の娘だ。一九七〇年代のパリ。裕福な知的上流階級の家庭——母親は女性誌『マリー・クレール』の編集者、父親はスペイン貴族階級出身の弁護士、身の回りを世話してくれる「家政婦」はキューバから亡命してきた黒人女性——に生まれ育った九歳の娘アンナは、なぜか両親の言動に今までとは雰囲気が異なるものが混じり始めた挙句、南米チリへ行って「キョーサン主義者」に突然変異して帰ってきたことに戸惑う。庭付きの大きな家から小さなアパートに引っ越し、家には異国の髭面の人たちがひっきりなしに出入りしては、ワインを飲みながら、何やら難し気な話に熱中している。物語の背後には、パリ五月革命、ベトナム反戦運動、父親はスペイン人という設定なのでフランコ独裁体制末期の諸事態、フィデル・カストロやチェ・ゲバラなどの一挙手一投足が世界を震撼させていたキューバ革命、南米チリに選挙で誕生したアジェンデ社会主義政権、それを倒壊させた三年後の軍事クーデタ、軍事政権を逃れてパリに来たラテンアメリカ各国の亡命者たち……など、六〇年代〜七〇年代の出来事がいっぱい詰まっている。要するに、少女の両親は、世界に充満していた「政治・社会革命の熱気」に煽られて、生活態度を一新し一途な人生を歩み始めていたのだ。少女は、やがて、これら一連の動きの背後には、「フィデル・カストロ」という人物がいるらしいことに気づく。両親の急激な変貌も、自分が置いてきぼりにされたのも、ぜんぶ、フィデルとかいう人のせいなのだ！　映画のタイトルは、この少女の思いを汲み取ったところから来ている。

＊

『言わなければよかったのに日記』とは、深沢七郎の著書のタイトルだ（中央公論社、一九五八年）。『楢山節考』（一九五六年）と『笛吹川』（一九五八年）の二作品で特異な文学世界を作り上げたこの作家は、その実人生においては、自然流というか、天衣無縫というか――のふるまいをみせた。この本は、異色の作家として出発して間もない深沢が、正宗白鳥、井伏鱒二、武田泰淳ら畏敬置く能わざる先輩作家たちと交流した日々を記したものだ。出だしからして、正宗白鳥の家を初めて訪ねたとき、庭に池がないことを訝しく思った。このひとはバレエの「白鳥の舞」か「瀕死の白鳥」に関係のある人か、もしくは白鳥の好きな人だろうから池で白鳥を飼っているに違いないと思い込んでいたからだ、と書くのだ。果ては、銘酒で有名な菊正宗の本家の跡取り息子にでも生まれた人かと考えて、ご本人にそう尋ねたりもするのだ。

また「サルトル」という名を聞けば、新聞で見たことのある字だが、大体知っていることは、サルトルが外国にいるということ、だから、忍術のサルトビとは違うひとだということだ、と書くのである。こうして、彼には「言わなければよかった」とか「変な人だと言われちゃった」ことが日常的にたくさんあって、それをそのまま日記に書き記しているのだ。思わず吹き出してしまう愉しさに満ち溢れた本である。

＊

新型コロナウイルスがもたらす事態が容易ならざるものかも知れないと思い始めたときに、日々の記録をつけておこうかと思った。一ヵ月ほど経って、これを書き続けるには、自分を鼓舞する何かが必要だと思った。私は、新型コロナウイルス一色の報道が続くことに飽いた気持ちを抑えかねていたのだが、そのとき思い出したのが、一九七〇年前後の希望と高揚、それが終わった後の幻滅と頽廃を少女の目を通して描いた映画『ぜんぶ、フィデルのせい』であった。そこにヒントを得て、「ぜんぶ、コロナのせい」ではないという気持ちで日々を送り、かつ記録し始めた。同時に、深沢七郎の『言わなければよかったのに日記』も思い出し、深沢のあのとぼけた感性と文才が私に備わっているわけではないが、『「ぜんぶ、コロナのせい」ではない』に『の日記』を付け足すなら、自分の気持ちにぴったりではないか、と思えてきた。そこで、パソコンに打ち込む日々の記録の冒頭にこのタイトル『「ぜんぶ、コロナのせい」ではないの日記』を付し、必ずこのタイトルに目をやってから、日々の思いを記していった。

＊

「ぜんぶ、コロナのせいではない」とするのが私の立ち位置だから、日々の記録といっても、コロナのことばかりを書くわけではない。コロナに関わる最小限の日々の記録はつけるが、そこにその時点で私が書いている文章やフェイスブックに記した短いコメントも組み入れ、場合によっては、関連する過去の文章も挿入して、コロナに限られるものではない、私たちが生きているこの〈時代の相貌〉が全体的に浮かび上がる構造を持たせたいものだ、と思った。事実、「コロナ以前」にも、簡単には答えが出るものではない問題が山積していた。日本にも、世界中にも。踏みとどまって、それを考え続けること――そのことを自分に課した。日が経つにつれて、コロナはますます後景に退き、コロナ以前にもあり、コロナ以後も続くだろう、変わらぬ日常的な光景がせりあがってくることになった。

二〇二〇年一一月一〇日　　太田昌国

現代日本イデオロギー評註——「ぜんぶコロナのせい」ではないの日記＊目　次

凡例

日記の記述に挟んで、新聞・雑誌に掲載された文章・インタビュー・論文を挿入する場合は、文字を二段下げて、上部に罫線を引いてある。その文章の末尾には■印を置いてある。

第一章　冬

（二〇二〇年一月〜三月）

1. 前段（二〇一九年大晦日〜二〇二〇年一月）

二〇一九年一二月三一日（火）

中国・武漢市当局が「原因不明のウイルス性肺炎が相次いでいる」と発表。二七人に症状が現われ、七人が重症。

二〇二〇年一月九日（木）

中国国営新華社通信、専門家グループが、武漢での患者一五人から、新型コロナウイルスを検出したと報道。ヒトに感染する六種のコロナウイルス（重症急性呼吸器症候群＝ＳＡＲＳ、中東呼吸器症候群＝ＭＥＲＳなど）とは異なる種類だという。

一月一〇日（金）

レイバーネット日本という、労働運動や市民運動に関わる情報ネットワークがある。

→ http://www.labornetjp.org/aboutus/prospectus　そこがウェブマガジンを運営していて、私はそこに数年前から月一回のコラム「サザンクロス」を連載している。「南十字星」を意味するコラム名は、同編集部が付してくれたものだ。きょうはその三九回目、以下を書いた。

太田昌国のコラム　サザンクロス　第三九回

騒々しい出来事・事件をいかに受け止めるか

新年早々から、矢継ぎ早に大きな意味を持つ出来事が続いた。一月九日（木）朝の新聞各紙の紙面では、イランがイラクにある米軍基地に報復攻撃、レバノンに逃亡した日産前会長カルロス・ゴーンが開いた記者会見、四五名の障碍者を殺傷した「津久井やまゆり園事件」第一回公判という、平穏な日であれば、それぞれが幾面もの紙幅を独占するであろう三件のビッグ・ニュースをいかに配置するかで苦労した痕跡があちこちに見られた。この短い紙幅では、別途何度でも論じるべき「やまゆり園」事件を除く二件に触れたい。

米国軍が、或る国の軍事指導者を、米国ではないまた別な国の領土内で殺害する「軍事作戦」は、さて、国際的にいかなる根拠で正当化され得るのかという問題は、事の発端として当然にもある。過《あやま》った「対テロ戦争」を二〇〇一年一〇月以降発動してきた米国の、傲慢なる超大国主義が感じ取られて、許しがたい。それでも、この事態を受けての米国とイランの政治指導部の言葉上のやり取りからは、それほどの緊迫感を感じなかった。私が一八歳の時に遭遇した一九六二年一〇月「キューバ・ミサイル危機」の時には、学生下宿ゆえテレビもなく新聞報道で知っていただけだったが、展開されつつあったキューバ革命への熱い思いと共に、本当に震える思いで核戦争の危機を実感した。あの時に比して、さほど切迫感を感じない今回の「危機」の本質は何だろうと考えていた。テレビのニュース番組にも出演する某氏の呟きによれば、氏が米国・イラン関係は大事には至らないだろうと「予言」すると、他の出席者から微かな「失望」の反応を読み取ったという。戦争が勃発したり拡大したりすることを阻止するための言動を行なう草の根の人びとが存在する一方、「戦争を待望」する雰囲気がこの社会の「片隅に」渦巻いていることの証しだろうか。今後の情勢も予断を許さないが、事態は米国とイランの政治・軍事指導部の間でのやり取りのみで展開していくわけではない。常に理性的な判断を期待できるかと問えば、絶望的な資質の人物がかくも多くの国々の大統領や首相として君臨している時代である。社会の基層をなす民衆は、そのことを肝に銘じて、それぞれの状況で的確な選択をしなければならない時代が続く。

多国籍企業の辣腕経営者時代のカルロス・ゴーンについては、批判的に指摘すべき事柄は多い。この〈非合法的な〉出国・逃亡劇も、途方もない金権を持つ者にして初めて可能になったものであることは明らかだ。同時に、現在ここで明かされた問題の核心の一つは、日本の司法制度の在り方に関わる次元においてだ、と確認することも重要なことだ。ゴーンが記者会見で訴えた、取り調べ検事による自白の強要、人質司法、人権無視の諸制限措置などは、内外の金権なき「容疑者」が夙に繰り返し訴えてきたことだ。その声は、ゴーンの派手な主張の一％も報道されてきていない。その意味でもこれを機に、弁護人としてゴーンに「裏切られた」高野隆の記したブログの文章は一読に値する。http://blog.livedoor.jp/plltakano/　ベイルートにおけるゴーンの記者会見に対抗して、真夜中の反駁会見を行なった森雅子法相は「潔白というのなら司法の場で無罪を証明すべきだ」と語った。その後慌てて言い直したが、「有罪の立証責任は検察官にあり、被告に無罪の立証責任はない」という原理が、弁護士資格を持つ法相の内面で血肉化していないのだろう。共産党の志位委員長も一月六日の記者会見で「あれだけの重大犯罪の容疑者に対して、一定の保釈金を払えば保釈するという甘い対応をした結果」だと語り、「こうしたことが、曖昧なまま許されたら、日本はもう、法治国家の体をなさなくなる大問題」だと決めつけている（一月七日付け「しんぶん赤旗」）。そのうえで、お定まりの「検察、法務当局、法務省、政府の責任」を問い、「（保釈を認めた）裁判所の判断の問題も問われてくる」と語るのである。権力の座にある者も、これに対抗しているかに見える野党党首も、「被告は推定無罪」だとする刑事司法の原則を投げ捨てて発言していることは明らかだ。この場合は、とりわけ野党党首の「権力批判」の水準の〈低さ〉、言い換えれば「見当違い」を思う。

迫りくる戦争の危機についても、或る事件の容疑者とされている超有名人の不法出国事件についても、ひたすら扇情的な報道に惑わされることなく、問題の本質を摑みたい。■

なお、この日記が意図する〈時代の相貌〉を描くという意味では、前回（二〇一九年一二月一〇日に書いた連載三八回目）も併せて掲載しておきたい。

太田昌国のコラム　サザンクロス　第三八回
アフガニスタン、中村哲、マフマルバフ、前皇后美智子

中村哲の言動からは、そのときどきで深い示唆を受けてきた。私がもっとも印象的に思ったのは、二〇〇一年タリバーンが「偶像崇拝は認めない」として、仏像を破壊する布告を出し、実際にバーミヤンの仏像を破壊した直後の中村氏の発言である。八〇〇メートルの距離をもって

左右に並ぶ二つの大石仏は、一方は高さ五五メートル、他方は三八メートルの大きさ。その印象的な姿は、写真や絵画を通して、世界中の人びとによく知られていた。したがって、タリバーンが実際にこれを爆破し破壊したとき、「歴史への無理解」や「文化遺産の破壊」を非難する声が世界各地で沸き起こった。

そのとき、中村は書いた。「我々は（タリバーン）非難の合唱に加わらない。餓死者一〇〇万人という中で、今議論する暇はない。人類の文化、文明とは何か。考える機会を与えてくれた神に感謝する。真の『人類共通の文化遺産』とは、平和・相互扶助の精神である。それは我々の心の中に築かれるべきものだ」（朝日新聞二〇〇一年四月三日付け夕刊）。当時、日本でもタリバーンによるおびただしい人権侵害、とりわけ女性に対する徹底した差別と暴行のニュースは広く伝わっていた。私もその報道が正しいとの前提の上で、タリバーンの政治・宗教思想にはかけらの共感も持ってはいなかった。それでも、現地に住み、働き、実情をよく知っている人物がこう言うからには、その真意を汲み取らなければならないとは思った。

問題は、人びとが生きる現実には無関心なまま、遺跡・文化遺産の喪失には涙する者が世の中には多いということだろう。事実、ユネスコは大仏の修理のために資金提供を申し出たが、「仏像に資金を費やす代わりに、食糧がなく死んでいくアフガニスタンの子どもたちをなぜ救わないのか」という声がすぐにあがった。当時、アフガニスタンの現状をテーマにした映画『カンダハール』（二〇〇一年）を撮ったばかりであったイランの映画監督、モフセン・マフマルバフは『アフガニスタンの仏像は破壊されたのではない　恥辱のあまり崩れ落ちたのだ』（現代企画室、二〇〇一年、武井みゆき／渡部良子＝訳）と題する印象深い文章を書いた。「神にさえ見放された国」アフガニスタンについて、彼はこう言う。「アメリカでの九月一一日の事件が起こるまで、アフガニスタンは忘れられた国でした。今でさえも、アフガニスタンに向けられる関心は、そのほとんどが人道的なものではないのです。もしも過去の二五年間、権力が人びとの頭上に降らせていたのがミサイルではなく書物であったなら、無知や部族主義やテロリズムがこの地にはびこる余地はなかったでしょう。もしも人びとの足もとに埋められたのが地雷ではなく小麦の種であったなら、数百万のアフガン人が死と難民への道を辿らずに済んだでしょう」。

中村とマフマルバフの視線は、より深い地点に据えられていることがわかる。大仏破壊という、確かに衝撃的ではある事件に際して、ひたすら扇情的に走ることなく現地の現実に即した視点をどのように獲得するのか。常に問われる課題であり、その範例的な回答がここにある。

ここまで述べると、思い起こす短歌がある。

知らずしてわれも撃ちしや春闌くるバーミヤンの野にみ仏在さず

これは、前皇后美智子がバーミヤンの大仏の破壊の報に接して詠んだ歌である。私は天皇制を廃止すべきとの立場に立つ者であり、去っていった天皇・皇后の「反安倍的な」姿勢に幻惑されて、期待したり共感したりする者でもない。だが、こういう秀歌に接すると、侮ることのできない存在だ、との思いが強く残る。中村哲は今春帰国すると、前天皇・皇后に会ってアフガニスタンの状況報告を行なったという報道を読みながら、一筋縄ではいかぬ人間存在の複雑さをあらためて思い、「自分ならどうするか」と自問した。■

一月一一日（土）

武漢市当局、六一歳の男性患者の死亡を発表。初の死者。

一月一三日（月）

反天皇制運動連絡会という運動団体がある。以前から、いろいろな政治的・社会的な課題で運動を共にしている仲間たちが運営している。月刊機関誌を発行していて、そこにコラム「太田昌国の夢は夜ひらく」を連載して一〇〇回を超えた。同会は数年ごとに運動方針を定め、機関誌名も変える（現在は『Alert』）ので、コラム名もそのたびに「ふたたび」とか「みたび」とか付け加えているので、故・団伊玖磨の名物コラム「パイプのけむり」みたいになってきた。「続」「続々」「も一つ」「又」「まだ」「ひねもす」と名づけ直しながら一〇〇〇回以上続いたあのコラムみたいに。その第一一五回目を書いた。

太田昌国のみたび夢は夜ひらく　第一一五回
ゴーン騒動から何を読み取るか

ブルジョアジーが支配する社会にあっても、彼らなりの最上の規範と論理ならびに倫理によって律せられているあり方は、地域と時代によってはあり得たし、今後もあり得よう。だが、二一世紀もすでに二〇年を経た現在を生きる私たちの観点からすると、それはどこに実在する「夢物語」なのかと思えてくる。

いま話題の日産自動車前会長、カルロス・ゴーンの〈非合法的〉な出国事件を取り上げよう。日本の司法の在り方に関わっての（ただ一つこの件に関わっての）彼の問題提起には、司法に関わる人びとはもちろん社会の基盤を構成する私たち自身が再考し、正すべき論点が含まれている。だが、ここはそれを詳論する場ではない。冒頭に書いた問題意識に準えるなら、ブルジョアジーのためとあれば、彼ら自身がいかなる超規範的・超法規的な〈管理秩序〉でも設定するものなのだとつくづく思わされるのは、いわゆるプライベート・ジェット（以下、ＰＪと略）の従来の利用方法にある。今回なされている報道には、にわかには信じがたい内容が多々あるが、もっとも驚くべきは、ＰＪの離発着と通関に関するそれである。私たちが通常、国際便はもとより国内便搭乗時に経験しているのは、煩わしいほどに入念になされる携行品検査である。一方、ゴーンが大型音響機材を入れる大箱に入って出国したと伝えられる関西国際空港にあるＰＪ利用客の専用施設「プレミアムゲート玉響」は、海外富裕層の訪日増加を見込んで二〇一八年六月に設置されたばかりだ。関係者によれば、玉響の保安検査でエックス線装置に通すのは機内持ち込みサイズだけが対象で、大型荷物は対象外だという。他国の例を見ても、保安検査を義務付ける国際ルールは存在していない（以上、事実の抽出は一月八日付け毎日新聞による）。つまり、ＰＪを利用するような富裕層には、「テロリスト」も「麻薬の運び人」もいるはずはなく、一般的に考えても不快な税関検査を省略して（＝規制緩和を実施して）〈こころ楽しく〉出入国できる便宜を例外的に図っていることを意味している。

ゴーンは今回の脱出作戦のために、没収された保釈金一五億円を超える一六億円を使ったのではと報道されている。なるほど、富裕層ＶＩＰのために設置されたＰＪ運用のための甘い規範は、「絵に描いたような」富裕者、カルロス・ゴーンによって〈見事な〉までに利用されたのである。日本の政界、司法界、メディア言論人の間に沸き起こっているゴーンに対する一斉非難の様子を見ている私には、それが、さながら、富裕層のみが享受できる特権的な権益を擁護しようとする者同士の間で起こっている「内ゲバ」に過ぎないと思えてくる。その双方をして「内ゲバ」の中で自滅させせよ。

現首相は、日本を「企業がもっとも活動しやすい」国にするとの趣旨のことを幾度となく語ってきたが、まさに大企業のトップなどが使うビジネスジェットについて、政府は手続きの簡素化など利便性の向上に取り掛かってきた。国土交通省は日本の競争力強化や経済成長を目的として、民主党政権時代の二〇一〇年に検討会を設置し、受け入れ態勢の整備を行なったうえで、発着制限の緩和、専用施設の整備（現在は、羽田、成田、中部、関西の四空港）、出入国手続きの簡素化および時間短縮などの優遇策を実施してきた。現首相の方針の下で、それは勢いを増し、国内空港での発着回数は、二〇一〇年の一万一〇〇〇回から二〇一八年は一万六〇〇〇回へと、およそ一・五倍に増加している。

今回のゴーン騒動を、拠るべき規範も倫理も喪失したブルジョアジーの〈現在〉を照らし出す出来事として総体的に把握すること。その先には、森友、加計、政権周辺の犯罪者の擁護、観桜会、自衛隊の中東派兵など、ブルジョア政治の腐朽性がすべて浮かび上がってくる。

（一月一一日記）■

一月一六日（木）

武漢への渡航歴を持つ、神奈川県に住む三〇代の中国人男性が新型コロナウイルス患者として確認される。日本で初の感染者。

一月二〇日（月）

中国政府専門家グループ、新型肺炎のヒトからヒトへの感染が認められると発表。北京や上海でも患者が発生。

一月二一日（火）

中国政府、新型コロナウイルスの感染者が三〇〇人、死者が六人になったために、この肺炎を法定伝染病に指定し、最大級の防疫体制をとると発表。里帰りのピークを迎える春節期間中には延べ三〇億人の異動が予測されている。

一月二二日（水）

世界保健機構（ＷＨＯ）が専門家による緊急会合開く。

一月二三日（木）

朝日新聞に「新型肺炎　水際で警戒―春節目前　国内空港の検疫強化」の見出し。日本と武漢を結ぶ直行便は、成田、関西、中部、福岡の四空港で週計三八往復。

日本の首相は、「桜を見る会」をめぐるスキャンダルへの対応で、気もそぞろといった感じがするが、中国向けに春節の祝辞を出し「春節に際して更に多くの中国の皆様が訪日されることを楽しみにしている」と述べた。

中国、きょうから武漢市を封鎖。同市を出発する航空便や鉄道の運行を停止。駅や高速道路を封鎖。一千万人を超える市民に実質的な移動制限措置。

ＷＨＯは、意見がほとんど真っ二つに割れ、「緊急事態宣言」を見送り。中国政府の武漢封鎖を「驚くべき決断」と称賛する一方、中国政府に「政策の透明性や対策の説明、データの共有」を求めた。

一月二四日（金）

日本政府、中国湖北省への渡航中止勧告（強制力はない）。

一月二五日（土）

日本紙の経済面には、「新型肺炎、経済にも影」記事が目立ち始める。武漢には日系企業一六〇社が進出。ユニクロやイオンモールは現地店舗を封鎖、工場でも従業員が出勤できない。国内でも、福岡のデパートでは免税品売上高の八割を中国人が占めることから、春節「商戦」への影響を懸念する声があがっている。

フランスで三人、オーストラリアで一人の感染者を確認。いずれも武漢に滞在した中国人や旅行者。

中国旅行協会、海外旅行を含むすべての団体ツアー旅行を二七日から禁止すると発表。

一月二六日（日）

朝日新聞「新型肺炎　武漢へ支援続々」の記事。無料タクシーによる買い物支援、国営テレビでの武漢市民への励ましの言葉、軍医療部隊の派遣など。インターネット上には、高層マンションに住む武漢市民がベランダに出て、お互いを励まし合う光景が出ている。

米国は、武漢に住む米国人一〇〇〇人を避難させるための航空機を手配した。トランプ大統領は「中国はコロナウイルスを封じ込めるために懸命に取り組んでいる。米国は彼らの努力と透明性にとても感謝している。すべてうまくいくだろう。特に、米国民を代表し、習国家主席に感謝したい！」とツイートした。

一月二七日（月）
日本政府も、武漢に住む日本人七一〇人のうち希望者の帰国支援を行なうと決定。
朝日新聞大見出し「春節　緊張列島」「中国人団体客　宿泊キャンセル」。

一月二八日（火）

中国国家衛生健康委員会のきのうの発表、「感染者二七四四人、人口一千万人をこえる武漢市から、移動規制前後に市外に出た人は五〇〇万人」。武漢の病院はベッド数不足が深刻化との報道。

日本政府は、新型コロナウイルスによる感染症を、感染症法上の指定感染症に。

こんな中で、日本国首相は、「桜を見る会」についても、公職選挙法違反（買収）容疑で家宅捜索を受けた河合案里議員の選挙資金として破格の一億五〇〇〇万円が自民党から提供された件についても、国会で正面から答えず、「逃げ続ける首相」との見出しが朝日新聞には踊っている。

厚労省、渡航歴のない奈良県の日本人男性が新型コロナウイルスに感染と発表。一月八日～一一日、武漢からの観光客をバスで送迎したバス運転手。

一月二九日（水）
中国国家衛生健康委員会のきのうの発表では、中国で確認された感染者数は五九七四人、春節休暇を二月二日まで延長し、外出を控えるよう呼びかけ。
中国各地で活動する日本企業は、発生地の湖北省武漢市周辺のみならず、春節休暇明けの工場の操業再開の延期を決めたり、中国出張を禁止したりする動きが始まった。

武漢在住の日本人を帰国させる民間チャーター機第一便、二〇六人を乗せて羽田着。

朝鮮民主主義人民共和国・金正恩朝鮮労働党委員長、「（コロナウイルス感染）拡大防止のための事業は国家存亡にかかわる重大な政治的な問題」と語った、と二九日付け労働新聞が伝えた。

コロナウイルス感染を防ぐうえで、マスクはどこまで有効なのか、どんなマスクがよいのかという報道が増えている。

一月三一日（金）

今朝、スイス・ジュネーブに本部のあるＷＨＯ（世界保健機関）は、中国以外でウイルスの感染が拡大している状況に鑑みて「国際的に懸念される公衆衛生上の緊急事態」を宣言した。移動・貿易制限は勧告していない。米国務省は、中国への渡航禁止を勧告した。

夜は、駒込の東京琉球館で、「太田昌国の世界」第五九回。この「講座」の企画は、琉球館の旧名「どうたっち」（ウチナーグチで「独立」の意）以来のこのスペースの主宰者である島袋マカト陽子さんと、何かのデモ行進の列で隣り合わせた時の会話から始まった。二〇一〇年一月に始めて以降、奇数月の最終金曜日に開催してきた。今夜のテーマは『東アジアの一角から視る「アウシュヴィッツ解放」七五周年』。連合国軍のノルマンディー上陸作戦から七五周年を迎えた昨年二〇一九年六月の記念式典から、四日前の一月二七日、アウシュヴィッツ解放七五周年記念の催し物に至るまで、第二次世界大戦終結から四分の三世紀が経つことを記念する諸行事が広くユーラシア大陸の規模で執り行われ、そこには「加害国」ドイツの首相か大統領も列席して、ブルジョア政治家としてはギリギリの「内省」と「悔悟」の発言をしている。例えば、二〇一九年一二月六日、アウシュヴィッツを初めて訪れたドイツのメルケル首相が「虐殺を行なったのはドイツ人だった。この責任に終わりはない」と語り、二〇二〇年一月二三日、エルサレムのホロコースト記念館へ行ったドイツのシュタインマイヤー大統領が「私は歴史的な罪の重荷を背負ってここに立っている」と述べたように。

これとの対比で、現在の日本国首相が、アジア諸国との関係について語ってきた「孫子の時代にまで謝罪させない」「これが最終的な解決方法」「不可逆的な解決」などの言葉を思い起こせば、絶望的な気持ちになる。それも「戦後日本の在り方」という、わが身から出た錆なのだが……。日本社会全体がそのことに「気づく」のがあまりに遅いので、韓国からすでに問題提起がなされているように。たとえば、

権赫泰『平和なき「平和主義」——戦後日本の思想と運動』（法政大学出版局、二〇一六年）

権赫泰／車承棋＝編『〈戦後〉の誕生——戦後日本と「朝鮮」の境界』（新泉社、二〇一七年）などを通して。

そのことを話す。

2. ジワリ（二〇二〇年二月）

二月一日（土）

政府はきのう、中国湖北省に二週間以内に滞在歴のある外国人と、湖北省発行の中国旅券を持つ外国人は、きょうから当分の間、入国拒否と表明。

元衆院議長・伊吹文明、三〇日の自民党二階派例会で、感染拡大は「憲法改正の大きな一つの実験台。緊急事態の一つの例」と語ったことが明らかになる。

米国はきのう、公衆衛生上の緊急事態宣言。過去一四日以内に中国に滞在した外国人の入国を二日から拒否。六四ヵ国が、中国との間で何らかの入国制限を敷く。

反天皇制運動連絡会機関誌〝Alert〟の連載コラム「太田昌国のみたび夢は夜ひらく」は第一一六回目。昨年五月に施行された「アイヌ施策推進法」（いわゆるアイヌ新法）をめぐる〈いかがわしい〉言論状況について書く。

太田昌国のみたび夢は夜ひらく　第一一六回
ひたひたと社会に浸透する〈いかがわしさ〉

昨二〇一九年五月、アイヌ施策推進法（以下、アイヌ新法）が施行された。内閣官房アイヌ総合政策室は、それに伴う基本方針案に関わるパブリックコメント（意見公募）を昨夏行なった。北海道新聞は情報公開請求を行なって、寄せられた意見の内容を調べようとしたが、六三〇九件の意見のうち九八％は公表しないとの回答を得たという。理由は、それらのコメントが基本方針案に言及せず、「アイヌ民族は存在しない」「アイヌ民族は先住民族ではない」「アイヌ民族への差別はなかった」などの「差別的で」「法の趣旨に反する」意見で占められていたためであるという（一月一八日付け北海道新聞朝刊）。昨年の国会審議において、同政策室は「民族としてのアイヌ民族はいない」とする発言はヘイトスピーチ（差別煽動表現）に当たるとの見解を示しており、それに沿った方針のようだ。

アイヌ新法では、土地の権利やサケの捕獲などの先住権の保障が明記されていない。この点に関しては、十勝管内浦幌町の浦幌アイヌ協会が、先住権の確認を求める訴訟を今春四月にも起こそうとしており、それをも契機にしてさらに議論が深められる必要性があるだろう。ここでは、昨今のさまざまな言動から判断するなら、総体としてはおよそ信頼に値しない「内閣官房」ですら公開を憚るコメントがなぜかくも多数寄せられたのかという問題を考えたい。それは、もちろん、六〇〇〇人有余の個々人の主体性に基づく行為というよりは、意見公募への参加を促す呼びかけがネット上で行われたからであろう。事実、私が調べた限りでも、特定の数人ほどの人物が意見提出の呼びかけを熱心に行っている。それは、私たちの「運動圏」でも行われていることであり、そのこと自体が問題なのではない。そこから、どんな意見が寄せられているかが、問題の核心である。歴史的な事実をどう踏まえているか、人権尊重の観点が貫かれているかなどが、その意見の当否の判断基準となるだろう。

ネット上で検索できる範囲でその典型的な意見の例を挙げてみる――「偽アイヌ」「成りすましアイヌ」に対する「野放図なバラマキ」を止めよ／「北朝鮮や中国、ロシアにもアイヌの子孫は存在し」ているので、同民族の先住民族性を認めると「北朝鮮や中国が北海道を子孫の土地だと主張する口実を与える」から、アイヌを先住民族として認める法整備を止めよ／「アイヌ協会の幹部には、北朝鮮の基本理念であるチュチェ（主体）思想研究会と深い繫がりを持つ人物がいる」から、へたな権限をアイヌ民族に与えるな etc. ――

この種の意見には既視感がある。排外主義的な「日本単一民族国家論」に基づいて、特定の民族に対する憎悪を煽るそれである。彼ら／彼女らからすれば、七年以上も持続している現政権は、民族・国家論において同一陣営に属するはずなのに、アイヌ民族の「先住性」を一部なりとも認めるようなアイヌ新法を制定したことへの疑問と批判があるのだろう。アイヌ民族運動の背後に潜むチュチェ思想云々の箇所などは、本来ならば噴飯物の言い草に過ぎない。だが、一九九〇年前後以降、劣化するばかりの保守・右翼言論が広く社会に浸透したがゆえに現在の政治・思想状況があると思えば、どんな珍妙な考えも軽視すべきではない。そう言わざるを得ないほどに、社会状況のいかがわしさは極点に達している。

相模原市の障碍者施設・津久井やまゆり園の殺傷事件を引き起こした被告が「障害者は家族や周囲に迷惑をかけている」という考えを内面で固めたのは、米大統領選に立候補したトランプの言動を聞いてからだという（一月一七日付け朝日新聞夕刊「取材考記」および一八日付け同紙朝刊）。「不法移民の入国を阻止」するために対メキシコ国境に壁を作るなどの排外主義的なトランプ発言に、社会の底流に存在していながらタブー視されていることで公然とは口にできないことを、よくぞ言ってくれたとの思いを抱いたのだろう。被告は事件の五ヵ月前に衆院議長に宛てた手紙で「障害者四七〇人の殺害予告」をしているが、この計画を「ぜひ、安倍晋三様のお耳に伝えること」を望んでいる。被告は日米のふたりの政治家に、身勝手で一方的な思い入れをしたのだろうか。それとも、〈いかがわしさ〉には伝播力が備わっていて、知らずして互いに惹き合う／惹かれ合うのだろうか。

（一月三一日記）■

二月三日（月）

中国、きのう、春節最後の日曜日。厳しい移動規制にもかかわらず、数億人が移動した。他方、武漢市では、新型肺炎の患者を専門に受け入れる二つの病院を一〇日間の突貫工事で建設中だったが、きのう病床数一〇〇〇の病院が完成。五日には、もうひとつ病床数一〇〇〇の病院も完成するという。一〇日間二四時間ぶっ続けで、三交代制の労働をしたのだろうか。ロシア革命初期に奨励され、レーニンがこれぞ共産主義の自由な労働の萌芽と讃えた「共産主義土曜労働」（スボートニクсубботник）なる古典的な言葉が思い浮かぶ。

二月四日（火）

春節明けの三日、上海株急落の大見出しが新聞に。

中国では、人同士が二メートル以内の接触を避けることで、新型肺炎の感染を防ぐ方法が徹底化してきた。宅配物の配達員は受取人に近づくなと合図しながら、商品が入った箱を路上に置き、離れる。すると受取人が箱に近づいて品を取り出す。客が離れると、配達員が箱を回収する。そんな「不思議な」映像がＴＶに流れている。感染症とはそういうものなのか、ということが素人目にもわかる。

他方、中国人団体観光客四〇万人が訪日をキャンセルしたようだ。日本国の首相は一月二四日に中国向けに春節の祝辞を出し「春節に際して更に多くの中国の皆様が訪日されることを楽しみにしている」と述べていた。中国・武漢市で発生した新型コロナウイルス による肺炎が問題視されるなか、すでに同ウイルスによる死亡者が出ている報道があったにもかかわらず、このメッセージは不適切だったのではないかとの指摘が出始めた。

三日夜から横浜港に停泊中の大型クルーズ船ダイヤモンド・プリンセス号（この手の船の、こけおどしの命名には辟易する）で集団感染。三七〇〇人が下船できない破目に。

コロナウイルスに加えて、難題が起こっている。アフリカ東部のケニア、ソマリアなどで、バッタが大発生している。サバクトビバッタ。現地は四月が農作物の収穫期。新聞に載った写真からでも、群れのすごさが見て取れる。

二月五日（水）

企業が、社員の感染予防のために在宅勤務に取り組み始めたとの報道が目立ち始める。

二月六日（木）

中国人医師・李文亮は、昨年一二月三〇日午後、勤務先の病院で或る患者からコロナウイルスが検出された検査結果を見つけたため、「華南海鮮市場で七人のＳＡＲＳ感染者が確認された」と発信した一人だが、その後「インターネット上で虚偽の内容を掲載した」として、二〇二〇年一月三日に公安局に呼び出された。そこで懲戒書への署名を求められ、訓戒処分を下されていた。その後自らも感染症に罹り治療を受けていたが、この日武漢市内の病院で亡くなったことを中国国内の複数のメディアが報道した。

二月八日（土）

空族の富田克也監督（『国道十号線』『サウダージ』『バンコッツ・ナイツ』など）から、「『山谷　やられたらやりかえせ』の佐藤監督らは、ウカマウの映画を観て影響を受けていたでしょうか？　今度パリで『山谷』の上映があるのですが、現地の友人に訊かれました。」――との問い合わせ。二〇一八年九月に開かれた『山谷』上映会で私は講演したが、その冒頭で、ちょうどそのことに関して触れているので、それを読んでもらいたいと伝える。同時に、ウカマウ映画のシナリオ集２『ただ一つの拳のごとく』（インパクト出版会、一九八五年）には、『山谷』上映委員会の池内文平君が「佐藤満夫の背後にある〈ウカマウ〉――我々の「〝夢〟の現実」へ」と題する文章を寄せているので、それも含めてウカマウ関連書籍や冊子をすべて富田氏に贈呈する。二〇一八年の講演では、以下のことを話した。

サパティスタはなぜこの世界に登場し、そしてそれはこの世界の何を変えたのか？

山岡強一虐殺三〇年　山さんプレセンテ！
佐藤さん、山岡さんと共有した時間

こんばんは、太田です。『山谷』の映画のあとにこのようなテーマで話すという脈絡が僕自身まだよく分かっていないのですが、まず五分ぐらい別なことを話しながら、考えていきたいと思います。この映画の最初の監督の佐藤満夫さんとは、一九八〇年代の前半に、いろいろな集会やデモで顔を合わせました。デモで隣り合わせて話すとか、集会の片隅で話すとかしておりました。僕は一九八〇年からボリビアのウカマウ集団の映画を自主上映し始めていました。佐藤さんはもともと映画畑の人ですし、最初に自主上映したウカマウの『第一の敵』という映画を見ていて、その映画をめぐる感想を熱く語ってくれたりしていました。

やがて佐藤さんは『山谷』の撮影を開始したのですが、それであのような形で亡くなったあと、その『第一の敵』についての評論を何かの映画雑誌に投稿するために書いたという情報があったので関係者の皆さんに探していただいたのですが、残念ながらそれは見つかりませんでした。ウカマウ集団の上映運動は今もう三六年目になっていて、まもなく一一本目の新しい長編作品が届きます。早ければ来年、遅くても再来年には、再び全作品回顧上映ができると思うのですが、そういう場で、一九八四年一二月を最後にして佐藤さんと再会できないというのは非常に残念なことです。

二番目の監督の山岡さんとは、一九七九年頃知り合って、七年間ぐらいの付き合いであったと思います。これは亡くなったあとの追悼文で書いたことでもありますが、一九八五年の秋ぐらいですかね、「解放を求めるアジア民衆の会」を立ち上げたいということで、山岡さんが相談に来たことがありました。その頃東京に金明植さんという韓国の詩人が滞在していました。八月一五日に靖国神社に向けてデモをやりますね。官製の「全国戦没者追悼式」を批判する形で。その年によってデモコースは異なりますが、多くの場合神保町の交差点から九段の靖国神社の方へ向かいますが、「許可」されるデモコースは、靖国の手前の九段下で曲げられます。金明植さんがそれを見ていて、おまえたちはなぜあそこで曲がるんだ、なぜまっすぐ進まないんだ、と批判するのです。日本のデモで捕まった時のとてつもない長期拘留とか、あとの弾圧の問題とか、いろいろ山岡さんも僕も説明するんだけど、そんな弾圧を恐れていて一体何の運動なんだ、というわけです。それは正論なんだけど、日本の特殊事情がちょっと分かってないという感じで、やり合いになったことがあったりしました。かなり強烈な個性の人で、軍政時代の韓国で生きてきたひとだから、歯がゆかったのでしょう。いろいろ話し合っていて面白い人だったんですね。彼の提起もあったと思うのですが、山岡さんから「解放を求めるアジア民衆の会」を立ち上げたいという相談があったのは、そんな経緯でした。

同じころだったと思いますが、山谷の夏祭りの後で夜更かしして一緒に飲んでいて、朝が明けて、なぜか僕の家に来ることになった。広島の中山幸雄さんも一緒だった。駅から家に行く途中の古本屋で、山さんが『小林勝作品集』を見つけて、ためらうことなく買ったというのも、忘れがたいエピソードです。お互いの精神の「近さ」を実感させられるエピソードだったから、です。

それから亡くなるまさに五日前、八六年の一月八日、当時まだ神保町にあった僕の事務所に、いきなり山岡さんが五、六人の人たちと一緒にみえて、いよいよ映画『山谷 やられたらやりかえせ』が完成した、ついては上映運動を始めるのだが、太田がやっているウカマウの上映運動は自主上映としてはなかなかうまくいっているみたいだから、ノウハウを教えてくれないかと言われて、しばらくどんなふうにやろうかということを一緒に考えたことがありました。

それから五日後、山さんは新大久保の路上で右翼暴力団員によって撃たれて亡くなりました。この映画に監督として関わった二人とそういう関係があるせいもあって、『山谷』は僕にとってもなかなか忘れがたい映画なのです。

さて、これからはさきほど司会の池内さんが言った、非常に無理な接合をして、「サパティスタはなぜこの世界に登場し、そしてそれはこの世界の何を変えたのか？」という問題を考えるわけです。要するに、何を考えなければならないかというと、僕が佐藤さんや山岡さん、この映画に関わった人たちと共有した時代、一九八〇年代の前半から半ばにかけての時代と、それから三〇年経った今の時代というものが、何がどう変わったのかを考えることだと思うのです。これからの話には年代・年号がたくさん出てくると思いますが、それはあまりこだわらなくていいです。大まかなスケッチとして、一九七〇年代から八〇年代にかけての時代と、世紀末を過ぎて新しい世紀になってもう一六年経っているわけですが、今の時代がどういう変貌を遂げたのか。その中でサパティスタが果たしてきた役割は何なのか、ということをお話したいと思います。

ソ連崩壊の決定的原因となったアフガン侵攻とチェルノブイリの原発事故

この問題を考えるためには、どうしても二〇世紀の大きな存在であった社会主義という問題を考えなければならないと思います。二〇世紀の初頭——来年ちょうど一〇〇周年を迎えますが——一九一七年にロシア革命が起こって、これが世界最初の社会主義革命であった、常にそう思い起こされる時代が始まったわけですね。そして二〇世紀は大きな戦争、あとで名づけられた名称でいえば第一次世界大戦、第二次世界大戦をはじめとしていくつもの戦争があった。そして、革命も、その戦争を契機に、あるいはそれを利用しながら、ソ連に続くさまざまな革命が起こっていった。それもあって、二〇世紀は「戦争と革命の世紀」というふうに、僕らが若い頃、一九六〇年代、七〇年代によくいわれました。最終的に、そのソ連の社会主義は一九九一年の一二月、今から四半世紀前、二五年前に潰えるという形になったので、この問題が世界全体の変貌にどういう意味合いをもったのかということを考えることから始めたいと思います。

山岡さんが亡くなってから三ヵ月後の一九八六年の四月には、ソ連でチェルノブイリの原発事故が起きています。ソ連はその七年前の一九七九年にアフガニスタンに軍事侵攻しています。これは、ソ連から言えば味方になる勢力が、アフガニスタンでクーデタによって政権を取り、その新しい革命政権の要請によってソ連軍が介入した、という説明を当時のソ連共産党第一書記のブレジネフはしたわけですが、ともかく一九七九年にソ連軍がアフガニスタンに軍事侵攻した。それが、それこそ「対テロ戦争」と「テロリズム」の応酬が世界を揺るがせている現在にまで繋がるさまざまな動きと関係してくるので、きわめて重要な現代史の出来事です。その後の歴史の流れも見ながらソ連邦の一九九一年の崩壊を決定的に原因づけた理由を考えると、最終的に決定づけたのは、七九年のアフガニスタンに対する軍事侵攻という失敗と、八六年のチェルノブイリの原発事故だったのではないかと思います。

僕が学生時代であったのは一九六〇年代の半ばですが、社会を変革する、あるいは革命といってもいいのですが、そういうことに思想的に目覚めたとして、その時代のソ連の在り方が社会主義のモデルであるとはもはや思える時代ではなかった。すでに日本には一九六〇年安保闘争以降の中で、新左翼と呼ばれる諸集団が生まれたということもありますが、加えて当時の左翼的な思想・文学を牽引した人たちなどにとってもソ連社会主義の在り方を批判するというのは当たり前のスタイルであった。どれほどそれが社会主義の名に値しない抑圧的なものであるかということがはっきりしていて、そのソ連社会主義の批判を行いながらなお、あるべき社会主義、広い意味での社会主義の在り方を模索するというのが、そういう思想に目覚めた人びとにとっての普通のスタイルであった。

六〇年代、七〇年代のそういう模索が日本でも世界でも続いてきたと思うのですが、しかしその七九年アフガニスタンに対する武力侵攻と八六年チェルノブイリ原発の事故というのは、ソ連社会主義の最終的な崩壊を告知するような出来事であったと思われます。もちろん、例えば一九六八年にはソ連とワルシャワ条約軍は、「人間の顔をした社会主義」を求めるチェコスロバキアに武力侵攻していますから、ありふれたことではあったのです。アメリカ帝国ほどではないけども、自分達の「衛星」国だと思っている国々で何かクレムリンのモスクワ指導部から見て気に食わないことがあると、武力を使ってそれを潰すというのは当たり前のスタイルであったとはいえます。それがとうとうここまで酷い事態を巻き起こすのかということが、アフガニスタン侵攻によって明らかになったということですね。

それから、ソ連社会主義というのは、アメリカと競うにあたって、社会主義的なモラルの高さを基準にして競うのではなくて生産力競争をやった。いわば、「アメリカに経済的に追いつけ追い越せ」という形で、対峙しようとした。アメリカ的な超大国に生産力でどのような形で追いつき追い越すことができるかということを経済建設のメルクマールとした。そうすると、それは様々な分野でのアメリカとの競争ということになって、核兵器開発競争はもちろん、例えば宇宙における人工衛星あるいは有人飛行を巡る競争も含めて行われるという時代を迎えるわけですね。

一九五九年、ガガーリンという最初の宇宙飛行士をソ連が打ち上げた。これこそ社会主義が資本主義に対して優越性をもつ決定的な証拠であるというふうにクレムリンは語る。日本を含めて世界各国で、社会主義への夢や希望を持つ人たちが、アメリカより先に有人飛行を成功させたソ連社会主義は偉大だ、アメリカに勝ったということになるわけです。そういうことが基本であったような生産力競争をしていたわけですね。もちろん、原水爆実験、そして原発というのもその現れで、競い合ってやったわけです。アメリカはインディアン居留地、内陸部の広大なかつては先住民が住んでいた、その地域を選んで水爆実験を行い、ソ連であればシベリア少数民族が住んでいる所、あるいは北極、そうしたいわゆる辺鄙な所、あるいは人が住んでいたとしても、クレムリンからすれば、その被害は無視できるような所を選んで軍拡競争を、原水爆実験を続けてきた。その一つの在り方が、同じエネルギーを使う原発事故となって、チェルノブイリで爆発をしたという結果になるわけです。

山岡さんはアフガニスタン侵攻までは知っているけれども、チェルノブイリの原発事故は知らないわけですね。山岡さんと社会主義の問題をめぐってまともな議論をしたことは記憶にないので、彼が社会主義なるものに、どういう夢を、あるいは絶望を抱いていたかは知る由もありません。しかし、当時あの運動圏にいた人びとにとっては、広い意味での社会主義というものが、どこかで矯正可能であると、ソ連がどんなに歪んでいても、あるいは中国の文化大革命でどんな酷い過ちを犯したとしても、もっと違うやり方での社会主義の再生というものが可能であるだろうというふうにどこかで思っているところがあり得たと思うのです。

僕はどちらかというと、人間社会というのはアナキズム的な理想によって成り立つだろうというふうに思っているところが若い時からあるので、広い意味での社会主義というのは、アナキズムも含めた形でのそういう展望で語っているわけです。あり得るかもしれない社会主義の範囲を、もう少し膨らませたところで話しているということは、感じておいていただきたいと思います。それが一つの問題ですね。もう少し現代のところでは、この問題を膨らませたいと思います。

朝鮮に対する植民地支配という問題に気づくのがきわめて遅かった

もう一つは、朝鮮の問題です。「解放を求めるアジア民衆の会」というものを作ろうと山岡さんが言っていたのも、いろいろな思いがあったと思いますが、先ほど例をあげた金明植さんが非常に厳しい立場から日本の僕らの運動の在り方を批判する。歴史的な背景としては、植民地支配の問題があるし、そういう展望で批判する人物がいて、その人たちと一体どういう関係をつくることが可能かということは、当時、山岡さんも含めて僕らにとって大きな問題であったし、それはこのように情勢がすっかり変わってしまった現在もなお深刻な問題であるわけです。

その後に見えてきたこともふまえながら、この問題をどういうふうに考えるかというと、日本帝国に住んでいる我々が植民地問題というものを具体的な問題として気づいたのは、残念ながら非常に遅かったと、僕も含めて非常に遅かったと捉え返すことができると思います。

例えば、一九六五年に日韓条約が締結されます。このとき敗戦後二〇年の段階ですが、朝鮮半島に唯一合法的な政府は大韓民国政府であるということで、北朝鮮の存在を無視して、南の韓国政府とだけ国交正常化交渉を行って正常化したわけですね。このとき韓国では、学生を中心に非常に激しい条約締結反対運動が起こったし、日本でも六〇年安保が終わった後ですから、学生運動の水準でいうと運動が停滞して、それほど活発な学生運動が展開されていた時代ではなかったけれども、一定の日韓条約反対運動というものがあった。僕もそれに参加した。しかしそのときの意識を思い出してみても、朝鮮との間の植民地問題ということで問題をきちっと立てて、日本の敗北の二〇年後に結ばれようとしているこの条約にどういう反対の論拠をもつかということを仲間同士で論議した記憶はない。そのような意識が現れてくるのは、それから数年後の六〇年代後半です。ですから、植民地支配という問題を、支配側の日本帝国にいて、その現代史を生きていて、どのように捉えるかという問題意識が生まれたのはきわめて遅かった。社会全体の問題として、あるいは個別に僕らの問題としても遅かったといえると思います。

その具体的な現れの一つとして、例えば日韓条約反対の労働組合の反対運動のスローガンの一つは、当時の大統領は今の大統領の父親の朴正煕で、朴というのを日本語読みにすると「ぼく」ということになるから、「（請求権資金という）カネを朴にやるなら僕にくれ」、そういうスローガンがプラカードに書かれていた時代なんです。これこそ「一事が万事」、当時の日本の社会運動の思想水準を表わすものだと考えてくだされぱいいと思います。

その韓国では、その前年の一九六四年からアメリカの強い要請によって、ベトナム派兵を行うわけですね。米国がだんだんとベトナム戦争に深入りしていくのは六〇年代に入ってからです。それは五四年にベトナムを支配していたフランス植民地主義がディエンビエンフーの作戦で軍事的に敗北を喫して、彼らは退いて行くわけです。そうするとアメリカ側から見れば、ソ連があり、四九年には中国革命が起こり、五〇年から五三年にかけては朝鮮戦争が起こって、北朝鮮が一時期ソウルを制圧し釜山にまで攻め込んでくるような事態になった。かろうじて五三年の休戦段階で38度線を一つの休戦ラインにしたけれども、北にははっきりと社会主義を名乗る政権がある。ベトナムも北ベトナムが社会主義を名乗っている。そうするとユーラシア大陸からずっとアジア全域が、東アジアから東南アジアまで「赤化」しつつあるということになる。これはドミノ倒しである。このまま放っておいたらどうなるか分からないといって、フランス植民地主義に代わって、アメリカはインドシナ半島への具体的な介入を始めるわけですね。それが、やがて泥沼のベトナム戦争として七五年まで続くわけです。

米国はベトナムへの介入を深めるにしたがって、日本には、沖縄にある米軍基地を軸にベトナムを爆撃する本拠地としてしっかり担ってもらう。韓国には、実際に兵を動員してベトナムで一緒に闘ってもらうということを朴正熙に提案し、朴正熙はこれに応じて、結果的に七二年までの九年間、延べ三〇万人といわれる韓国兵がベトナムで、ベトナム民衆を相手に闘うということになるわけです。四五〇〇人ぐらいの韓国兵が亡くなっています。そうすると、あとで僕らも気づくんですが、韓国の人たちからすれば特に女性からすれば、二〇年前の日本軍のアジア全域における侵略戦争のために夫をとられた。そして日本軍として戦わされた。その歴史を負っている人たちが一九六〇年代半ばには、中年の年代で生きているわけですね。その間に朝鮮戦争がありますし、今度はベトナムに息子たちがとられる。そういう不安を抱いて暮らす農村部の女性たちが多かったわけです。これは日本に暮らしている私たちのどの世代も経験したことのない現実なわけで、こういう形でアジアの現代史は続いているんだということが、そばにいながら、しかしそれからはっきり隔てられた空間に住んでいる我々には気づくのが非常に遅かった。こういう問題として、韓国のベトナム派兵を捉えることはできなかった。今、山岡さんが元気であったら、語り合いたい一つのことは、こういう関係の問題ですね。

独裁というキーワードだけでは分析できない流動化の進行

それから朴正熙のクーデタが一九六一年に起きて、延々と長い軍事政権の時代が続くわけです。七〇年代前半ぐらいから、岩波書店の『世界』という雑誌に「韓国からの通信」というレポートが載るようになる。これはT・K生という匿名の筆者が、毎月韓国でどんな事態が起こっているのかということを人からの伝聞とか、街の噂話とか、ビラとか、地下通信とか、様々な形で伝えてくれる非常に貴重な媒体であったわけです。これは八八年まで続くので、ほとんど一五年間毎月のように載っていて、「僕ら」と複数形で言っていいと思いますが、当時韓国に関心のある人たちの韓国情勢の把握を決定づけた一つの大きな媒体であったと思います。

僕は八〇年代の前半ぐらいになってちょっとこの通信に距離を置くようになった。それはどういうことかというと、それまで僕自身もそうでしたが、それを大きな情報源として韓国情勢を把握している限り、韓国は軍事政権の独裁下で、それだけをキーワードにして分析すればそれで一切分析ができてしまうような「暗黒の世界」だったわけです。ものすごい拷問が行われているし、弾圧も行われているし、死刑判決が連発され、執行もされている。集会・行動の自由もないし、言論の自由もないし、文学者も発言次第ですぐにしょっぴかれる。金芝河のように風刺詩という形で、非常に鋭く政権の在り方を風刺すると、それだけで逮捕される。そのような「暗黒の世界」があったことは否定しがたい事実なのですが、それだけで全て分析してしまうことができるのか。それは分析でもなんでもないんですけれどね、あとから思えば。

僕がちょっと違うなと思い始めたのは、文学作品、韓国の現代文学を読むことによってなんですが、黄晳暎という作家がいます。彼は僕と同じ世代なので、徴兵にとられて実際にベトナムに行って、戦闘部隊や諜報部員として活動して、ベトナム経験を持っている世代の作家です。彼がベトナムから帰ってきて、その体験記をフィクションの形で書き始めるわけですね。そうすると、彼の書いているベトナム戦記を韓国の実際の民衆がどう受け止めているかというところで、意外な反応が出てくる。

例えば、ベトナム帰りの兵士たちというのは、一目でそれと分かる振る舞い方、あるいは格好をするわけだけども、そうすると韓国の市民はそれを見て、うまい稼ぎをしてきやがってとか、こっちに引き上げてくる時には、ＰＸという軍人専用の店で、日本の電化製品なんかを非常に安い値段で買える特別な店があるわけですね。まだ韓国が八〇年代の驚異的な経済成長を始める前の段階ですから。そうすると六〇年代、七〇年代というのは、派遣された韓国兵で無事生きて来られる人は貯め込んだドルがある。戦地手当は日本の自衛隊と同じようにそれなりに大きいわけですから。帰る時に、そうやって韓国では貴重な日本製の電化製品やなんかを買い集めてくることができる。そして、兵士によってはそれを大量に買い込んできて、韓国で売りつけるような振る舞いをする者がいる。そうすると、韓国のベトナム帰還兵というのは、庶民からはそういう目で見られている。そういう二重構造といいますか、韓国社会の中で作られる別の構造が見えてくるわけですね。

今のは『駱駝の目玉』という小説なんですが、黄晳暎がもう少しあとに書く『熱愛』という小説だと、開発独裁という、当時の第三世界の独裁体制を規定する言葉があったのです。僕らが

「独裁」に重点を置いてその社会分析をやっていたとすれば、もちろん「独裁」批判は当たり前のことではあるけれども、しかし一方で同時に「開発」というものも進んでいる。外資の積極的な導入による経済開発――それを第三世界支配のモデルケースにしようという、アメリカのような超大国の意志が働くわけです。その利益がどこに集中するかは明らかですが、にもかかわらず経済全体の底上げ、中産階級の形成も進行する。独裁というキーワードだけでは分析できない、流動化というものが韓国社会の内部で進んでいるのだということが分かってきたわけです。

そうすると、今までのような形で『世界』に載っているT・K生の「韓国からの通信」に依拠してそれ以上のことを深く分析しようとしない僕らの在り方というのは決定的に間違っていたのではないか、「開発独裁」体制の内部も知らなければならないのではないかというふうに思うわけですね。そういう問題意識も山岡さんが亡くなってから、はっきり僕の中に現れたことだと思うので、韓国などを分析する際に、一体どういう情報を大事にして接することができるかということも、山岡さんといろいろ話し合うことができたらなと思うことの一つであります。

『熱愛』という作品が書かれたのは、ソウル・オリンピックが開かれた一九八八年です。ソウル・オリンピックの前の数年間はオリンピック開催に向けての高度経済成長の時代を意味するわけですね、東京がそうであったように。一九六四年の東京オリンピックに向けて一九六〇年ぐらいから新幹線の開発とか、そういうものを含めたインフラ整備が行われて、一気に「離陸」するわけです。あの敗戦直後の焼け野原の時代から。韓国であれば、日本の植民地支配を経て、あの苛烈な朝鮮戦争を経た五三年以降の時代から、それでまだまだ貧しい時代の五〇年代、六〇年代が続いたと思いますが、経済成長の点で一時は北朝鮮に遅れを取っていたと、さまざま見聞した経済学者やジャーナリストが言っていた時代が七〇年くらいまでは続いていたわけですから。それを一気に覆すだけの経済成長を、あろうことか朴正熙の独裁政権下で成し遂げているわけで、その過程の問題を一体どういうふうに捉えるのかということが、その後の私たちの討論課題になったであろうと思います。

朝鮮半島には、もう一つの重要な問題があります。朝鮮民主主義人民共和国の在り方をどう考えるかということです。南の独裁のみを取り上げ、北の独裁は不問に付してきたのが、日本の「革新派」の大方の在り方でした。きょうは詳しくお話しする時間はありませんが、二〇〇二年九月一七日、日朝首脳会談で金正日が拉致犯罪を行なっていたことを認め、謝罪したときに、自称「社会主義国」＝北朝鮮のイメージは完全に崩壊しました。ソ連崩壊から一〇年、社会主義の理念と実践は、さらにどん底へと落ちたのです。こんな「社会主義」への侮蔑と、「朝鮮的」なるものに対する排外主義とが、奇妙な形で合体している現在の日本社会の状況は、この時点からのまっすぐな延長上にあります。

グローバリゼーションという現代資本主義の最高形態の登場

さて最初に言ったように、一九九一年一二月、ソ連は瓦解しました。これは旧来型社会主義の全面的な敗北であったと当時も思いましたし、今も思っています。同時に、第三世界の解放モデルもほぼこの段階で（本当は、厳密にいえば、もう少し遡るのですが）低迷・後退を始めたということができると思います。キューバ革命初期に関して、ソ連社会主義に変わる新しい社会主義のモデルを提示しようとして、少なくとも最初の九年間、一〇年間はそのような模索も行われた、同時にキューバは第三世界解放の一つのモデルを提示しようとしていた――私は、その苦闘の在り方が現れていたと語ってきたのですが、この二〇世紀末の段階で、ほぼその形も破綻をきたし、そのまま一直線に進むことはなかったと言えると思います。

ですから、韓国の経済発展というのを考えると、六〇年代に経済理論として非常に多くの人びとが読んだ従属理論――第三世界の経済発展というのは、宗主国、植民地支配を行った、あるいは経済的に支配している先進国との関係において規定されているのだから、どうしても従属的な発展にしかならない、このような環を断ち切らない限り第三世界の経済発展は展望できない――というような考え方が一つの限界に達した。そうではなくて、中堅の新興工業国の発展というものが、八〇年代、二〇世紀の末から始まったわけです。

そのようなことをすべて見たところで、僕のこだわってきた問題からすれば、ソ連崩壊後の翌年の一九九二年というのは、コロンブスがアメリカ大陸に到達して、地理上の「発見」とか、あるいは大航海時代といわれたあの時からちょうど五〇〇年目を迎えた年でした。この年が決定的に重要だと思ったのは、前の年にソ連社会主義というのが敗北して、社会主義の全面敗北、資本主義の一方的な勝利というように謳歌する政治指導者や資本家連中が多かったわけですが、僕はソ連社会主義の敗北は必ずしも資本主義の全面勝利を、あるいは最終的な勝利を意味しないと考えていました。資本主義はさらに困難な壁にぶつかるだろうと。五世紀前の、大航海時代と一四九二年の「新大陸の発見」によって、ヨーロッパ世界はその後、中世を抜け出て資本主義的な発展を全面展開していくだけの地理的に有利な条件と、そこを開発することによって資源的に有利な条件、それから植民地支配することによって労働力的に有利な条件を開発していった。つまりコロンブスの大航海というのは、あの時代から世界を二分する、交通路としては一つとなったわけだけれども、非常に有利なものと不利なものとが地域的に分かれることによって、世界が二分される、そういう条件づけを可能にした年の始まりであった。

その後、資本主義はこれだけの年数を経て、ソ連社会主義に打ち勝つだけの基盤を築き上げてきた。それが、ソ連崩壊後はネオリベラリズム、グローバリゼーションというひとつの形をとって現れたわけです。ですから、ソ連崩壊あるいは翌年の一九九二年の段階で、私たちは現代資本主義の最高に発達した段階としてのグローバリゼーションという、世界を単一の市場原理によって統治する、そのような趨勢との、新しい時代状況の中での闘いに入ったわけですね。これは先ほどから言っているように、資本主義の最終的な勝利ではない。グローバリゼーションという現代資本主義の最高形態が、これから世界各国で闘おうとする人たちの、社会主義は間違ったけれども、もっと別の原理を作りだしながら闘おうという人たちの、共通の敵であるという時代がきたというふうに考えました。

北米自由貿易協定に抗する一九九四年一月一日のサパティスタの蜂起

それで、その二年後に起こったのが、メキシコ南東部のチアパスにおけるサパティスタの叛乱であるというのは必ずしも強引な結びつけ方ではないと考えています。武装蜂起という形をとった、先住民主体の叛乱でした。メキシコはご存知の通りメスティーソ、混血の人たちがかなりの割合を占めています。州によっては先住民人口も非常に多い国です。少数エリートの白人が当然のことながら特権階級としてピラミッドの頂点にいて、その中間に分厚い混血の層がいて、これは様々な形で中央権力や地方権力内で上昇したり、人間的に結びついた分厚い層を形づくります。そして、一番下の層に先住民の人たちがいる。先住民はメキシコに限らずラテンアメリカ全部がそうですが、社会全体の中で、いまだに徹底的な人種差別の対象となっています。こともあろうに、その先住民の人たちが武装して、黒い覆面をして、目出し帽で、チアパスの主要都市を占拠して、メキシコ中央政府とチアパスの地方政府に対する抵抗の意志を表示したわけですね。

一つは、中央政府に対してはグローバリゼーションに反対する。ソ連崩壊のあたりから世界中で使われ始めた言葉ですが、グローブ、地球をグローブ、球として表現する、動名詞化してグローバリゼーションとなる。一つになる、地球が一つになる。それが何を意味するかというと、市場原理、資本主義的な市場原理によって一つになるということを意味したわけです。つまり、この我々の人間社会を決めるのは市場原理である。市場の中でどっちがいい物として選ばれるか、品質において、価格において、どれが選ばれて、どれが淘汰されていくのか。それに委ねていけば人間の社会は丸く治まるんだ。社会主義なんて夢のようなことはもうやめて、この市場原理に委ねればよいというのが、つづめていえばグローバリゼーションの考え方です。

その一つの現れが自由貿易協定という形で、いま世界で様々な形で試行錯誤されています。このサパティスタが蜂起した一九九四年一月一日には、もう各国議会で条約調印・批准も終わって発効しようとしていたのが北米自由貿易協定、カナダとアメリカとメキシコ三国間の自由貿易協定です。多国間、この場合は三国間ですが、自由貿易協定の先駆けですね。これはどういうことかというと、一五年間、九四年からですからもう過ぎてしまいましたが、一五年間の移行期間を置いて三国間の関税障壁を撤廃するということです。自由貿易は市場原理に非常に叶った考え方ですね。保護貿易をやって自分たちの特産物を保護して、輸入品に関税をかけて自国品を有利に保とうとする、そのような時代は終わったんだと。世界は国境を越えた経済活動の時代になったのだから、もう全部その障壁を撤廃しようという考え方ですから、例えばメキシコのような第三世界の中では経済規模は大きいとはいっても、アメリカのような超大国と経済競争をやったら明らかに負けるわけです。

アメリカは農業大国で集約的な大規模農業をやりますから、そこで作っている小麦とかトウモロコシとか、そうしたものとメキシコのトウモロコシが勝てるはずがない。価格競争をやって、事実メキシコのトウモロコシはこの一五年の期間を経て、いまや惨憺たる状況です。トウモロコシで食っていた農民はもう食えなくなった。しかもトウモロコシというのは、メキシコの人たちの文化的なアイデンティティにも繋がるような重要な作物なのです。大切な日常食品であり、神話・伝説の世界から大事な産物として、貴重な物として扱われてきているのですから、いわば文化としてのアイデンティティを破壊することになってしまう。しかしそんなことにおかまいなく、自由貿易協定というのは市場原理に基づいてやっていこうという考え方ですから、そうなってしまうわけです。

メキシコ憲法はロシア革命と同じ一九一七年に制定された、世界でもきわめて先駆的な、ある種の進取性を持つ憲法でした。そこでは先住民の共同体的土地所有を破壊しないように、外国資本に売ることを禁じている憲法規定があったんです。しかしアメリカとカナダと自由貿易協定を結ぶためには、その憲法の規定は阻害物になるわけですね。アメリカは変更を要求する。そうすると憲法を変えて、土地も売り買いの対象にできることにしたわけです。北米自由貿易協定を結んで以降、土地は先進国の食肉需要を満たすための牧草地として売られてしまうわけです。これが現在ＴＰＰとして進行している自由貿易協定の本質なわけですね。あとは時間がないので触れませんが、経済生活の在り方を根底的に変えてしまうだけの、そういう暴力的な要素をたくさん持っているわけです。

サパティスタは、これは自分たち先住民族に対する死刑宣告であるといって、これに反対するスローガンを正面から掲げました。あと国内的には、地方政府に対しては、住宅から、教育から、医療から様々な要求を掲げました。グローバルな要求とローカルな要求を、きわめて象徴的に組み合わせた非常にユニークなスローガンがこの時見られました。

ユニークで巧みなメッセージと軍事至上主義をとらない叛乱

あと時間がないのでもう箇条書きのような説明になっていますが、僕が文章を読んでいて面白かったのは、対外的なスポークスパースンであったマルコス副司令というのは、都会の大学の教師もやっていた哲学の教師のインテリでした。それで、頭にマルクス主義を詰め込んだ十数人ぐらいの左翼が、都会からメキシコのもっとも貧しい先住民の農村地帯に行ってオルグをしようとしたというのが、一九八〇年代初頭の発端となった動きです。都会での武装闘争に敗れて、これ以上メキシコの都会で闘争を展開しようとしても、展望は切り開けないだろうと。一九世紀ロシアのナロードニキ（人民主義者）が「ヴ・ナロード」（人民の中へ）といって農民の間に入っていったように、二〇世紀メキシコの都会のインテリたちもチアパスの農民のところへ入っていったわけです。

結果的には、面白い組み合わせがそこでできた。一方的にマルクス主義を外部注入しようとしたマルコスたちは、それはそううまくはいかない現実にチアパスの山岳部で気づいたわけですね。そこで生き延びるために、先住民から、日常的に何を食うか、どの草木が食えるか、どの小動物をどういうふうに利用するかというようなことを含めて、学ぶ日々になっていった。それが僕の言葉でいえば、マルクス主義と先住民世界の自然哲学を含めた哲学・歴史観の類いまれな融合があって、そこで今までのヨーロッパ・マルクス主義とまったく違うものが生まれた。先住民社会だけで育まれた世界観とも違う、不思議なサパティスタ用語ができ上がって、それがメッセージとして発信された。きわめてユニークな言葉遣いと発想をもって歴史と現実を語りかけるスタイルが生まれたのです。すでに見た左翼の敗北情況は、それが用いる陳腐な政治言語によっても象徴されていましたから、それはヨリいっそう魅力的な響きをもって、人びとの心に訴えるものがあったのだと思います。

それと、武装蜂起をしながら、軍事至上主義ではなかったというのが、二〇世紀の様々な闘争とまったく異なった点だったと思います。武装蜂起といっても、アンダーグラウンドの武器市場で様々な武器を買うだけのお金もなかったし、ごくごく貧弱な武装でしかなかったわけで、政府軍が応戦した段階で彼らはまたジャングルの奥深く撤退してしまった。それですぐ政府に政治交渉を呼びかけたわけです。

その政治交渉の呼びかけ方が、文体からメッセージの発し方から非常に巧みであった、人の心を、世論を引きつけるやり方であった。それは国内世論ばかりか、もうインターネット時代に入りつつありましたから、スペイン語で発せられたその文章が、すぐに例えばテキサスとかカリフォルニアとかに伝達される。つい一五〇年前まではメキシコ領であったカリフォルニアやテキサスには、たくさんのバイリンガルの人たちが住んでいるわけです。スペイン語が話せる人たちがたくさんいるわけで。その人たちがすぐインターネットで、英語に翻訳して、世界中にメッセージを伝達したわけです。このメッセージは、僕自身にとってもそうだったけれども、世界でそれを受け止める人にとっては、メキシコというごくごく世界の一地点から発せられたメッセージでありながら、きわめて世界的で普遍的な内容であったということをすぐ感知することができた。

それは先程言ったように、一つにはグローバリゼーション、新自由主義、あるいは市場経済の在り方、何よりも自由貿易協定に対する明確な「ノー」のメッセージがあったからです。当時世界は日本を含めてヨーロッパ、世界中の人々が同じような問題に直面していた。ソ連崩壊後の時代の中で、このまま自由市場経済が世界を制覇するという時代趨勢の中を生きていたわけですから、これに一体どうやって対抗するのかということが、地球上の誰にとっても大きな問題になっていた時に、彼らが発するこのメッセージはきわめて有効な指針を示すものであったというわけですね。

あと、民主主義を確立するための志向性というか、それが明確にあったということができるわけです。これは軍事至上主義でないということと関係するんですが、軍事至上主義であれば、解放軍であれ、ゲリラであれ、赤軍であれ、やはりその軍事力に頼ることになる。政府軍と戦っている時はいいかもしれない。武装している政府軍と戦って軍事的に勝利した段階で、そのあとの社会をどうやって建設するか。そうすると、今まではロシア赤軍も中国人民解放軍も全てそのまま政府軍として、国家の軍隊として改変されるわけです。かつては抵抗の軍隊として効果が発揮された軍事力は、今度は、新しい革命国家を名乗ろうと、社会主義国家を名乗ろうと、新しい権力機構の一部を成すわけです。明確に国家権力の一部として新しい軍隊は機能する。それがロシアの赤軍の場合に、中国の人民解放軍の場合に、どのように革命後の社会において機能したかというのを私たちは知ってしまった時代に生きているわけです。

前衛主義と無縁な、あるいは権力を握ることを拒否する考えでは、サパティスタはどういうふうに考えたかというと、メキシコ全土に呼びかけて数千人もが集まって、何らかの討議をする会議を行います。そうすると、全国各地から集まる人たちに対して、自分たちは武力的にも有利な立場に立つ。だから自分たちは参画する権利、あるいは投票する権利を一人か二人に限定する。武装しているサパティスタが、ごくごく少数でしかないという形を一貫してとりました。

これは国際会議の時もそうでした。蜂起から二年後の一九九六年に、「人類のために、新自由主義に反対する大陸間会議」というのがチアパスで行われて、世界から数千人が集まりました。僕も参加していたのですが、そのとき六〇年代のベネズエラやペルーの武装ゲリラの指導者と会って話をしました。彼らが一様に言っていたのは、サパティスタは民主主義ということを本当によく考えている。自分たちがゲリラ闘争をやってた時にはまったく考えもよらないことを実践している。自分たちのゲリラはきわめて非民主的なもので、それでよしとしてやっていたけれども、やはり時代の変化というのはそれだけの価値観の転換というものが行われて、自分たちは今サパティスタたちから学ぶところが非常にある、ということを言っていました。それは、僕がその会議に出かける前、サパティスタ蜂起のニュースを聞きながら一年半の間できるだけたくさんの文章を書こうと思って分析をしたり話をしたりしていましたが、そのとき感じとっていた問題意識とまったく同じものでした。つまり前衛主義とは無縁だということにも辿り着きます。

日本にも、一九六〇年以降様々な新左翼党派の潮流がありましたが、それは非常に前衛主義的な思考の、自分たちが革命の主体になってやれば全てがうまくいくという――どこまで本人が信じているか分からないけれど――ともかく政治言語としてはそのように主張する人たちが圧倒的に多かった。世界でもそういうのが主流を占めていた。だから、そういう個人が参集している党派が独裁的にふるまう、二〇世紀的な社会革命の末路を見てしまったわけです。

これを繰り返さないで、なおかつ現存する世界秩序を変革するためには、どのような運動論が必要なのか、どのような哲学が必要なのか。そのとき、前衛主義の克服というのは当然のことながら課題にならざるを得なかった。そうすると、様々な異なる課題を持った、それぞれの社会運動が一つの社会空間を、一つの共有空間を形作って、そこで繰り広げられる運動の可能性に賭けるしかない。これは、先ほどアナキズムへの思いを語りましたが、きわめてアナキズム的な考え方であるというふうには思います。

一つの党がある、あるいはきちっとした、それを軸にした思想、運動組織があってそれを中心に回っていくという発想ではなくて、様々な課題に取り組む社会運動体が構成する空間によって、その社会が本質的に変わっていく。だから権力を持ちたいと思わない。今ある権力を打倒して、自分たちが権力を握ろうという問題提起ではない。権力の問題は一切口にしない。そうではなくてその共同空間を形づくる社会運動の多義的な存在によってどれだけ豊かな空間がつくることができるか。これは実際にやってみた上での試行錯誤でなければできないことです。

僕が確信的なアナキストになれないでいるのは、小集団の中での、小グループの中でのある種の権力なき一つの社会形態というのを夢想することはできるけれども、それが何万人になった時、何十万になった時、一億三千万人になった時、六〇億になった時、一体それがどういうふうに可能なのかということが、具体的には見えないからです。

だから、冒頭に触れた権力志向の社会主義の失敗を繰り返さないで、なお人類史的な夢を、資本主義に代わる夢を抱こうとすれば、そういう権力なき空間、権力を行使しない、非権力、無権力の空間がどのような社会関係の中でできるのかということを、困難な課題として追求するしかないだろうと思います。

サパティスタに触れる時間がきわめて短くなりましたが、そのような意味において、サパティスタの持つアナキズム的な志向との共通性を感じるが故に、これからも注目し、何らかの発信を続けていきたいと思っています。彼らの蜂起から二二年経ちました。いま彼らは対外的な発信をかつてほど頻繁には行っていません。蜂起から二二年経ったということは、蜂起以降生まれた人たちが二〇歳を過ぎつつあるということです。自分たちが自主管理している共同体の内部で、教育や医療や生産、そうしたものをどのように可能にするのかという内部の問題が重要な時期にさしかかっているからです。いったい何十万人が自主管理区に暮らしているのかを彼らは明らかにしていません。法律的には、サパティスタも政府軍も武力を行使しないという取り決めがあるので、それをメキシコ政府が犯さない限りは、サパティスタは自分たちの管轄地域を維持することができるのです。それは、いわば「持久戦」ですから、なかなか困難な時期を迎えているとは思います。

世界的に見て、左翼はなぜ敗北したのか。この状況下にあってなお、世界秩序の変革を志すためには、何が必要なのか。サパティスタは、それに対するひとつの応え方を示しながら存在しているのだということを繰り返し述べて、終わります。■

二月一〇日（月）

レイバーネット・ウェブマガジン上の連載「サザンクロス」は第四〇回目。「アウシュヴィッツ解放七五周年記念行事」について書いた。

第四〇回 二〇二〇年二月一二日
アウシュヴィッツ解放七五周年記念行事と東アジアの状況

ロシア政府は来る五月にモスクワで、第二次世界大戦でソ連がナチスドイツに勝利して七五周年を迎えることから、各国首脳を招いて記念式典を開く。このニュースに釣られて振り返ると、一昨年来、ユーラシア大陸では、第二次大戦末期の出来事から七五周年を迎えての記念行事が続いていることがわかる。二〇一九年六月には、英国南部ポーツマスで、ノルマンディー上陸作戦（いわゆるD-Day）七五周年記念式典があった。この上陸作戦は、欧州大陸の大半を占領したナチス・ドイツに対抗するため、連合国軍が一九四四年六月六日、ポーツマスを出撃拠点にして、フランス北西部ノルマンディーに多数の兵士を上陸させたものである。ドイツ軍との激しい戦闘の末に同年八月、パリはナチス・ドイツから解放された。ヒトラーが自殺し、ベルリンも陥落して、ドイツが無条件降伏するのは、その八ヵ月後、一九四五年四月から五月にかけてのことである。この式典には、英国女王エリザベス、英仏米などの首脳に加えて、ドイツのメルケル首相も出席した。そこでメルケルが演説したとの報道はなかったが、彼女がどんな思いでその場に立っていたかという関心が私にはあった。翌日には、ノルマンディー側でも、大規模な式典があった。

それから六ヵ月後の二〇一九年一二月、メルケルはナチスのアウシュヴィッツ強制収容所跡を初めて訪問し、演説したとの報道があった。「虐殺を行なったのはドイツ人だった。この責任に終わりはない。」と語ったようだが、詳しい内容はわからなかった。その後、ドイツに住む方が、ていねいに日本語訳を付して、一五分程度の演説全体をユーチューブで紹介してくれた。

https://www.youtube.com/watch?v=vVuX99hwYnI　（←最終アクセス　2021/04/27）

ドイツの住民であれば、メルケルの内政政策についてしかるべき批判を持つ場合もあろう。ギリシャの住民であれば、ギリシャ経済危機に際してメルケルが主導した方針に正当にも異議を持つ場合もあろう。ただこのアウシュヴィッツ演説に関しては、「加害」と「被害」という歴史的過去に関して、加害国側が七五年後に何を語らなければならないかについて、拠るべき一例を示していると思える。

ソ連軍によるアウシュヴィッツ解放七五周年記念日が迫った去る一月二三日には、エルサレムのホロコースト記念館で開かれた国際的な記念行事で、ドイツのシュタインマイヤー大統領が「私は歴史的な罪の重荷を背負ってここに立っている」と演説した。また、《アンネ・フランク》

という象徴的な人物との関わり合いを持つオランダでは、マルク・ルッテ首相が、アムステルダムでのホロコースト追悼行事で、「当時の政府職員の過半がナチスに荷担したこと」を謝罪した。

そして解放記念日当日である一月二七日には、アウシュヴィッツ跡地で、ポーランド出身の現在九三歳のサバイバー、マリアン・トゥルスキが「アウシュヴィッツは急に空から降ってきたものではない。憲法を守り、人権を守り、少数者の権利を守れば、悪に打ち勝てる。民主主義は少数者の権利を保護することに掛かっている。権力を握る政府の行動に無関心になってはいけない。そうしなければ、アウシュヴィッツは空から降ってくる。」と語った（一月二八日付け朝日新聞）。

同じ日、ベルリンでは、ホロコーストで犠牲になったロマ・精神障碍者・同性愛者を追悼する集いがあった。連邦議会では、犠牲者追悼式があった。解放75周年記念コンサートも開かれ、メルケルが演説した。

こうして、ユーラシア大陸では、七五年前の過去を思い起こす行事が、数年がかりで積み重ねられている。翻って、東アジアでは？　と問うとき、日本社会の直面している問題がくっきりと浮かび上がってくる。■

ナチズムの問題を考えるとき、常に参照すべき仕事を一貫して続けているのは池田浩士氏である。その池田氏の仕事をめぐって二〇〇四年に私が書いた文章を以下に採録しておきたい。

書評：池田浩士著『虚構のナチズム――「第三帝国」と表現文化』

『季刊　運動〈経験〉』第一三号（二〇〇四年一二月発行、軌跡社）掲載

（一）

池田浩士の編訳によって「ドイツ・ナチズム文学集成」全一三巻の刊行が、二〇〇一年九月に始まった（柏書房）。第一巻には、ヨーゼフ・ゲッベルスの『ミヒャエル――日記が語るあるドイツ的運命』とハンス・ハインツ・エーヴェルスの『ホルスト・ヴェッセル――あるドイツ的運命』の二作品が収められた。四六判・二段組で、五〇〇頁を超える大部な本を手にしながら、そして巻末には、いかにもこの編訳者らしい、緻密な訳註と周到な解説が付されているのを目にしながら、池田を駆り立てているこの「情熱」の根拠が瞬時には理解できずに、戸惑った。収録作品の選定はほぼ終わっているのだろうが、それぞれの巻に関わって、翻訳し、丁寧な訳註を付し、長文の解説を書くという仕事を、まだ一二巻も続けなければならない！

私の戸惑いの理由は、こういうものである。池田は、ドイツ・ナチズムに深い共感を抱いているのではない。むしろ、逆に、それが果たした歴史的犯罪を批判し、憎み、克服しなければならないと考える立場の人である。それは、初期の仕事、『ファシズムと文学――ヒトラーを支えた作家たち』（白水社、一九七八年）や『抵抗者たち――反ナチス運動の記録』（TBSブリタニカ、

一九八〇年。新版、軌跡社、一九九一年）などでなされている。その人が、いままでもやってきた批判的な批評によってその意図を実現しようとするのではなく、「ドイツ・ナチズム文学集成」なる一三巻もの翻訳・紹介の仕事を、ひとりで果たそうとしている。ミイラ取りがミイラになる（かもしれない）などという心配を、するのではない。「そこまでの意味があるのだろうか」と、内容を知らないだけに単純に思っただけのことである。

だが、第一巻に収められたゲッベルスの日記を読んで、まずそのおもしろさに「惹かれ」た。内外を問わず、深みのある作品を遺した作家の、非公開を前提とした日記が、読み物としてめっぽうおもしろいことは、多くの人が経験していることだろう。論理的に緻密な構成のもとに、厳格な文体で書かれた論文であれば、読み手がそれに賛成するか反対であるかは、比較的簡単に決まる。抒情的・感性的な表現は、好き嫌いは生じるにせよ、一定の表現水準にあるものならば、読み手に想像力の幅が許容される。共感と反撥の狭間で、けっこう楽しみながら読むこともできる。それが、論理的にではなく、抒情的かつ断片的に書かれた、日記的あるいはアフォリズム的な表現がもちうる魅力であり、魔力である。こともあろうに、ゲッベルスがなした表現に、私自身の心がそれほど否定的にではなく反応することに、驚きをおぼえながら、私はこの「日記」を読んだ。時代状況も異なり、現在の私の年齢は、そこにのめりこむことを私に許さない。だが、二つの作品の位相は異なるにせよ、たとえば原口統三の『二十歳《はたち》のエチュード』に魅せられた年齢の時にならば、ゲッベルスのこの表現は十分に心に染み込む余地があるかもしれない。

ところで、ゲッベルスのこの「日記」にはいくつかの仕掛けがあって、通常の日記ほど単純ではない。池田によれば、「生涯をつうじて日記にこだわりつづけた」彼は、「自殺の直前にいたるまで書きつづけた厖大な日記によって、ナチズムの実態を明らかにするうえで欠かせない重要な資料を、後世に提供しているが」、「ただ単に日記を付けただけではなかった。日記体で書くことにこだわった」のである。おびただしい脚色と虚構がほどこされた『ミヒャエル』は、本質的には、日記体の形による小説である。

そのように規定した後の池田の分析が、この作品をあえて「集成」に収めた根拠を物語るものになっている。「一義的な反応を読者に許さないような、未決定の問題を、日記の書き手が提起するとき」に、この作品は「真価を発揮する」というように。未決定とは、日記の書き手であるミヒャエルが、第一次世界大戦に敗北して屈辱的なヴェルサイユ条約の下におかれた国＝ドイツに生きる青年として、「二つの世界の間をさすらう旅人」であることから生じる態度である。一方には、戦勝国に追従するばかりのヴァイマル共和国支配者に対する憎悪がある。他方で、ミヒャエルは「金銭（貨幣）がすべてに優越するこの社会の仕組みと通念は廃絶されなければならない」という確信の持ち主でもある。それは、当然にも、ソ連という形で当時すでに一つの現実的な勢力になっていた社会主義を予感する態度に繫がるはずのものであり、事実、ミヒャエルは「金銭に対する労働の勝利」を実践するために、もっとも苛酷な労働現場のひとつである炭鉱へと赴き、そこで事故死する。読者をあらかじめ一義的なイデオロギーへと誘引しようとするのではない。それは、読者が書き手と共に考え、苦悩することを可能にする、参加型の作品である。

この彷徨の状態が、池田によって、「未決定」と名づけられているのである。この分析方法が、私には刺激的で、示唆的だった。以下に書くことは、池田の思いとは別なところにあるかもしれないが、それは、一九八〇年代半ば、埴谷雄高との論争の中で、多層的に重なった高度資本主義社会の「文化と観念の様態に対して、どこかに重心を置くことを拒否して、層ごとにおなじ重量で、非決定的に対応する」ことを主張した吉本隆明の「重層的な非決定」という概念をも私に思い出させて、時代と空間を超えた問題の広がりも感じとることができた。

ゲッベルスは、しかし、もちろん、単純な社会主義礼讃者には終わらない。この作品の執筆当時、すでにナチ党の首都大管区長として大衆煽動・宣伝の任務に着手していた彼は、以下の事実を知悉している。すなわち、ヴェルサイユ条約下の屈辱感と共和国体制そのものに対する憎悪を抱えた広汎な民衆感情は、「ドイツは軍事的に敗北したのではなく、銃後で革命を起こした裏切り者たちによって背後から刺されたのだ、といういわゆる『匕首《あいくち》伝説』によって、決定的に増幅させられた」。「未決定」の後の「決定的」（！）。「裏切り者とは、とりもなおさず、マルクス主義者やアナーキストを中心とする社会主義者や共産主義者であり、そのかれらこそは（部分的には事実そうだったのだが）ユダヤ人にほかならないのだった」。

池田も指摘しているように、「青年は、老人よりもつねに正しい」という台詞も、この作品にはある。老人支配に対する青年の叛逆の礼讃である。作品の主人公と共に、思想的にさまよい歩いた読者が（とりわけ、若い青年たちが）、それと意識せずに「ある新しい世界」に組織されていく作品として、『ミヒャエル』は文学的制覇を遂げているのであろう。

編訳者の周到な解説に導かれて「集成」第一巻を読み終えた私は、書かれてある思想内容への共感・非共感とは別な次元で、人を惹きつけるある種の「力」を感じとることとなった。

池田は、この集成の続巻を、以下のようなテーマごとにまとめようとしている。「英雄伝説の創生」「『第三帝国』への途上で」「植民地と戦争と」(この巻に私がもつ、とりわけの関心については、後に触れる)『郷土』をめぐる戦い」「女性作家たちの『第三帝国』」「民族性としての神秘主義」「反共と反ユダヤ主義の精華」「屈従と抵抗の果てに」、そして短篇小説集、詩・歌謡・行進歌、演劇・放送劇・映画シナリオ集……とリストは続く。

テーマ的には理解できるが、どんな内容の作品が現われるのかは、まったく予測もつかない。やはり大変な作業だな、と思いつつも、考えてみれば私も、その徹底性においては池田の作業には到底及ぶべくもないが、「敵」の作品がもつ意味を軽視したり、無視したりするのはよくないとは考えてきた。その思いは、時期的には、日本において戦後左翼および進歩派の言論活動と運動状況に色濃く疲弊感が漂い始めた一九八〇年代後半から強まった。その傾向は、一九八九年から九一年にかけて、東欧・ソ連と続いた社会主義圏の体制崩壊によって加速した。一群の人びとが立ち現われ、「左翼の失敗と敗北」をあざ笑い、「わが勝利の歌」を合唱し始めた。典型的な例を一、二挙げると、「新しい教科書を作る会」であり、『ゴーマニズム宣言』でエイズ論を描き始めて以降の小林よしのりなどであろう。その歴史観と論理水準を「愚劣!」のひと言で片づける気持ちに、私はなれなかった。それは、彼らの言説は、現代日本社会に漂う感情をどこかで掬い取っているからこそ、大衆的に受け入れられている側面があり、戦後過程で一定の位置を占めてきた左翼・進歩派に対する、ルサンチマンに満ちた大衆感情が無根拠だとはいえないと思えたからだ。

左翼・進歩派が差し当たって「敗北」したことに疑いはない。そのことに気づかず、「敵」から学ぶこともしないで、相変わらず己の理念と実践の正しさを確信するだけでは、いっそう無残な敗北が待っているだけだ、と私は考えていた。「ドイツ・ナチズム文学集成」にかける池田の含意を少しは理解できたか、と思ったのは、そんなことをふりかえった時だった。

（二）

それから三年を経て、池田の書き下ろしの新著『虚構のナチズム――「第三帝国」と表現文化』（人文書院、二〇〇四年）は刊行された。「集成」の仕事を準備し、進行させながら、池田は、やはり、批判的批評の集大成をも書き継いでいたことを、この書で知ることができる。二つの仕事を切り離すことなく捉えること、そこにおいてこそ、この一連の作業に取り組む池田の真意を汲み取ることができる。

著者の問題意識は、「序章　ナチズムの現在」で明らかにされる。ドイツのナチズムは「アウシュヴィッツをはじめとする強制収容所・絶滅収容所や、秘密国家警察《ゲーシュターポ》、『アンネの日記』などとの関連で思い描かれる」ものとしてある。それを取り囲む「著しいマイナス・イメージは、それ自体としてすでに衝撃的であり、時間の経過につれて忘れ去られていくという種類のものではない」。その名によってなされた数々の無残な所業が、「一握りの狂信者や特定の犯罪者集団によって行なわれたのではなく、大多数の「国民」の合意によって、それどころか積極的な協力と参加によってなされた、という否定しがたい事実」こそ、このテーマが「依然として現実的《アクチュアル》でありつづけさせている根拠のひとつ、おそらくは最大のひとつにほかならない」。それだけではない。その時代に犯された「残虐行為の実情が明らかになったのちにさえ、少なからぬドイツ人が「あの時代は良かった」という実感をいだきつづけた」。

池田は、この「実感」には現実的な根拠があったことを跡づける。ひとつには、日常の私的な生活実感において、「地位や身分の違いをわきまえることが絶えず問われた」ドイツ社会に生きる人びとが、ナチズムの時代には社会的平等感を得ることができたということ、ふたつめには、ヴェルサイユ条約によって屈辱感を持っていた人びとは、次々と「領土」を奪回し、ドイツをふたたび「大国」にしたヒトラーによって、生きがい・連帯感・誇りを与えられていたこと。これ、である。

こう論じたうえで、池田はいう。「にもかかわらず、生活の実感とそのなかでいだかれた生きがいの実感とのあいだには、じつは無限ともいえる大きな隔たりがあった」と。では、ナチズムは、その隔たりにどう対処したのか？　隔たりを「直視させないこと、実態ではなく実感を現実として体験させること」によって。つまり、「実感の現実感《リアリティ》」にこそ、ナチズムの本質的な力がある、と池田の論理は展開していく。このあたりは、著者の問いかけを、読み手もまた反芻しなければ、容易には読み進めることができない論理構造になっていて、興味深かった。

池田の論理を補強する例証は絶え間なく挙げられていくが、「過去にたいして目を閉じるものは、ついには現在にたいして盲目になる」という一節を、ドイツ敗戦四〇周年時の国会演説に組み込んだヴァイツゼッカー大統領（当時）が、別な機会に行なっている言動を取り上げてその本質的な矛盾を突く箇所や、反ファシズムの教育実践を行なう教師たちのなかに、「学習過程それ自体が民主主義的な形態をとることによって説得力をもつ場合」にのみ「ファシズム的な暴力支配との有意義な対決が行なわれうる」と考える人がいて、かの女が試みた具体例が説明されている箇所などが、とくに印象に残った。

なぜなら、前者、すなわちヴァイツゼッカー発言は、「過去にたいして目を閉じる」保守党政治家が多い日本において、溜飲を下げるかのごとくに反響と共感をかち得てきたからである。また、後者は、一九三〇年当時（すなわち、ヒトラーが政権を獲得する数年前）のドイツの総人口はおよそ六三〇〇万人だったが、国内のユダヤ人の数は五七万人足らずで、総人口に占める比率は〇・九パーセント弱でしかなかったこと、同時代の世界全体におけるユダヤ人総数は一七〇〇万人であったので、ナチ・ドイツが六〇〇万人のユダヤ人を殺戮したということは、全世界のユダヤ人の三人に一人を超えていたことを意味するという、今さらながらに、驚くべき事実を明るみに出してしまうからである。

「具体的な数値を一目見れば明らかであるはずの単純な事実と、自分の生活実感とのあいだの大きな隔たり」を直視しないという態度は、過去のことではない。池田は、安易なアナロジーに頼ることを慎重にも避けて、日本の歴史と現実に言及することには禁欲的だが、思わず、わが身に照らしてふりかえるよう誘われる箇所である。

「第一部　ドイツの受難と英霊神話の創生」は「レオ・シュラーゲターの衝撃」が、戯曲や論文のなかでいかに表現されたかを検証することから始まる。一九二三年一月、ヴェルサイユ条約が定めた賠償責任を敗戦国ドイツが履行しないことに業を煮やしたフランスとベルギーはドイツ西端のルールに進駐し、ドイツにとって重要な石炭産地兼工業地帯を占領した。その二ヵ月後、フランスがルールの石炭を本国へ輸送するのに利用していた幹線鉄道の線路が爆破された。主犯としてフランス軍に逮捕され、軍事法廷で裁かれて銃殺された二八歳の青年が、レオ・シュラーゲターであった。

右翼諸勢力が彼を国民的英雄として「獲得」していく過程が、多様な目配りの中で描かれる。詳細は本書に譲るが、共産主義インターナショナル（コミンテルン）でドイツ共産主義運動の指導を担当していたカール・ラデックの戦略的な発言が意想外で、おもしろい。

続いて、第二の英霊神話が生まれる。一九二三年一一月、ナチ党はミュンヒェンでクーデタを試みる。それは「ビヤホール一揆」と揶揄されるような茶番劇に終わったかに見えたが、この決起に参加したが故に逮捕され、釈放されたものの、「権力による弾圧と迫害のために生命を落とした」と仲間たちが解釈した老詩人、ディートリヒ・エッカルトである。同じ事件で獄中にあったヒトラーは、『わが闘争』の冒頭で、ミュンヒェン蜂起に斃れた一六名の名前を列記しているが、「その最上のひとり」がエッカルトであるとして、彼を特別扱いしている。エッカルトおよびその後継者たるアルフレート・ローゼンベルクの思想的根拠を探る諸章では、当該の時代の政治・社会・思想状況の中で、具体的にはバイエルン評議会《レーテ》共和国やボルシェヴィズム思想との格闘を通して、反ユダヤ主義がせり上がってくる実態が活写されている。

一九三〇年の時代状況に触れた第一部の終章「死者たちも、ともに行進する」では重要なことを学んだ。ナチズムは「褐色のペスト」と呼ばれるほどに、そしてナチズムとその信奉者が「褐色《ブラウン》」と形容されるように、着衣も戦闘帽も褐色ずくめであった。一九三〇年一〇月一三日の国会開会式の当日、国民社会主義ドイツ労働者党の議員一〇七名は、その褐色の制服で本会議場に入り、一大センセーションを捲き起こした。池田によれば、この褐色の制服は、もともと、ドイツ帝国の植民地のひとつ、ドイツ領東アフリカ（現在のタンザニア、ルワンダ、ブルンジ、モザンビーク北部）のドイツ軍守備隊の制服だったという。第一次世界大戦での敗北によってドイツがすべての海外植民地を失ってのち、不要になったその軍服をナチ党が買い入れてSA（突撃隊）の制服にしたのが、始まりだという。

ナチ党の暴力組織たる突撃隊の前身が形成されたのは、しかし、一九二〇年にまで遡るのだが、この武闘集団は、前年のバイエルン評議会共和国と戦った反革命軍事力——正規の国防軍部隊ではなく義勇軍団——の内部からこそ生まれた。その中心には、大戦中のバイエルン近衛師団歩兵聯隊長だったフランツ・クサーファー・フォン・エップ将軍の「エップ義勇軍」がいた。池田はいう。「「騎士」の称号を持つフォン・エップは、かつて一九〇四年から〇六年にかけて植民地の南西アフリカ（現在のナミビア）でドイツ軍守備隊の中隊長をしていた当時、先住民族のヘレーロ（バンツー族の一部族）およびコイ族（ホッテントットと蔑称された）の叛乱を鎮圧して手腕を認められた経歴の持主でもあった」。植民地戦争で「武勲」を挙げたフォン・エップは、その後本国に戻って、ナチ党中枢に駆け上がり、「第三帝国」崩壊時まで国会議員を勤めたという。

私は以前から、ユダヤ人虐殺（ホロコースト）への自己批判までは行き着く戦後ドイツの正統的な民衆意識が、その三〇〜四〇年前の、植民地、南西アフリカにおける虐殺犯罪への捉返しまではたどり着かない点に、大きな疑問を感じていた（これは、同質の問題を日本社会において私たちが抱え込んでいる、という自己批評的な意識を前提としてこそ生まれる関心である）。もちろん、例外はあって、ブレーメン大学が、国連ナミビア研修所社会教育部および解放組織である南西アフリカ人民機構（ＳＷＡＰＯ）との共同プロジェクトの一環として、*OUR NAMIBIA :A Social Studies Textbook*（日本語版『私たちのナミビア――ナミビア・プロジェクトによる社会科テキスト』、現代企画室、一九九〇年）を、ナミビアが独立することになる一九九〇年に向けて出版したことは、歴史の再解釈に関わる旧支配国側からの貴重な努力であった。

それにしても、ナミビア叛乱を鎮圧した手腕を認められた「エップ義勇軍」が本国に帰ってバイエルン革命を打倒する主力になった、という記述を読むと、そこには、歴史解釈上の重要な問題が潜んでいると思われる。

ドイツ思想史家の三島憲一は、かつて、このドイツ・ナミビア戦争（『わたしたちのナミビア』では、ナマ人およびヘレロ人とドイツとの戦いは、こう表現されている）に従軍したドイツ人、グスタフ・フレンセンが書き著した戦記物『ペーター・モール　南西アフリカを征く』の叙述方法を簡潔に紹介し、そこには「ドイツ・ファシズムの心性」が見られるとした（「稀書、奇書、危書、貴書」、『図書』一九九八年二月号、岩波書店）。先住民叛乱を鎮圧するためにドイツ軍に参加した青年の心象風景は、次のように描かれる。「寒い深夜、歩哨に立つと、何代もかけて奥へ奥へと進んだ幌馬車隊の血統につながる誇りがこみ上げてくる。できたてのドイツ植民地でアメリカ開拓の神話が蘇る「神が我々に勝利を与えたのは、我々がより高貴だからで、黒人が悪いからではない。……これからも厳しく殺さねばならぬ。……高貴な思想と偉大な行為を通じて、将来に人類が宣教師のいうように、兄弟となるために」。とてつもない論理だが、これが受けた」。

三島が、アフリカ植民地におけるドイツ人のふるまいを「アメリカ開拓の神話」に準えたのは、不思議ではない。一八九八年、カリブ海のプエルトリコを征服するために米国が派遣した軍艦の指揮を執るのは、その八年前の一八九〇年、スー人のシティング・ブルとその家族の皆殺し作戦を指示し、また、インディアンの聖地ウンデッド・ニーにおいて、スー人のビッグ・フット率いる三五〇名を虐殺した第七騎兵隊司令官、ネルソン・マイルズ将軍であった。ドイツ軍のフォン・エップの場合は、植民地戦争における「武勲」を盾に本国の戦場へ、米国のネルソン・マイルズの場合は、「国内」叛乱鎮圧の「成功報酬」として米国初の海外征服へ、というように、流れは逆のようだが、いずれも、本国＝植民地関係の決定的な時期を画する「事業」ではあった。

ここから導きうる歴史的な教訓は、深く普遍的なものであるように思われる。「ドイツ・ナチズム文学集成」第四巻の「植民地と戦争と」には、いかなる作品が収録されるのか。植民地主義思想とナチズム思想の歴史的(無)関連性は、どのように解き明かされるのか。どんな反ナチズムの思想が、反植民地主義の思想的な射程をも持ちえていたのか——関心は切実で、一刻も早い刊行が望まれるところである。

(三)

紙数が尽きてきた。「第二部　文化政策の夢と悪夢」では、すでに触れたゲッベルスの『ミヒャエル』をはじめとして、より広汎に、戯曲、記録映画、美術などの表現を通して、いかにナチズム思想の浸透が図られたか、が展望される。「第三部　主体の表現、参加の文化」では、「ティングシュピール」のように、著者がすでに随所で展開してきた「自発性」を重んじた「文化表現としてのナチズム」が、いっそう精緻に、批判的な分析の対象とされている。

印象的なことばは、いくつもある。曰く、「戦争と軍隊の悪を描くものが、反戦文学だったのではない。戦争と軍隊の悪を描かないものが、戦争体験讃美の文学だったのではない」。また曰く、「ナチズムは、この感性的・肉体的な作品のなかで、主義思想の次元から、個々人の生活の実感とかかわる次元へと、内面化されたのである。そして、これこそじつは、文学表現のもっとも本質的な、もっとも豊かな機能であるはずなのだ。この機能を生かすことにおいて、少なくともドイツのプロレタリア文学や反ファシズム文学は、ナチス文学に及ばなかったのである」。さらに曰く「ちょうどそれと同じころ（一九三〇年代後半のこと――筆者）、過去の歴史に遡及する歴史小説や歴史劇が、第三帝国で、そして反ナチス陣営の亡命作家たちのあいだで、表現の主流となりつつあった。それらの多くは、みずからのナチズムを問うことはなく、自らのスターリニズムの現在を問うことはなかった。第三帝国にあっても反ナチス陣営にあっても、それらの作品は、歴史的過去によって自らの感性を問いなおすのではなく、歴史によってみずからの現在を正当化するものでしかなかったのである。そこには、「第二革命」を希求する民族民衆《フォルク》も、「永続革命」を目指す人民《ナロード》も、もはやいなかった」。

ここには、池田が若いころから積み上げてきた幅広い研究の成果のすべてが、盛り込まれているように思われる。世界プロレタリア文学運動の研究、大衆文学への関心、「海外進出文学」の分析、死刑制度への批判的な肉薄……。そして「急激な破滅への過程がすでに始まっているいま、わずか数年の尺度で歩みを速くしてみても無益だと考える」という「あとがき」のことばが、長大な本書の書き下ろしと「ドイツ・ナチズム文学集成」全一三巻の刊行という、息の長い作業を支える信念を言い表していると思える。

最後にひとつ。ナチズムといえば、対極において思い出すのは、ナチズムが「敵」として対峙した共産主義が孕む問題である。現在のところ、《ソ連篇》のみが日本語に翻訳されている *Le Livre Noir du Communisme: Crimes,terreur, répression*, editions Robert Laffont, S.A.,Paris, 1997.（ステファヌ・クルトワとニコラ・ヴェルトほか著『共産主義黒書——犯罪・テロル・抑圧』、恵雅堂出版、二〇〇一年）は、この間わたしが、必要に応じては開く本の一冊である。クルトワは「序文」で、「ナチズムと共産主義の皆殺しについての類似」を指摘し、「ナチスの犯罪の研究とくらべて、スターリンと共産主義のテロルの研究がはるかに遅れている」現実を訝っている。そして、この本の帯には「なぜナチズムが断罪され共産主義はされないのか」という、宣伝の惹句が踊っている。私は、クルトワとヴェルトが本書で展開している論旨のすべてに賛成するわけではないが、歴史的事実は見なければならない。その意味で、ナチズムの全体像を、上に見てきたような深度で批判的に研究している池田も、そこから多大な意味を汲み取っている私のような人間も、クルトワたちの問いを逃れることはできないと思う。■

二月一四日（金）曇り

去る九日に続き、浅草へ。コロナウイルス禍の中国からの観光客が激減しているので、浅草はひっそりとしている。昼飯に入った安い焼きそば屋（一皿四〇〇円）も、日本人だけがちらほら。食後、Gallery ASAKUSA へ。浅草通りから少し離れて、昔風の住宅が居並ぶ入り組んだ街並みの一角にある民家。それをギャラリーに改造した場所。「藪の中　日本赤軍」と題した展示会＋映像上映会。映像作家は、エリック・ボードレールとナイーム・モハイエメン（Naeem Mohaiemen）。エリックの『重信房子、メイと足立正生のアナバシス、そしてイメージのない27年間』（二〇一一年）は、〈風景論〉に基づく映像なのだろうが、独りよがりで面白くない。後者のナイームは一九六九年生まれのバングラディッシュ人。一九七七年九月に起こった在アラブの日本赤軍によるハイジャック作戦で乗っ取られた、パリ発東京行き日航機はバングラディッシュの首都ダッカ空港に緊急着陸した。ハイジャッカーは、日本の獄中にいる九人を釈放しダッカに送致すること、身代金六〇〇万ドルを支払うことを日本政府に要求した。以後一〇〇時間に及ぶ交渉が続く間、ダッカは世界中の注目を浴びることとなった。事件当時八歳だった少年ナイームは、お気に入りの米国製ＴＶドラマの放映を楽しみにしていたところ、空港管制塔に据えられた固定カメラが映し出す退屈な事件映像ばかりが流れる。二〇一〇年四一歳になったナイームは、この少年時の体験をもとに、三三年前のハイジャック事件を振り返る映像を制作した。映像といっても、大半は黒い画面にテキストが映るのみ。それは、バングラディッシュ側の交渉役である同国空軍司令官とハイジャッカー側の日本人のやり取りなのだが、音声でも流れる。前者の決然たる口調に比して、後者が語る英語のたどたどしさは隠しがたい。

思えば、バングラディッシュがパキスタンからの流血の闘争を経て独立を獲得したのは一九七一年だった。私はレボルト社で『世界革命運動情報』誌の編集の一角を担っていた。この独立闘争には大いなる関心を寄せ、新聞記事の精密なスクラップ帳を作り、当時独立闘争を支援していた鶴嶋雪嶺氏（関西大学教員）らの講演会へ行ったり、闘争へのカンパを行なったりもしていた。赤軍のハイジャック闘争は、そのわずか六年後に行なわれた。この時間感覚が、七七年当時の私にはなかったように思える。ハイジャック行為の主体に心情的な共感を寄せていた私は、当時、作戦の「舞台」となったバングラディッシュとそこに住む民衆のことを考える視点を失っていた。

四三歳の空軍チーフの言葉は容赦ない。交渉過程で、作戦部隊名「団結」を名乗る赤軍が「バングラディッシュ政府の背後では日本政府が操っている」などというと、「我が国は独立国家だ。その背後に日本政府がいるとは、まったく間違っている。何という言い草だ。燃料が足りずどこかに着陸しないと墜落するというから、ダッカ空港への着陸を認めたのだ。食べるご飯もなく、病人だらけで、衣服もないバングラディッシュの人びとと、君たちは戦争しているとでもいうのか。世界革命を叫ぶ君たちの行為は、バングラディッシュの民衆を救ってはいない。君たちとのこの交渉の過程でかかる費用をすべて負担しているというのに」と言う。まさにこの最中に、独立直後の政治的・社会的混乱が続く同国では軍事クーデタが起こる。空軍司令官は赤軍メンバーに言う。「空港に軍服を着た人間が近づいてきたら、そいつらは君たちの銃で射殺してくれて構わない」。バングラディッシュの錯綜した国内情勢が伝わってくる。このクーデタを起こした軍人たちは、政府要人がハイジャック対応のために空港に集まっていることに着目し、加えて日本政府が差し出す身代金の強奪も狙って、ダッカ空港を作戦展開の重要地点としたのだ。空港での銃撃戦で死亡した将校一一人、クーデタ側に加担し、軍事法廷で叛逆罪に問われて処刑された者一〇〇人……などのテロップが続く。なるほど、物事を見るに全体的な視野を持つ必要性を常に論じながら、ここでの私の「欠落」はどうだったか。

去る二月九日には、（私がこの映画を観る以前のことだが）、来日していたナイームと、このハイジャック作戦で釈放された、もと東アジア反日武装戦線の浴田由紀子さんが対話するシンポジウムがあった。これを聞きながら、しきりにジャン＝リュク・ゴダール＆アンヌ＝マリー・ミエヴィルの『ヒア＆ゼア　こことよそ』（一九七六年）を思い出した。この映画では「ここ」とはテレビを見ているフランスの家族であり、「よそ」はパレスチナ革命闘争の映像だった。一九七七年のハイジャック事件の場合は、空軍司令官やバングラディッシュの民衆を三三年後に見ているナイームの視点が「ここ」にあるとすれば、のちにこれを「ダッカ闘争」を名づけた日本赤軍は「よそ」からの闖入者だったことになる。このような視点を導入すると、事態の見え方が一新される。刺激的だった。

来日していたナイームとも話したが、彼はいまダッカとニューヨークを拠点とするアーティストだ。エッセイ、映像、ドローイング、インスタレーションを組み合わせ、社会主義的ユートピア、不完全な脱植民地化、言語紛争、国境の移動などをテーマに研究を続けてきたという。随時連絡を取り合って、討論を続けようと約束した。

二月一五日（土）晴れ

第九回死刑映画週間が始まる（渋谷・ユーロスペース）。例年、初日・二日目の土日に相当な人が入らないと、苦しい。

来場者に配布する冊子の巻頭に、以下の文章を書いた。

第九回死刑映画週間　『倒錯した「真理」と死刑制度』開催に当たって

昨年一一月、死刑廃止全国合宿が沖縄で開かれた機会を捉えて、終了後各地から参加した有志一〇名ほどで辺野古の米軍基地建設阻止闘争の現場を訪れた。建設予定地は海上だから、現在は海を埋め立てるための土砂の運搬工事が行われている。反対派の人びとは、毎日三ヵ所の現場で、座り込み、運搬車の前への立ちはだかりなどの行動を粘り強く続けている。わずかな時間だったが、座り込み行動を共にしながら、地元の人と話をした。「死刑」の問題になり、ひとを殺めてしまった者を死刑にすることに、どういう論理で反対するのか、とその人は問うた。

あなたと私は、いまここで、戦争の準備としての基地新設に反対して行動を共にしている。戦争は、国家（時の政府）による自国兵士の動員指令から、始まる。ひとたび戦争になれば、兵士が他国の兵士・民間人を殺しても、殺人罪に問われることはない。むしろ、勲章や手厚い危険手当によって報いられる。死んでも、遺族には通常の社会保障の枠組みを超えた恩給が付与される。孫の代までだ。なぜ、「姿見せぬ」国家だけは、「目に見える」兵士に命じることで、こんな殺人の権限を行使できるのか。国家は何事もなかったかのように未来永劫（？）続くと信じられているが、人を殺めた兵士のなかには、経済的報酬を得たとはいえ、戦場での自らのむごい戦闘行為の記憶に慄き、悩み、苦しみ続けて、こころを病んで後半生を送るひともいるというのに。

同じことは、死刑についても言える。死刑は、国家（時の政府の一員である法相）が命を下して執行される。現場に立つのは、公務員としての看守だ。そこでは、人を殺めること＝処刑することが「公務」だ。ここでも、「下手人」が殺人罪に問われることはない。むしろ、特別手当金や「特別休暇」が付与される。なぜ国家は、これらの「公務」に関してだけは例外的な特例を設けて、経済的な報酬や休暇の付与によって報いるのか。後ろめたいものでもあるのか。国家の強制力を行使して、「公務」の限界を超えた「特別な」任務を遂行させたという「自覚」でもあるのか。

「戦争」と「死刑」をいいように操る国家の姿は、似てはいないか。国家は、どこか超然たる位置に潜みつつも、国軍兵士や公務員に殺人の命を下す。殺めた兵士も公務員も「殺人犯」の汚名を着せられることはない。つまり、誰も「殺人」の責任を問われることはないのだ。死ぬのは「敵」国の兵士や民間人だから構わないのか。「殺人者」だから殺すしかないのか。ひとを殺しておいて、これは無責任の体系そのものではないのか。

国家には（ただひとつ国家だけには）こんな権限が付与されているのだと信じ込むよう、私たちは教育されて、成長する。だから、この問題に疑問を持ち、問いかけるひとは少ない。

だが、いつの時代にも、死刑と戦争の不当性を訴えるひとはいた。「殺人」をひとに命令しておきながら、自らは陰に潜む「国家」の在り方に根本的な疑義を提起するひとがいた。

今から五〇年前の一九七〇年、死刑廃止国は一三ヵ国だった。一九八〇年でも二三ヵ国に過ぎなかった。それが、いまは、法律上・事実上の死刑廃止国は一四〇ヵ国だ。地球上の国家の三分の二を占める。死刑は非人道的な刑罰だとの考え方が広まったからだ。個別国家の枠組みの中では実現がなかなか難しいことを、国家を超えた、類的な規範をつくって、徐々に実現していこうとする民間レベルでの努力の結果だ。戦争を否定し廃絶する道は、まだまだ遠いが、死刑に関してはここまで来ている。これは、私たちの希望の証しだ。軍事基地廃絶・軍隊廃絶・戦争廃絶もそんな展望で考えたい――。

沖縄のひとは、なるほど、そう考えるとよいのか、と言った。■

二月一九日（水）

死刑映画週間最終日。来場者数はとうとう上向きにならなかった。例年の三割減、座席占有率は三分の一強に終わったようだ。コロナウイルスの流行と、それへの感染を防ぐためには「密を避ける」べきだとの報道が大きく影響したのだろう。私は、最終上映作品、ロベール・ブレッソンの『抵抗』が終わった後で、話した。参加者七〇人。大要は、以下の通り（若干の追記を行なった）。

――ご覧になった映画は一九六六年の制作です。原題は『死刑囚は逃げた、あるいは風は己の望むところに吹く』で、後段は新約聖書のヨハネ福音書の中の文言から採られています。冒頭に「この物語は真実だ。私は飾らず、それ自体を提示する」という字幕が出ています。第二次世界大戦中の一九四三年、フランスはリヨンの町はナチス・ドイツ軍の占領下にありました。そこにあったモンリュク監獄では、ゲシュタポによる大量処刑が行なわれたことで有名です。実在したフランス軍兵士、アンドレ・ドゥヴィニは対独工作員として囚われて死刑を宣告されました。その彼は三階の独房から脱獄を試み成功したのですが、その彼が残した記録に基づく物語なので、「真実だ」というわけです。

まず監督のロベール・ブレッソンに触れておきます。一九〇一年生まれで、没年は一九九九年です。長命な方でした。ブレッソンより三〇歳ほど年下で、ヌーヴェル・ヴァーグの旗手、ジャン・リュック・ゴダール（一九三一～）はこう言っています。「ドストエフスキーなしのロシア文学、モーツァルトなしのドイツ音楽が考えられないように、ブレッソンなしのフランス映画も考えられない」。前世代の映画人たちを批判し、時に罵倒し、乗り越えようとしたゴダールの言葉としては、意外なほどです。ゴダールと同世代のフランソワ・トリュフォー（一九三二～八四）もブレッソンには一目置いていたようです。この『抵抗』で初めてブレッソンの映画を見た方がおられたとしても、特徴的な彼の表現がお分かりでしょう。余計なものをすべてカットした、研ぎ澄まされたリアリズム。効果的な「音」の多用（例えば、銃殺の際の銃声、看守の靴音、獄の扉を閉め／鍵をかける暴力的な音……など）、そしてときどき挿入されるモーツァルトの「ミサ曲　ハ短調」が耳に残ります。それを背景に描かれるのは、脱獄に向けて日々の仕事・作業をこなす死刑囚の日常です。私は、すでに一五年間続いてきた死刑囚表現展の選考委員をしているので、工夫に工夫を重ねて一つの表現を練り上げていく獄中の死刑囚の日々が想像できるように思います。きょうの主人公の姿は、それに重なります。

ブレッソンの言葉を、彼の著書『シネマトグラフ覚書――映画監督のノート』（筑摩書房、一九八七年、松浦寿輝＝訳）から引いてみます。

「人は、手で、頭で、肩で、どれほど多くのことを表現し得ることか！……。そうすれば、どんなに沢山の無駄で疎ましい言葉の数々が消え失せることだろう！　なんという倹約！」

「トーキー映画は沈黙を発明した」

「眼が刺激されると、ただそれだけでもう耳は待ちきれなくなる。耳が刺激されると、ただそれだけでもう眼はうずうずする。こうした苛立ちを利用せよ。調整可能な仕方で両方向に働きかけるシネマトグラフの力」

『抵抗』を観た私たちが抱く思いを、監督自らが語っているという感じがします。

ところで、ブレッソンは多数の観客というよりは、少数の熱心なファンに支えられるというタイプの作家ですから、日本での上映の機会は多くはありません。最近では、一九九九年の第一二回東京国際映画祭で「ブレッソン・レトロスペクティブ」で一四作品上映。二〇一〇年の岩波ホール「抵抗と人間」週間で『抵抗』が、ジャン＝ピエール・メルヴィルの『海の沈黙』と併映。メルヴィルの『海の沈黙』についてはあとでも触れます。二〇一四年、山口情報芸術センターで「ブレッソン特集」が開かれ、五作品上映、といったところです。

さて、ここで、戦後のフランス映画では、ナチス占領下のことがどのように顧みられてきたかを一瞥しておきます。

一九四五　ルネ・クレマン『鉄路の闘い』
一九四七　ジャン＝ピエール・メルヴィル『海の沈黙』
　　原作一九四二～四三〔深夜叢書〕ヴェルコール『海の沈黙／星への歩み』
　　（岩波書店、一九五三。現在、岩波文庫、河野與一／加藤周一＝訳）
一九五二　ルネ・クレマン『禁じられた遊び』
一九五五　アラン・レネ『夜と霧』
一九五六　ロベール・ブレッソン『抵抗　死刑囚の手記より』
一九五九　アラン・レネ『ヒロシマ　わが愛（二十四時間の情事）』
　　原作　マルグリット・デュラス『ヒロシマ、私の恋人』（筑摩書房、一九七〇年、
　　清岡卓行＝訳）
　　一九五七年の出来事という設定＝戦争終結から一二年後
一九六六　ルネ・クレマン『パリは燃えているか』
一九六九　ジャン＝ピエール・メルヴィル『影の軍隊』
一九八五　クロード・ランズマン『ＳＨＯＡＨ　ショアー』
一九八七　ルイ・マル『さよなら子どもたち』
一九八八　クロード・シャブロル『主婦マリーがしたこと』

いくつかの作品にだけ触れます。私は若いころ、中学生から高校生だった一九五〇年代後半、日本でも紹介された「レジスタンス」の映画や文学に深く心を打たれました。ヴェルコールの『海の沈黙』は、その最たるものでした。ヴェルコールは、ナチス占領下の時代から抵抗文学を「深夜叢書」シリーズとして刊行していて、『海の沈黙』はその代表作だったのです。物語はこうです。ナチス軍に占領されたフランスの或る町で、老人と姪が住む一軒家の二階が接収されて、ナチス軍の将校が住むようになる。軍人は毎夜階下に下りてきては、ふたりに語りかける。自分がどれほどまでにフランスの文学・文化に親しんできたか、を。老人も姪も一言も答えることはない。幾晩も幾晩もそれが繰り返される。若い時の私は、無礼な占領者に対してひとことも言葉を発することなく、「海」よりも深い「沈黙」によってこたえるフランス人の在り方に打たれた。どこにドイツ兵が潜んでいるかもしれない、ドイツの士官が隣の部屋にいるかもしれない、ゲシュタポがどこかに録音機を仕掛けているかもしれない……さまざまな理由が考えられるがゆえの沈黙。でもその後読み返してみると、ヴェルコールはそれほど単純な構造で物語を作り上げているのではない。このドイツの軍人は、ある時パリに行きます。ナチス軍の仲間に会って、いろいろな話をしたようです。フランス文化に対する自分の思い入れをこっぴどく他の軍人から非難されるのです。「われわれはフランスをたたき潰す機会を摑んだのだ。たたき潰してやる。その力だけではない。魂をだ。あの魂が一番大きな危険だ。これがこの今の仕事さ。間違っちゃあ困る、君。こっちの笑顔とこっちのいたわりで腐らせるのだ。あの魂を、這い回る牝犬にするのだ。」結局、彼は地方の旅団に移してくれとの願いを出し、それは受け入れられて、老人と姪の家を去るのです。でも彼には、それが「地獄行」であることが分かっていました。

占領と被占領の問題を、それぞれ「加害」と「被害」を典型的に体現する人物を造形して描くのではなく、典型から外れ、揺らぐ人物を敢えて登場させることで、膨らませる。それが、ヴェルコールの工夫です。

アラン・レネの『ヒロシマ　わが愛』は、いわゆるレジスタンス映画の範疇に入る作品ではないのに年表に入れたのは、「抵抗と屈服」の問題に膨らみを持たせるために、です。この映画は日本では最初『二十四時間の情事』というタイトルで紹介されたので、作品の本質とはかけ離れたものになりました。でも、原作はマルグリット・デュラスなので、一筋縄ではいきません。第二次大戦終結から一二年後の一九五七年、三〇代前半のフランス人女性が平和に関する映像を撮るために広島へ来て、同世代の日本人で、建築家の男性と知り合う。後者を演じるのは岡田英次です。ふたりは一夜を共にして、いろいろと話し合う。「私はヒロシマを見た」と女が言うと、「いや、君は何も見ていない」と男は切り返す。この問答が、作品を象徴している。何事かを見るとか／知るとはいうのは、実はどういうことなのか。この本質的な問いを軸にしながら、物語にはいくつもの伏線が引かれるのです。最も重要な伏線は、私の考えでは、フランス人女性の背景です。彼女が住むフランスの街・ヌヴェールがナチス・ドイツによって占領されたのは、彼女が一七歳のころのことでした。親は薬局を開いていた。或る日、そこへドイツ軍の若い兵士が来て、怪我をしたので指に包帯を巻いてくれという。彼女がそれをやった。すると、ドイツの若い兵士は何度も店にやってくる。やがて、ふたりは恋仲になり、愛し合うようになる。一九四四年、連合国軍のノルマンディー上陸作戦を経て、パリはナチスから解放される。次いで全土も。そこでフランスで起こるのは、ナチスに協力した人びとに対する責任の追及です。薬局の娘も、ドイツ軍の兵士と恋仲であったことの「罪」を、同じ町の住民から追及されます。そして「罰」として、公衆の面前で髪を切られるのです。当時の写真資料集を見ると、対独協力を行なった女性たちが人びとの前で丸坊主にされる情景がよく出てきます。ありふれた光景だったのですね。彼女が広島へ来たときは、それからすでに一二、三年経っていたので、髪は元通りにふさふさとしていました。「広島の悲劇」を撮るためにはるばるやってきた彼女には、そのような背景――ナチスに「協力した」人間として、解放後の故国で「迫害」されたという、忘れようもないそれ――があったのです。それは、彼女の癒しがたい「傷」です。物語は、こうして、「善悪」がきっぱりと定まった単純明快なものではなく、重層的な構造を持つことになるのです。それが、デュラスの原作の、そしてアラン・レネの映画の見どころだと私は思います。

ルネ・クレマンの『鉄路の闘い』にもひとこと触れます。フランスの鉄道労働者が、ナチスの占領下においても果敢に闘った史実を描いたものです。ナチス軍の武器・弾薬輸送を拒否する闘いです。それは、心打つ闘いであった。映画はそれだけを描いて、終わります。一九四五年の制作で、ナチスからの解放後わずか一年目です。でも、やがて、鉄道労働者の別な側面が史実として浮かび上がるのです。フランスで「ユダヤ人狩り」にあって、明らかにアウシュヴィッツに送られる人たちを乗せた列車を走らせたのも、フランスの鉄道労働者だったのです。戦後フランスにおける「レジスタンス神話」は、ナチスに対する「抵抗」を強調することで、ナチスへの「共同」（＝コラボラシオン）の側面を軽視していたという内省が生まれるのは、戦後史がかなりの歳月を刻んでからです。フランスに限らずナチス占領下におかれたヨーロッパの国々では、政治・行政・経済・軍事・文化・社会などすべての面でなされたコラボラシオン（対独協力）という現実といかに向き合うかが問われることになるのです。

もう一つの側面にも触れます。誰もが知っているルネ・クレマンの『禁じられた遊び』の冒頭は、一九四〇年五月、ナチス・ドイツ軍の機甲部隊が対フランスとの戦端を開いたシーンから始まります。幼子ポーレットの両親はここで死に、その後は孤児になったポーレットと男の子ミシェルとの出会いを軸に、物語は展開していきます。この映画は一九五二年の制作ですが、アラン・レネの『夜と霧』は五五年、ブレッソンの『抵抗』は五六年です。戦後（解放後）一〇年前後の時期に、ナチス・ドイツに支配されていた時代を振り返る秀作が制作されたのですが、では、この一九五〇年代半ばとはフランスにとってどんな時代であったか、を考えます。一九五四年、遠くベトナムのディエンビエンフーでフランス植民地軍はベトナム軍の攻撃を前に敗北を強いられます。一八八七年以来のインドシナにおけるフランス植民地主義の支配が終焉を迎えたのです。他方、北アフリカ、マグレブのフランス植民地＝アルジェリアでは独立闘争が始まります。フランスはこれに徹底的な弾圧を加えました。私は一九五〇年代後半、ヴェルコールの『海の沈黙』を読んで間もなく、アルジェリアの植民地戦争への徴兵を拒否したフランス青年たちの証言集『祖国に叛逆する』（三一新書、一九六〇年、淡徳三郎＝編訳）を読んで、ほぼ同時代のフランスのふたつの顔を見た思いがしました。つまり、ナチス・ドイツの占領に抵抗する顔と、一九世紀来維持してきた植民地における独立闘争を弾圧する顔のふたつです。

これに関連して、ナチスの親衛隊大尉で、占領下のリヨンでゲシュタポの治安責任者を務め、多数のレジスタンス・メンバーとユダヤ人の虐殺を指令して「リヨンの虐殺者」と呼ばれたクラウス・バルビーのことに触れておきます。彼はその経歴からすれば、戦犯として裁かれて当然の人物でしたが、米国は大戦後の東西冷戦構造下では、彼が持つソ連とドイツの情報に大いなる価値を見出したので、自らの庇護下に置きました。隠しおおせなくなって国外に逃がしたのですが、バルビーは家族ともども一九五〇年に南米のボリビアへたどり着きました。以後、八三年までの三〇年近く、同地の支配層、とりわけ軍事政権と癒着して特権的な生活を送るのです。六七年のチェ・ゲバラの身柄確保と処刑にも関与したとの情報もあるほどです。ボリビア情勢の変化もあって、一九八三年、七〇歳の時にフランスに引き渡され、その戦争犯罪に関して裁判に付されます。法廷でバルビーは言ったのです。「自分は、フランスがアルジェリアでやったのと同じことをしたに過ぎない」と。バルビーの自己弁護として言わせておいてよい言葉ではないと思いますが、フランス社会自体が顧みるべきことであることは否定しようもないのです。

さて、今夜はブレッソンの『抵抗』にまつわる話だったので、もっぱら、フランス及びヨーロッパ全体に関わる視線で語ってきました。東アジアの視点で語るとすれば、ナチス・ドイツと固い同盟関係にあった日本帝国の所業を俎上に乗せなければならないことは言うまでもありません。それは別な機会での仕事になるでしょう。

――以上です。ご清聴、ありがとうございました。■

二月二四日（月）

専門家会議が感染の拡大・収束について、「一～二週間が瀬戸際」との見解発表。

二月二五日（火）

感染拡大防止を目指す基本方針を決定。

二月二七日（木）

安倍首相、全国の小中高校と特別支援学校へ「コロナウイルス感染対策のために、三月二日から春休みまで臨時休業を行なうよう」要請。独断。今井首相秘書官の進言だけで決めたらしい首相に対して、文科相らの「側近」からも異論が出たらしいが、前者は「責任は負う」と言うのみ。根拠は示さずとも、「決める政治」を行なえば、世論はなびくという魂胆が見え見えというべきだろう。

二月二八日（金）

鈴木北海道知事、新型コロナウイルスの感染者が増え続けているとして「緊急事態宣言」を出し、今週末の外出を控えるよう道民に呼びかけた。

3. 拡大（二〇二〇年三月）

三月一日（日）

よく利用している市立図書館は二月一七日からきのうまで、図書整理のために休館だった。きょうからは、コロナ対策という理由で休館が続くという。三月一六日まで。ここ数年来は、手持ちの書物の整理に手をつけ始めて、新たに購入することは極力避けてきた。必然的に図書館の利用頻度が増していた。したがって、この状況は不便この上ない。

三月二日（月）

朝日新聞夕刊が、イタリアはミラノの高校校長が生徒に宛てたメッセージを話題に。一九世紀イタリアに流行したペスト下の人びとの様子を描いたマンゾーニの『いいなづけ』を引いて、「人々が不安になっているときには、話を聞いただけで見たような気になってしまうもの」で、社会関係や人間関係を「汚染するもの」こそが、新型コロナウイルスがもたらす最大の脅威だと説いて、評判になっていると伝える。折しも、感染が拡大したクルーズ船で診療に当たった医療者が職場に戻ると「黴菌」扱いされたというニュースがあったばかりだ。マンゾーニの『いいなづけ』も、ボッカチオ（最近は、ボッカッチョと表記するのがふつうになったが、私が子どものころは違ったので、つい、こう書いてしまう）の『デカメロン』も、今は河出文庫の平川祐弘訳に感心する。平川氏は国粋主義者なので、その思想には与しないが、ダンテの『神曲』も含めてイタリア語の翻訳の質には唸る。若桑みどりさんから、イタリア政府給費生として同時期にイタリアに留学したと伺ったことがある。

三月六日（金）

政府、中国と韓国からの入国制限（入国者は指定場所で二週間待機する。公共交通機関を利用しない。発行済みのビザの効力停止）決定。

三月七日（土）

反天連機関誌〝Alert〟コラムは、美術史家の故・若桑みどりさんが遺した言葉をめぐって。

太田昌国のみたび夢は夜ひらく　第一一七回

信じられないほどばかなことが起こる時代

このところよく思い出す言葉がある。美術史家の故・若桑みどりが『戦争がつくる女性像——第二次世界大戦下の日本女性動員の視覚的プロパガンダ』（筑摩書房、一九九五年。現在はちくま学芸文庫に所収）のあとがきに書きつけた言葉である。同書を担当した若い編集者は、送られてきた原稿の事実関係に関わる再調査を行ないながら、何度も言ったという。「こんなに信じられないほどばかなことが私たちの親の時代にはあったのですね！」。この感想を受けて、若桑は「あとがき」の末尾に書く。「そうです。こんなばかなことがあったのですよ。母親である女たちに、母親となる女たちに、否、すべての女性たちに、世代を越えて伝えなければならないことがあるのですよ。だから私は書いたのです。」

若桑の専門分野は、ミケランジェロなどの作品の図像学的分析で、もちろんその分野で数々の優れた著書を著した。なかには、『皇后の肖像――昭憲皇太后の表象と女性の国民化』と題した著書もある（筑摩書房、二〇〇一年）。だが、一九三五年生まれで、子ども時代に疎開と空襲を体験していた彼女は、晩年に至って、「戦争と平和」の問題をめぐって発言する機会を増やした。冒頭に触れた書も、敗戦五〇周年の一九九五年に刊行されている。ジェンダーの視点に基づく彼女の戦争論から、私は深い示唆を受けてきた。彼女によれば、戦争の問題はもっぱら男性に関わって描かれ記述されることが多いが、女性の協力なしには戦争は遂行され得ない。そのことを知り尽くしている為政者や軍部が、いかに女性を全面的に戦争に動員したか、そしてその際、文学・映画・音楽・絵画などの芸術表現を通して行なわれた戦争賛美の言説がいかに魔力を発揮したか――それを分析する若桑の原稿を読んで、戦争を知らない世代の編集者は、「こんなに信じられないほどばかなことが」、ひとり独裁者の独断専行によってばかりでは必ずしもなく、大衆の支持と翼賛の下に罷り通った時代を訝しく思ったのだろう。

同じころだったと思うが、私は、小林よしのりの『戦争論』を批判的に分析する若桑の講演を聞いたことがある。「慰安婦」問題についての小林の解釈を私はすでに批判していた。だが、小林の漫画作品は、とりわけ若い世代から、いわば「熱狂的な」支持を受けていることが傍目にも明らかだった。内容的には唾棄すべきその漫画が、どれほどの魔術的な「魅力」に溢れているかを、若桑は図像学的に分析した。私にはできない視点からの批判的な解釈で、刺激的だった。歴史的事実を歪める記述でありながら煽動力を持つこのような表現方法が、社会の基層のなす人びとから少なからぬ支持と共感を得ている事実を軽視すべきではないと考える点において、私は若桑と同じ場にあった。

振り返って総じて言うなら、「こんなに信じられないほどばかなこと」がこの社会の中で堂々と言われるようになった端緒は、この頃――今から四半世紀ほど前の、一九九〇年代初頭から半ばにかけての時期だったと思う。前述したように、敗戦から半世紀を経つつあった時期に相当する。私もすでにして若くはなかったから、人間の歴史がひたすら〈進歩〉や〈善〉に向かって、〈空想〉から〈科学〉に向かって、直線的に発展を遂げていくという牧歌的な歴史観を脱してはいた。それでも、人間が持つ〈過去から学ぶ〉力への信頼感を、辛うじてではあれ、我が身の裡に抱え込んでいたと思う。

二一世紀も一〇年を経て以降、事態は決定的に異なる段階に入った。もはや個々の問題を明示する固有名詞を繰り返すことも厭わしい。二〇一二年、第二次安倍政権が成立して以降の七年半は「こんなに信じられないほどばかなこと」が次々と現実化していく歳月であった。そしていま政権は、コロナウイルスの蔓延状況をも、己が保身のために思う存分活用しようとしている。〈歴史から学ぶ〉ことなく、暗愚の〈歴史を繰り返す〉この社会。『ペスト』を書いた（一九四七年）カミュのように、「人間のなかには軽蔑すべきことも多々あるが、同時に賛美すべきものも多い」と確信できるためには、歴史の事実を忘れずに伝え続ける人間が、より多く生まれなければならない。

（三月七日記）■

三月一〇日（火）

昨春亡くなった元太田出版の高瀬幸途氏の「一周忌の会」（三月二九日）への欠席通知をご家族へ。この日は、二〇一〇年来奇数月最終金曜日に開いている「太田昌国の世界」と題した連続講座（駒込・東京琉球館）の第六〇回目。一〇年の節目でもあるので、館主宰者の島袋マカト陽子さんが、バス・ツアーを企画してくれた。栃木県益子にある「関谷興仁陶板彫刻美術館」（http://www.chorogan.org）へ行き、展示されている「作品」を見てから私が講演し、夕方には東京へ戻るという半日の旅程だ。高瀬さんの「一周忌」の会と時間的に重なる。わけを説明して、赦しを乞う手紙を書いた。高瀬氏が亡くなって間もなく書いた追悼文を、そのときの気持ちを忘れぬために、ここに貼り付けておく。

太田昌国のコラム「サザンクロス」第三二回二〇一九年六月一二日
ある編集者の死

私事のようだが普遍性があると思われるので、書いておきたい。今年四月、大事な友人を突然失った。太田出版の元社長・高瀬幸途氏である。知り合う前は傍から見ていて、不思議な出版社だった。ビートたけしらのタレント本がある。若者文化の本も多い。他方、哲学・思想書にも意欲的だ。人びとの意識の中で〈高尚な〉思想・文学と〈サブカルチュア〉とを厳密に区別する方法が消えつつあった二〇世紀末の時代状況を巧みに捉えているという意味で、躍動的で柔軟な感性が感じられる出版社だった。私はそのようなセンスを欠いているので、その仕事ぶりが「気になる」出版社の一つであった。高瀬氏とは互いに知らぬ仲ではなかったが、付き合いはさほど深くはなかった。

氏からの突然の電話を職場にもらったのは、二〇〇二年の末も押し詰まった頃だったか。会いたいというので会ってみると、彼の言い分はこうだった。九月一七日の日朝首脳会談以降、「拉致問題」一色に覆われた日本社会にあって、私・太田のような言動をしている人物はほとんどいない。これは貴重な意見だと思うので、現在まで書き続けているような時評に加えて、問題総体に迫るような書下ろしをまとめ、一書を作りませんか。

事実わたしは、「九・一七」会談のニュース報道をその日の夜に見聞きしながら、「排外主義的ナショナリズム」が吹きつのる恐ろしい時代が来ると予感し、これにどう向き合うべきかを考え始めていた。というのも、一九八七年の大韓航空機爆破事件で実行者・金賢姫の自白があって以降、私は、主として右翼雑誌で主張されてきた「北朝鮮による日本人拉致」は事実だろうと考えて、この事実が広く社会的に明かされた時の衝撃を予感していた。自称「社会主義国」で、かつ同国に対してかつて日本が行なった植民地支配の〈後ろめたさ〉が消えていないだけに、北朝鮮に対する感情は、複雑な起伏を示しながら暴発するだろうと考えたのだ。情勢に向き合いながら書き綴っていた文章はインターネット上のブログに掲載していた。それを読んでの、高瀬氏の申し出だった。半年余りのち、その企画は『「拉致」異論』という形で実現した（太田出版、二〇〇三年）。「拉致」一色の雰囲気の中でそれに「異論」を唱える本への嫌がらせは、当然にも予想された。新聞広告を出すと、版元には嫌がらせの電話もあったというが、「読んでもいない人間が文句を言ってきても、何のことでもありません」と、氏は泰然自若としていた。

以来、高瀬氏は、私が物事を考え、発言し続けるうえで、不可欠の存在となった。数ヵ月に一度くらいの頻度で会っては、その時々の思想・言論・社会・政治状況をめぐる討議を行なった。その過程を通して出来上がった本も何冊もある。ゆるぎない高い思想と理念の持ち主でありながら、発想が高見から繰り出されることはなかった。視線はいつも、私たちの日常を支配する些事から問題を見つけだす低き場所にあった。その具体性から始まる思想や運動でない限り、信じるに値しないと考えているかのようだった。あまりに純粋な理想主義が敗北してゆく過程を、もっとも痛切に感じ取ったがゆえの〈選択〉だったのかもしれぬ。

「拉致」問題を大きな契機にして、この社会には、非寛容な排外主義が深く浸透した。私が危惧した通りだった。この社会的な雰囲気を背景に、四年後の二〇〇六年に自民党総裁に上り詰めたのは、極右政治家＝安倍晋三だった。日本では、欧州諸国での「極右政党の誕生」や「議会への進出」はメディアでも話題になるが、他ならぬこの国にあるのは「極右の首相」だという表現も認識もない。この過程を批判的に分析し、指摘し、どこに克服の道があるかを考える上で、高瀬氏はまぎれもなく私の「同志」であった。氏と約束しつつもいまだ果たし得ていない仕事を思い、突然に断ち切られてしまった〈協働作業〉を思う。

氏が二〇〇三年に生み出してくれた『「拉致」異論』は、本来ならばその時評的な立場からして短い期間にその使命を終えるはずだった。だが、社会全体に浸透した排外主義こそは、現在の極右政権を支える基盤であり、政権はこの支持基盤を徹底的に利用して、自らの延命を図ってきたから、拉致問題は、首相の決意表明とは裏腹に、常に後景に退いてきた。そのために昨秋みたび刊行された『増補決定版「拉致」異論』（現代書館、二〇一八年）を前に、私は高瀬氏と交わしたいくつもの大事な会話を思い出しながら、この先を歩もうと思う。■

また、レイバーネット上の連載は第四一回目。「ドレスデンと東京への空襲から七五周年目」について書いた。

太田昌国のコラム「サザンクロス」第四一回　二〇二〇年三月一〇日
ドレスデン空襲、東京空襲から七五周年

日本のマスメディアは、国際的な視野を大事にせずに、視聴者や読者を一国主義的な関心の中に閉じ込めることに熱心だ。そのことを最悪な形で象徴するのがＮＨＫの定時ニュースであることは、もはや明らかなことだろう。それに比べるなら、或る程度の渇きを癒してくれるのがＮＨＫ・ＢＳの「ワールド・ニュース」だが、昨秋からは日本人解説委員の登場が多くなり、その分つまらなくなった。新聞では、共産党の「しんぶん赤旗」が、時々だが、国際的な視野を広げる記事を提供している。

現在はコロナウイルスの行く末に誰もが一定の関心を持ち続けることに不思議はないが、関心の一極集中はどんな場合にも、現状認識上のゆがみをもたらす。そこで、ここからは、前号を

引き継ぐ【承前】として書き継いでいきたい。

一九四四年六月に行われた連合国軍のノルマンディー上陸作戦以降、ナチス・ドイツが敗北へと向かう七五年前の出来事に、その後も年代記的に順次注目し続けた。二月一三日は、第二次大戦末期の一九四五年同日から一五日にかけて英米軍が行なったドイツ・ドレスデンに対する空襲から七五周年だった。一三日同市で開かれた記念式典ではシュタインマイヤー大統領が「七五年前のドレスデン空爆を思い出すとともに、すべての民族大虐殺、戦争、暴力の犠牲者を思い出す」と語り、「我々はドイツの罪を忘れてはならない」と演説した。集まった人びとも、単なる「被災」の土地としてだけではなく、バロック建築物なども多い芸術の都としてのドレスデンがナチス党の一大拠点でもあった過去や、ナチズムが嫌う書物を焚書した最初の地でもあったことも想起したようだ。

ネオナチや極右政党「ドイツのための選択肢」（ＡｆＤ）も集会を開き、「文化都市であるドレスデン空爆は米英によるホロコースト」とか「ドイツの輝かしい歴史の中でナチスのそれは〝鳥の糞〟のようなもの」などと語っているだけに（以上、引用は「しんぶん赤旗」二月一五日～一八日号から）、過去の歴史から何を学ぶかという点で、日本と同じように、ドイツにも明確に分岐する二つの観点があることがわかる。時の政権が、どんな立場で何を語っているかに大きな違いがあるが。

極右の台頭という逆風に曝されているとはいえ、ナチス体験については一定の内省的かつ実質的な積み重ねをしてきたドイツ社会は、この間、別な問いにも直面している。かつてドイツ領として植民地支配を行なったタンザニアやナミビアなどのアフリカ諸国が、その時代になされた文化財や人骨の返還や賠償を求めて交渉を提起していることである。これは、もちろん、スペイン、ポルトガル、イギリス、オランダ、ベルギー、フランス、イタリア、米国、日本など近代史の展開過程で植民地主義を実践したどの国家社会もが避けることのできない課題である。

日本にも、対アジアの侵略戦争に関わる事実を追求することで、真実解明・処罰・和解をめざす民衆運動はあり、私もそのいくつかに参加はしている。それが、ドイツのような「広がり」を得ていないのは、対外的には社会全体を否応なく代表する政府・国会のレベルでは戦争責任を自覚する言動と具体的な政策を戦後史の過程で決定的に欠いてきたこと、ましてや現政権の場合には、むしろ侵略の事実を覆い隠し、過去を美化する歴史観を有する極右体質を持つことにある。それがメディア報道、社会教育、学校教育などの在り方も制約し、戦争責任問題を全社会的な課題として取り組むことを阻んできた。

きょう三月一〇日は、米軍による東京大空襲が行なわれて七五周年の日に当たる。この日の記憶は語り継がれなければならないが、そこには、一ヵ月前のドレスデンでなされた内省的な語りが必要だろう。ドレスデンや東京の場合のように、空からの無差別大量殺戮という戦法を取り上げた前田哲男の重要な著作『戦略爆撃の思想』（朝日新聞社、一九八八年。その後一九九七年に社会思想社の現代教養文庫に収められた）も、「ゲルニカ―重慶―広島への軌跡」という世界的な視野の下に書かれている。■

三月一一日（水）

ＷＨＯのテドロス事務局長、新型コロナウイルスの感染拡大は「パンデミック（世界的な大流行）」の状態だと述べた。感染者数は、世界の一一八ヵ国で・地域で、計一二万五〇〇〇人に迫るという。イタリア北部とイランの状況がとりわけ深刻だという。

三月一二日（木）

毎日新聞専門編集員・坂東賢治氏のコラム「木語」が、武漢在住の中国人作家、方方さんのブログ日記を紹介している。政府のコロナ対策への批判も躊躇わない。当局はブログを閉鎖したり、警告を与えたりしているようだが、世界中の四〇〇万人のフォロワーの支えを背景に頑張り続けているようだ。「中国社会の疾病はコロナウイルスよりも悪い慢性的な病気だ。医者もおらず、誰も治せない。」などとは魯迅張りの物言いだなと思ったら、かつて魯迅文学賞を受賞している由。今後も注目したい。

新型コロナの蔓延は、各方面にさまざまな影響を与え始めている。裁判員裁判が、裁判員の不安や健康に配慮して次々と延期されている。被告の拘束が長期化することも懸念される。学校の休校措置で、児童養護施設（全国に六〇五ヵ所、二万五〇〇〇人が入所）の子どもたちが通う学校が閉鎖されたために、集団生活による感染リスクに加えて、昼食の用意、子どもに対応できるスタッフの不足などさまざまな問題が浮上している。喘息患者は車内で咳をすることに罪悪感をおぼえ、「電車に乗るのが怖い」という。介護現場からの声も切実だ。マスク不足で交換もできない。利用者が発熱している場合の「訪問介護」をどうするか。厚労省は指針を示すべきだとの声が現場から上がっている。「新型コロナより怖い？」デマも横行し、コロナは中国が製造した生物兵器だ、二六～二七度のお湯でウイルスは死滅する、天然藁納豆にウイルスは勝てない、花崗岩の紫外線が強い殺菌力を持つ……など、証拠のない情報が、主としてインターネット上に飛び交っている。

三月一三日(金)

新型インフルエンザ等対策特別措置法改訂案、衆院本会議で可決し、参院へ送付。

朝日新聞には、コロナの感染拡大で、外国人技能実習生が来日できず、春野菜の収穫に影響か、との記事が出ている。実習生制度が孕む問題を指摘することなく、人手不足が深刻という観点からの内容で、物足りない。

トランプ大統領、米国に非常事態宣。感染拡大防止のためには「今後八週間がきわめて重要」と語る。きょうから、英国を除く欧州各国から米国への渡航制限も始まる。

横浜に住む息子一家から、新鮮なワカメが届く。神奈川県の海沿いの街は、思いのほか、魚介類・海藻類に恵まれている。この季節のワカメも、熱湯に浸した瞬間に鮮やかな緑色に変色する。夕食に近所の友人を招きワカメのしゃぶしゃぶを楽しみ、また、いくつかの隣家に「おすそ分け」。

三月一四日(土)

首相はこの日の記者会見でこう語った。「来週にはいよいよ聖火を日本に迎えることになりますし、私自身、二六日には福島を訪れて、聖火リレーのスタートに立ち会わせていただきたいと考えています。……我々としては、とにかくこの感染拡大を乗り越えて、オリンピックを無事、予定どおり開催したいと考えています」。

三月一七日(火)

欧州圏では、シェンゲン協定によって保証されてきた国境での審査なしの「移動の自由」が縮小傾向。ドイツは、フランス、スイス、オーストリア、デンマーク、ルクセンブルグとの国境を封鎖。物流と国境を越えて通勤する市民は除外されるが。スペインでは外出制限措置。フランスでは、レストラン、カフェ、映画館など「生活に必須とは言えない店舗」の営業停止措置。米国は入国制限の対象をイギリス人にも拡大。

三月一八日(水)

子どもたちに国粋主義的な教育を行なう目的を持った大阪市・森友学園への国有地売却問題および財務省の公文書改竄問題に絡んで自殺した近畿財務局職員の妻が、夫が自殺したのは公文書改竄に加担させられたからだとして、国と財務省理財局長・佐川宣寿に一億一八〇〇万円の損害賠償を求める訴えを大阪地裁に提訴。

三月一九日(木)

毎日新聞パリ駐在・久野記者の、「封鎖」のパリのルポ。外出禁止令、それでも外出するには、理由を記した「証明書」が必要、パンはほぼ品切れ、スーパーでもパスタや缶詰のトマトソースはない――などの記述のあとに、「家にこもる人々の息づかいが、窓から漏れる」という表現が、妙に生々しい。

東南アジアでも封鎖拡大。マレーシアは自国民の出国と外国人の入国を禁止。フィリピンでは、マニラに深夜の外出禁止令、封鎖はマニラ首都圏からルソン島全域に拡大。

朝日新聞夕刊に、武漢の作家・方方さんの武漢ルポ紹介記事。三月に入り感染者の減少が報じられると、「武漢のリーダーたちは市民に党や国家に感謝するよう求めるが、実に奇妙な考え方だ。政府は人民の政府であって、人民のために奉仕する存在だ」。「一つの国が文明国であるかどうかの尺度は、高層ビルや車の多さや、強大な武器や軍隊や、科学技術の発達や卓越した芸術や、派手な会議や絢爛な花火や、世界各地で豪遊する旅行客の数ではない。唯一の尺度は、弱者にどう接するか、その態度だ」。

きょう発売の『週刊文春』三月二六日号で、森友問題で自殺した近畿財務局職員の遺書全文公開。

三月二〇日（金）

米国のトランプ大統領は、新型コロナ対策に関わる自らを「戦時大統領」と呼び始めた。その米国では、消毒剤や食糧品の品不足が目立ってきたが、「散弾銃も弾もありません」と告知する銃器店も出てきた。経済低迷で治安の悪化を懸念する声が高まり、銃器の需要が増えたのだという。

三月二二日（日）曇り。

午後、落合斎場にて、去る一七日に亡くなった映画評論家・松田政男氏に別れを告げる。通夜・

葬儀なし、棺を見送るのみ。参集者は四〇人ほど。吉本隆明の初期評論集『抒情の論理』(未來社、一九五九年)を兄か姉の書棚に見つけて読んだのは、釧路の高校時代。そのあとがきで、担当した編集者の名に松本昌次氏に加えて松田政男氏の名前があったのが、おそらく字面での初対面。一九六二年、大学通学のために東京へ来たが、その年の秋、毎週読んでいた書評新聞『日本読書新聞』に「自立学校」開校の辞あり。吉本、埴谷雄高、谷川雁などが講師と知り、早稲田・観音寺で開かれたそれに参加。事務局として受付にいたのが松田氏と山口健二氏だった。二人とはそれ以降の付き合い。松田氏はその後、未來社から現代思潮社に移り、私は学生時代に後社でアルバイトをしていたので、氏らが編集する本、E・H・カー『バクーニン』、ロバート・ダニエルズ『ロシア共産党党内闘争史』、クラウゼヴィッツ『戦争論』、ブランキ『革命論集』、トロツキー選集、ローザ・ルクセンブルグ選集、サビンコフ『テロリスト群像』や『蒼ざめた馬』などの編集過程をそばで見ていたり、校正を担当したりしていた。その後一九六七年、同氏らは『世界革命運動情報』(レボルト社)を創刊。翌六八年大学を卒業した私は、無給だが家賃免除の事務局員として、レボルト社の専従となった。当時「失業革命家」を自称していた松田氏は、1DKのレボルト社のスペースを個人事務所としても使用していたから、しばらくの間ほぼ毎日顔を合わせていた。氏は若者の面倒見がよく、私にも『現代の眼』や『映画評論』『映画芸術』での翻訳の仕事を紹介してくれた。キング師暗殺に憤るストークリー・カーマイケルのインタビューを翻訳したり、難解なグラウベル・ローシャ論の翻訳に四苦八苦したり、ジョン・フランケンハイマー監督の『影なき狙撃者』の台本を翻訳したりしたのは、すべて氏の紹介だった。家庭教師としての乏しいアルバイト収入しかなかったから、助かった。やがて、氏は『映画批評』

誌編集に専念するのでレボルト社を離れ、私もレボルト社を七三年に畳んで間もなくメキシコへ渡ったから、付き合いにはしばらく空白が生じた。帰国後、八〇年にボリビア・ウカマウ集団（ホルへ・サンヒネス監督）の映画の自主上映を始めるころに再会、その後、自主上映から共同制作へ至る過程を一貫して伴走してくれた。

三月二四日（火）

日本国首相と国際オリンピック委員会会長の電話会談で、新型コロナウイルス感染症の世界的な流行を理由に、東京オリンピックの開催を「一年程度延期」することで合意。

武漢の作家・方方さんのブログ「武漢日記」が、武漢封鎖から六二日目、第六〇編のきょうで最終回を迎えた。「武漢の悲惨な日々を身をもって経験した者の責務として、当局への責任追及は続けていく」。

三月二五日（水）

「世界エイズ・結核・マラリア対策基金（グローバルファンド）戦略投資効果局長・國井修氏のインタビュー記事が朝日新聞に掲載。スイス・ジュネーブで活動する氏に見えている世界は、日本の私たちのそれとは異なる。途上国への関心を喚起する個所など示唆的な言葉はいくつもあるが、ジュネーブにある「同基金本部のスタッフ七五〇人が在宅勤務を余儀なくされ、アジア、アフリカ、ラテンアメリカへの出張が制限された。また、治療薬、診断キット、蚊帳などの予防用品は中国で製造しているものが多く、その供給が途絶えそうになり大変心配した」の件には、そういうものか、と思った。

小池都知事は、都は「感染爆発の重大局面」にあり、週末・夜間の外出を控え、平日も在宅勤務にするよう、「要請」した。政府も、「不要不急のすべての海外渡航」を自粛するよう「要請」した。

中国政府は、来る四月八日、武漢市の封鎖を解除すると発表した。

三月二七日（金）

朝日新聞に、アフガニスタンやシリアからの難民がトルコ経由で押し寄せる難民の記事。トルコからわずか三キロほどの、ギリシャ東端のサモス島。六八〇〇人しか収容できないスペースに九〇〇〇人が押し寄せているという。トルコ・ギリシャ・ＥＵ圏間の駆け引きが複雑に絡み合い、効果的な解決のめどが立たない。サモス島住民と難民との摩擦、ただでさえ「密」で、劣悪な衛生状態のキャンプでのコロナウイルスの脅威――。

三月二九日（日）

夜半から朝まで霙。六時ころから雪になり、昼過ぎまで降り続く。

午後三時前、駒込・東京琉球館へ。ここで第六〇回の講演会。当初は、益子へバス・ツアーを行なう予定だったが、コロナ対策上の諸問題を考慮して、主宰者の島袋さんが直前になって方針の変更を決めた。講演会そのものは行ない、事後の懇親会ではいつもの大皿料理はやめて、弁当が用意されていた。都知事の「週末は外出を控えて」の要請にも〈かかわらず〉二〇名が集まる。用意したレジュメは、以下である。

東京琉球館「太田昌国の世界」第六〇回「一〇年記念トークツアー」
関谷興仁陶板彫刻美術館／朝露館（栃木県益子）

コロナの時代の愛と連帯をめぐって

↓ガブリエル・ガルシア＝マルケス『コレラの時代の愛』（原著一九八五年、新潮社、二〇〇六年）

中田考氏曰く――「疫病、人類にとっては三〇億人ぐらい死んでも（短期的には墓地が足りないとか特定の業種の人手不足とかで問題が生ずるとしても）若者と子供から死んでいくのでない限り何の問題もないというよりむしろ望ましい（特に資源を浪費する「先進国」の人間が死ぬのは）。――と言うと、かけがえのない「個人」の死の主観的意味と類としての人類の一つの「個体」の死の客観的意味の区別ができず、死を直視できない人間はヒステリックに反応するのだろうな。――予想通りの反応があるなぁ。やはりツイッターはバカ発見器。」（二〇二〇年三月二一日）

「彼らは人間中心主義者（ヒューマニスト）であった。つまり、天災などというものを信じなかったのである。天災というものは人間の尺度とは一致しない、したがって天災は非現実的なもの、やがて過ぎ去る悪夢だと考えられる。ところが、天災は必ずしも過ぎ去らないし、悪夢から悪夢へ、人間の方が過ぎ去って行くことになり、それも人間中心主義者たちがまず第一にということになるのは、彼らは自分で用心というものをしなかったからである。」―カミュ『ペス

ト』（宮崎嶺雄＝訳）

1、過ぎ去ったこの「一〇年」の時代状況を、各年一行でまとめると……

二〇〇九　民主党政権成立＝鳩山内閣発足。→本講座番外篇「蓮池透＋太田昌国の対話」。
二〇一〇　米軍基地県内移設反対一〇万人集会、日米政府辺野古共同声明、鳩山引責辞任。
二〇一一　中国ＧＤＰ、日本を抜く。東日本大震災と原発事故。
二〇一二　韓国大法院の徴用工判決。尖閣問題。反原発運動。韓国に朴政権。安倍復活。
二〇一三　東京五輪決定。特定秘密保護法成立。安倍靖国参拝。
二〇一四　河野談話再検証。防衛装備移転三原則閣議決定。内閣官房に内閣人事局設置。
集団的自衛権閣議容認。
二〇一五　改正労働者派遣法成立。日韓外相、慰安婦問題合意。
二〇一六　やまゆり障碍者殺害事件。明仁、退位声明。カジノ解禁法成立。
二〇一七　加計・森友問題発覚。天皇退位特別法。共謀罪法成立。＊ロシア革命百年
二〇一八　朝鮮南北首脳会談。米朝首脳会談。改正出入国管理法成立。
二〇一九　県民投票辺野古反対七割。特定技能外国人労働者受け入れ開始。天皇明仁退位。
三・一独立運動百年。
二〇二〇　新型コロナウイルス世界的流行。

世界政治・経済・社会・文化および人びとの意識の在り方が激変中。

2、二一世紀の二〇年目＝「二〇二〇年」という現在

9・11（二〇〇一年）から「対テロ戦争」へ

【政治】民族という問題の噴出☞東西→民族／国民国家の瓦解／対テロ戦争による国家崩壊→難民→欧州圏における排外主義の台頭→「人権」感覚の衰退

【経済】社会主義圏の衰退と新自由主義経済の世界制覇。→社会主義的志向性を持つ思想と運動が不在となった状況を利用して、現代資本主義に本質的な、歯止めなき放埒な搾取・収奪構造の全面的な開花→市場原理至上主義、弱肉強食／大きな利潤を生まない分野（医療・福祉・教育）の民営化／小さな政府（公共部門への国家予算の投入を止める。国鉄・電信電話・郵政などの民営化）／労働規制の撤廃（企業側の立場に立って、非正規労働・派遣労働の推進。排外主義と劣悪な受け入れ態勢を放置したまま、外国人労働者を功利主義的に「導入」する）／多国籍企業の優遇／自由貿易経済ブロックの形成

【自然】自然環境の悪化☞北極・南極およびヒマラヤ・アルプス・アンデスにおける氷山・氷河の減少、自然環境の激変（温暖化、集中豪雨、暴風雨、熱波、竜巻、森林・山火事、地震頻発）、魚群の変化、アフリカ東部からインド大陸に及ぶバッタの群れの襲来、寡頭資本による自然改造（遺伝子操作、遺伝子組み換え、種子の自家採種禁止……）

【疫病】そして今、コロナウイルスの世界的な流行→見たことのない風景が世界に広がる
←
一〇〇年に一度の【疫病】が、長年にわたって積み重ねられてきた【政治】【経済】【自然】【文化】のすべてを束ねた力を凌駕して、世界政治・経済・社会・文化と人心の在り方に圧倒的な影響を及ぼしているこの現状を、文明論的に捉える方法

3、疫病とは何か。疫病と人類

1）グローバリゼーション＋戦争と感染症
古代　シルクロード（中国から地中海世界へ至る道）→中国起源のペストの伝播
一一世紀〜一三世紀　十字軍と黒死病→ベルイマン『第七の封印』（一九六七）
一三世紀後半　モンゴル帝国の支配拡大（中国＋ロシア＋中央アジア＋イラン＋イラク）と各地でのペストの蔓延
中世ヨーロッパ　二五〇〇万人〜三〇〇〇万人（全人口の三分の一ないし四分の一）死亡。
ヨーロッパ史では、「ペスト以前」vs「ペスト以後」という時代区分が可能なほど。
一五世紀後半　大航海時代と地理上の「発見」の時代
「旧世界」と「新世界」の出会い＝「感染症を持つ者」と「持たざる者」の遭遇。
植民者が、天然痘、麻疹、ジフテリア、おたふく風邪をもたらす。

奴隷貿易を通して、マラリア、黄熱、デング熱がアフリカから持ち込まれる。
→これらによる先住民の大量死＋虐殺＋虐待＋レイプ＋奴隷化
一八世紀以降　一六世紀からアフリカに進出していた欧州列強の植民者が、土着の感染症で大勢死亡→マラリア＋トリパノソーマ症（眠り病）→「暗黒大陸」の呼称
一九世紀初頭　カリブ海ハイチの独立闘争鎮圧のために派遣されたフランス軍兵士、黄熱などの熱病で大量死
←
植民地帝国における「植民地医学」「帝国医療」の始まり。
＊重要な参考文献
パトリック・ドゥヴィル『ペスト＆コレラ』（みすず書房、二〇一四）
ペスト菌の発見者＝アレクサンドル・イェルサン（一八六三、スイス〜一九四三、ベトナム）の伝記

2）COVID 19の問題をどういう視点で捉えるか
◎「見たことのない風景」から何を読み取るか
「先進国」における状況と対策→非常事態宣言、外出禁止令、都市封鎖、経済活動中止（＝ゼネスト状態）、国境封鎖（特にEU圏での）
「貧しい国々」における状況と対策→「手洗い励行」→水なき人びとの群れ、医療体制の不

備、移民労働者→グローバル時代の感染症→「先進国」が無視・軽視してきた、不当な南北格差の解消に正面から取り組むべき「好機」。
＊「九〇年代、アフリカのエボラ出血熱の致死率は九〇％。薬の開発や資金協力を訴えても、先進国は本気にならなかった。先進国で流行しない限り、製薬会社も研究者も関心を持たぬ」（世界エイズ・結核・マラリア対策基金：國井修。三月二五日付け朝日新聞）。→見る人は、すでに「見ていた」光景。
「見えない」状況
留置場・刑務所・入管収容施設・「留学生」「実習生」・ガザ地区・世界各地の移住労働者・難民の群れ→今世紀の初めに開始された「対テロ戦争」はどこに帰結したか……
内戦が続くリビアで「コロナウイルス停戦」→戦争での殺し合いは認めても、ウイルスでは死にたくない？→こんな「皮肉」めいた物言いに留めることなく、戦争廃絶へと向かう真の動きをいかにつくり出すか
「世界経済」に占める中国の「重さ」をめぐって
マクロな視点とミクロな視点——移住労働者、百均の棚の空き、家電部品（中国製）の供給が止まるから今が買い得という街の電気屋のセールス攻勢
◎これらの、私たちにとっては今回の事態を契機に初めて「見えてきた」風景を心と頭に刻み、未来を考えること

３）過去に生きた人びとが見た光景――「古典」の中で、疫病、あるいは疫病蔓延による人びとのパニック状況はいかに描かれてきたか
◎『聖書』（旧約、新約）、『古事記』、『日本書紀』etc.
◎ジョバンニ・ボッカッチョ［ボッカチオ］（一三一三～七五）
一三四八　フィレンツェをペスト（黒死病）が襲う
一三四八？～五三　『デカメロン』執筆→悲劇への向き合い方の一案
◎ダニエル・デフォー（一六六〇～一七三一）
一六六五～六六　ペスト、ロンドンで大流行
一七二二　『ペスト』
◎アルベール・カミュ（一九一三～六〇）
一九四七　『ペスト』
◎開高健（一九三〇～八九）
一九五七　『パニック』

４）感染症研究のための特殊部隊の存在から、「国家」の本質をいかに捉えるか
７３１部隊とは何か
一九三二　陸軍軍医学校防疫研究室設立
一九三六～四五　中国ハルビン近郊に「７３１部隊」（責任者＝石井四郎軍医中尉）

未知の病気の病原体の発見のための感染実験／病原体の感染力増強のための感染実験etc. を行なった、中国における日本軍部隊。その戦争犯罪。
武漢世界軍人五輪（二〇一九／一〇／一八～一〇／二七に開催。「中国革命七〇周年」を記念して武漢で）→「マラリア」を罹患した五人の米軍人選手、武漢の病院に入院。これを米国は専用機で送還→二〇二〇年三月、感染発症源をめぐって中米両政府の攻撃的応酬
陰謀・謀略史観を排しつつも、見ておくべき現実か？■

三月三〇日（月）

きのう、志村けんさんが新型コロナウイルスによる肺炎のために死亡したことを所属事務所が発表。このひとの芸をよく知らぬ私は、報道記事の大きさに驚くばかり。

三月三一日（火）

毎日新聞に、「紛争地、感染の火薬庫」の記事。アフガニスタン、シリア、イラク、クルドとトルコ、リビア、イエメン、ナイジェリア、ウクライナなどを例に。戦争・移動する軍隊が感染症の拡大と「密な」因果関係にあることを明示的に書いているわけではないが、今こそ必要な報道。

日本政府は、米国、カナダ、英国、オーストラリア、中国、韓国など七三ヵ国・地域に渡航中止勧告と入国拒否の決定を行なった。

第二章

春

（二〇二〇年四月～六月）

4．緊急事態（二〇二〇年四月）

四月一日（水）

日本国首相、政府のコロナ対策本部会合で「一世帯二枚のマスクを配布する」と言明。「急激に拡大しているマスク需要に対応するうえで、きわめて有効だ」とも語ったそうだ。

四月二日（木）

ブラジル保健相は、きのう、北西部アマゾナス州のソリモンエス川上流域に住むコカマの女性が、アマゾンに暮らす先住民族として初のコロナ感染者となったと発表した。保健活動に携わる女性で、外部の医師から感染したものと考えられている（朝日新聞、サンパウロ駐在岡田記者）。

世界の感染者は九五万人を超え、一〇〇万人目前になった。

毎日新聞論説委員・北村和巳氏が、外国人の就労を拡大した政府の方針から一年が経ち、「技能実習制度廃止を」訴える記事をオピニオン欄に。「特定技能」による在留資格を獲得する人を初年度で四万七五五〇人と見込んだのに、実際には二九九四人と六％にとどまると指摘。準備不足に加え、制度設計の甘さ、中間搾取の現実など、人権意識を欠いた政府の「移民政策」に根本的な問題があるとしている。

四月三日（金）

コロナがＥＵ（欧州連合）に亀裂をもたらしているとする毎日新聞の記事。イタリアとスペイン両国のコロナによる死者数は計二万人を超え、両国はコロナ対策の財源確保のために欧州共通の債券「コロナ債」の特例発行を求めるも、財政規律を重視し、借金の肩代わりを嫌うドイツ、オランダなどの反対にあい、ユーロ圏経済の南北格差による構造危機が再燃、と。

四月四日（土）

今朝の毎日新聞一面には、「猛威　世界中で」の見出しで、ボリビアはラパスの写真が。防護服で完全防衛した作業員一一人が一列に並んで、街の大通りを消毒してゆく姿が。

きょうは、朗読会『夢の歌～津島佑子を聴く～』が開催される予定で、唐澤ともども出席するつもりだったが、折からのコロナ禍のために中止。残念だった。新大久保・ハルコロの宇佐照代さんのトンコリやムックリの演奏もあるはずだったのだが。

反天皇制運動連絡会機関紙「Alert」連載第一一八回目に、以下を書く。

太田昌国のみたび夢は夜ひらく　第一一八回
感染症の世界的な流行を捉える視点

『反天皇制運動 Alert』第四六号（通巻四二八号、二〇二〇年四月七日発行）掲載

見慣れた世界の風景を瞬く間に変えてしまったのは、既成の秩序を破壊する社会革命ではな

かった。各国が入り乱れての戦争でもなかった。たったひとつの新型ウイルスである。第一次世界大戦が終わってパリ講和会議が始まろうとする直前の——それは「戦争を内乱へ」「内乱を革命へ」転化させたロシア・ボリシェヴィキ革命が成就して数ヵ月後の時期でもあったが——一九一八年一月、俗称「西班牙風邪」が流行り始め、その後三年間にわたって世界中を席捲した。それ以来の、まさしく百年ぶりの世界的疫病禍である。植民地支配や侵略戦争など、つい喉元の史実の責任の取り方も弁えぬまま七五年もの「戦後史」を刻んでしまっていることは私たちの社会の耐え難い恥ずかしさであり哀しさでもあるが、ひとの寿命を超える百年も前に流行った疫病禍の経験から学び、それを活かそうとする者も極端に少ない。

「世界の変革」は、たったひとつのウイルスによって実現されつつある。多くの国々では、政府の要請あるいは命令によって、かつ資本がそれに従って、経済活動が止められている。皮肉なことに、労働者階級のイニシアティブに拠らない文字通りの「ゼネスト（総罷業）」状況が生まれている。人と人の間の距離を開け、接触機会を減らすSocial Distancing（社会的距離戦略）という術語もすっかり定着した。

思えば、異なる地域にあってそれぞれの歴史を育み、付き合いのある動物も異なっていた異民族同士が遭遇するたびに、否応なく疫病禍は起こった。遭遇は、経済的なグローバリゼーションの過程で人と動物とモノが行き交うことを通して、加えて戦争で互いの兵士が各地の戦場を駆け巡ることを通して実現した。紀元前に始まったシルクロードを介しての、東アジアから地中海世界にかけての壮大なる交流の際に、東方起源のペストが異世界に伝播した。一一世紀から一三世紀にかけての十字軍遠征の際にも、ペスト＝黒死病は人びとを苦しめた。イングマール・ベルイマンの映画『第七の封印』（一九五七）は、この史実をスウェーデンの地を背景に描いた異色の作品だ。一三世紀後半、モンゴル帝国がユーラシア大陸全体に支配を拡大した際の各地でのペストの蔓延――中世ヨーロッパは、「ペスト以前」「ペスト以後」の名づけによる時代区分が可能なほどだ。一五世紀末、大航海と地理上の「発見」の果てになされた「旧世界」と「新世界」の出会いに関しては、「感染症を持つ者」と「持たざる者」の遭遇と呼ぶ研究者がいる。植民者が持ち込んだ天然痘、麻疹、ジフテリア、おたふく風邪などがアメリカ大陸の先住民族の大量死を招いた史実は、グローバリゼーションの本質を示している。アフリカ大陸の植民地分割の歴史は、アメリカ大陸におけるそれとは違って段階的に行われたが、そこで植民者たちが罹るマラリア、黄熱、デング熱、「眠り病」などに対する医学的対処こそが、帝国における「植民地医学」の始まりであったことも記憶しておきたい。

今回の事態に関して論ずべき観点は多角的だが、疫病と人類の関わりについての上段の簡潔な記述を承けて、譲ることができないのは国境を超えた視野である。エボラ出血熱は致死率九〇％と言われる深刻な疫病だったが、流行は一部アフリカ諸国に限られたために、広く世界の関心を引くことはなかった。今回も、先進諸国の繁栄する大都市の無人状態という「見慣れぬ」光景だけに心を奪われていると、ガザ、難民キャンプ、水なき民、入管施設、スラム……など、当事者にしてみれば「見慣れて」いる、不利な諸条件下に人びとが「密集」している場の困難さを見過ごしてしまう。感染症対策に関わって、視野においても実践においても、従来の先進国中心主義が貫かれて世界が動くなら、人類の先に待ち受けているのが何かは自明のことだ。
事態を「国難」などと言い表す政治家を信じて、「ワンチーム」などいう標語の下で国家レベルでの対応に期待するのも虚しい。日本陸軍の防疫研究所は、ペスト菌やコレラ菌を中国民衆の上に撒き散らす感染実験を行ない、多数の人びとを死傷させた。この７３１部隊の活動は、西班牙風邪流行からほぼ二〇年後のことだ。国家なるものは、経済的権益の獲得と戦争遂行のためには、こうして本質を剝き出しにすることがある。私たちが生きているのは二一世紀だからといって、国家の本質が変わったわけではない。

（四月四日記）■

四月五日（日）

学校の入学式で、飛沫感染を防ぐために式典は簡略化し校歌は歌わなくてもよいが、学習指導要領に「国歌を斉唱するよう指導するものとする」とあるから、君が代は歌わせるとする教育委員会がある。西東京市および府中市教育委員会。

四月六日（月）快晴

コロナ一色の報道の中で、今朝のＮＨＫ／ＢＳ「ワールド・ニュース」は「消えゆく少数民族言語」を取り上げ、早大でハワイ語を研究する古川敏明氏が解説。アイヌ語、琉球語への言及が少なかったのが残念だが、ハワイ、オーストラリアなどでなぜ先住民族文化・言語の復権過程が現実化しているかをめぐって、貴重な視点が提示された。

→ https://toshiakifurukawa.blogspot.com/2017/07/tufs.html（←最終アクセス　2021/04/27）

釧路の高校時代の英語塾教師で、わが師・金子亨（一九三三～二〇一二）の『先住民族言語のために』（草風館、一九九九年）の問題意識を思い出す。同書の「あとがき」には、こうある。「ちょうど三〇年前私はシュトットガルト大学の同僚たちと一緒に学生のつるし上げ大会に引っぱり出されていた。学生たちは wozu linguistik?「言語学は何のためのものだ」と我々に返答を迫った。私は壇上で返答に詰まった。（……本書の編集者と）本の題名をどうしようかと相談していて、この三〇年前の問いが甦った。そうだ、『先住民族言語のために』にしよう。（一九九九年三月）」。金子氏の「覚悟」のほどが知れる。千葉大文学部で氏が担当した「ユーラシア言語文化論講座」からは、現在、アイヌ語やシベリア少数民族言語の研究者が輩出している。

夕方、首相は明日にも緊急事態宣言を出すと語った。私は、自民党内極右派であるこの男が党総裁になり、したがって首相に選出されるということ事態が「例外状態」であり「緊急事態」であるとする趣旨のことを、この一八年間言い続けてきたが、こともあろうにその人物が、社会全体に「緊急事態」を宣するというのである。

四月七日（火）

昨夜の大西連氏のツイート。

「緊急事態宣言が明日にでも出るらしい。もし、都内のネカフェが営業停止にしたらネカフェ生活をしている四〇〇〇人（東京都の調査）が寝場所を失う。政府や東京都はこれ考えてるかな。受け皿は用意してる？　ちょっとこれ、本当に大変なことだよ……」。

政府、東京・神奈川・埼玉・千葉・大阪・兵庫・福岡に「緊急事態宣言」。都市封鎖はせず、公共交通機関も動き、スーパーも営業するが、外出の自粛、学校・百貨店・映画館の休業、イベント開催の制限・停止などを、地方自治体の長が要請。連休明けの五月六日までを想定。自粛要請と一体の経済的な補償は行なわず、減収世帯三〇万円、中小企業二〇〇万円、個人事業者一〇〇万円などの限定的な緊急経済対策を決定。

四月八日（水）晴れ

全国知事会、「休業の損失を国が補償するよう」提言することを決定。

中国・武漢市、一月二三日以来の封鎖を解除。

ニューヨーク市のコロナウイルスでの死者数が、きのう一日で七〇〇人を超えた。それを伝えるABCテレビ（NHK／BS「ワールド・ニュース」）。患者受け入れ病院の大変さを伝えながら、「さながら戦場のよう」と表現。医師・看護師の懸命な治療活動への敬意と、亡くなった方への弔意とは別に、米国のジャーナリストがこう表現することへの違和感は消し難い。米軍の自己中心的な軍事行動が他国を「戦場」にした実例は枚挙にいとまもないが、自国領土が「戦場」になったことがない国＝米国。この自己省察の欠如こそは、米国が常に根本的に抱える病なのだ。

なお、米国大統領選挙で、民主党候補者の指名争いを行なっていたサンダース上院議員が選挙運動から撤退すると発表した。サンダース氏の議論の仕方について触れながら、昨年の『世界』四月号

（岩波書店）に書いた論文「独裁と権威主義をどう批判するか」を紹介しておきたい。

独裁と権威主義をどう批判するか

以下は、米国の政治家、バーニー・サンダースがいう、現代世界において「独裁と権威主義」が台頭しているとする意見（「独裁と権威主義に立ち向かう世界的民主運動を構築する」、『世界』二〇一八年二月号掲載、を参照）の片面に賛成する立場から書くものである。サンダースは、新自由主義を基調とするグローバリゼーションの世界制覇という現実を背景に生まれ出た経済的な富裕層と思想的に右翼の民族排外主義者たちが主導する独裁・権威主義に標的を定めて、批判的に論じている。このことに、もちろん、異論はない。だが、現実世界には、もう一つの片面がある。この排外主義的潮流に有効に対抗すべき左派自身の中にも「独裁と権威主義」が現われているという事実である。これを無視しては、世界の全体像を摑み損なうだろう。後者の問題は、現代的特徴としてのみ現われているのではない。歴史的過去を振り返ってみても、〈敵〉の独裁と権威主義を批判する言葉が、社会変革を志す〈仲間内〉にも見られる同じ傾向に向けられることは、極端に少ない。それらは意識的にか、あるいは無意識のうちにか、回避される。そのことが、社会改革派にとっての思想的・実践的な累積債務となって、現代世界を覆い尽くす形で立ち現れているのである。

冷戦終焉とグローバリゼーションの地球制覇

一九八九年一二月、米国のブッシュ(父)大統領とソ連のゴルバチョフ首相がマルタで会談を行ない、米ソ冷戦の終結を宣言した。その時から、ちょうど三〇年が過ぎた。当時わたしが見立てた、この後に起こり得る国際情勢の変化は、次の二点である。一つは、核戦争も含めて東西熱戦の危機は去ったと言えるだろう。二つは、戦後世界を規定してきた、イデオロギーに基づく最大矛盾が消えたことで、それまで隠されてきた第二義的な矛盾、すなわち経済的格差が著しい南北間の矛盾が激化するだろう。後者は、経済的な格差だけが問題なのではない。米国とソ連という二大超大国によって分割支配されてきた第二次世界大戦後の秩序の中にあっては「弱小国」であるがゆえに政治的にいいように利用されてきた、あるいは排除されてきたがゆえの怨念、すなわち心理的な要素も大きくはたらくだろう。それは、為政者のレベルでも、基層の大衆のレベルでも、同じことだろう。

そんな観測を行なっていた渦中にあっても、当然にも事態は動いていた。主要な三点を挙げよう。第一に、冷戦終結宣言からわずか三週間後、米国はパナマに軍事侵攻した。前大統領マヌエル・ノリエガを逮捕するための作戦だった。麻薬が米国に流れ込む麻薬貿易に深く関与していることで有名だったノリエガは、米国CIA(中央情報局)にとってはあまりに利用価値の高い重要な人物だったので、それまではその「犯罪」を見逃してきた。だが、その役割も、もはや終わった。米国からすれば、パナマに軍事侵攻を行なっても、共に冷戦終結を宣言したソ連の反撥を買うことはないと計算したのだろう。一〇時間に及ぶ大規模な襲撃が実行された。一説には、米軍は旧式武器の在庫整理を行なうとともに新型兵器の使用も試みたという。米国の公式見解によれば五〇〇人ほどのパナマ人が死亡し、三〇〇〇人ほどが負傷し、一万五〇〇〇人が家を失った。米国の一ジャーナリストは「ノリエガの逮捕は、兵士を送り込んでその生命を失わせるのに値することか」と問うた。ブッシュ（父）大統領は「すべての人命は尊い。それでも私は、イエスと答えなくてはならない。やるに値するものだった」と答えた（ウィリアム・ブルム『アメリカ侵略全史』、益岡賢他訳、作品社、二〇一八年）。大統領はもちろん、記者の頭にあったのは、二三人の米国兵の死者のことだけだったことが、この問答からわかる。冷戦体制の消滅と共に、米国の覇権主義的ふるまいも消えたわけではないことが、今日に至る問題として、理解できよう。

第二に、一九九〇年八月、イラクのフセイン大統領は国軍を隣国クウェートへ侵攻させた。一九六一年のクウェート建国過程には、この地域に君臨したイギリスの帝国主義的な介入があったが、本来的にはイラク領土であるとするのが、イラクの主張だった。米国とソ連の覇権主義はそれぞれ世界全体を舞台として展開されてきたが、それが終結したと宣言されたとたん、フセインは地域限定的な覇権主義者としてふるまった。フセインは、いわば、これまでの米ソのふるまいを、自らの器の範囲内で模写したのだった。米国ブッシュ大統領は、イラクに地上軍を侵攻させた。湾岸戦争である。国際政治の舞台から退場しつつあったソ連は、なす術もなかった。イラクの小型覇権主義の試みに「懲罰」を加える多国籍軍が組織される中で、日本では「国際貢献論」なるものが登場した。世界が挙げて汗も血も流しながらイラクの独裁者に立ち向かっているときに、日本が憲法9条に制約されて、自衛隊の派遣も行ない得ないことはおかしい、恥ずかしいことだとする言説である。どこからともなく聞こえ始めたこの言説は、やがて、マスメディアを通して社会全体に浸透した。湾岸戦争終了後、ペルシャ湾岸に海上自衛隊の掃海艇が派遣され、敷設された機雷の除去任務に当たった。日本は米軍の戦費百三十億ドルを肩代わりしたが、国際的交渉の矢面に立った外務・防衛官僚たちは、自衛隊派兵を行なえなかったばかりに日本は「現金自動支払機」の役割しか果たせず屈辱感をおぼえたと公言した。これを契機に、日本には、「ふつうの国」とは「必要とあらば戦争を辞さない国」だと言う者たちが現れ始めた。

第三に、東西冷戦終結宣言が発せられた時点ですでに、東欧の社会主義圏では共産党(労働党)の一党独裁体制の崩壊過程が進行中だった。その流れはもはや押し留めがたく、一九九一年一二月には遂に、ソ連体制が崩壊した。「革命と戦争の世紀」と言われた二〇世紀初頭の一九一七年に成立した世界初の社会主義体制は、七四年の歴史を刻んで無惨にも潰え去った。グローバリゼーション(全球化)という用語が用いられ始めた。中国、ベトナム、朝鮮民主主義人民共和国、キューバのように、社会主義体制であることを自称する数ヵ国は残るものの、経済的には地球全体が、市場原理を唯一神とする資本主義市場に包摂されることとなった。

ふつうには「マルクス・レーニン主義」と称されてきた変革の思想は、大きな試練にさらされた。この直後の一九九七年、フランスでは、かつて左翼だった者が中心になって著した『共産主義黒書』と題する大部の書籍が出版され、ベストセラーとなった。そこでは、ナチズムは一貫して断罪されてきたのに、その体制下の死者の数としてはナチズムのそれをはるかに上回る一億もの死者を人為的に生んだ世界共産主義はなぜ断罪されてこなかったのかという問いが真正面から出された。彼らがその研究を行なうのは「極右が次第次第に自分たちこそ真理を述べる特権があると言うのを見過ごすことができないからだ。共産主義の犯罪を分析し、告発しなければならないのは、民族主義的＝ファシスト的思想の名においてではなく、民主主義的価値の名においてなのである。」（ステファヌ・クルトワ「序　共産主義の犯罪」、外川継男＝訳、ちくま学芸文庫『共産主義黒書〈ソ連篇〉』所収、二〇一六年）。フランス人の原著者たちは、一九九七年の時点ですでに、左翼が刻んできた歴史に関して〈真理〉を述べることができる唯一の存在は自分たち＝極右だと偽装していた勢力に対する強い警戒心を抱いていたことに注目すべきだろう。

この問題意識は、ハンナ・アーレントが一九五一年に著した『全体主義の起源』における立論を引き継ぐものだと言える。アーレントはそこで、ナチズムとボリシェヴィズムとが歴史的にも社会的にもこれ以上の相違は考えられないほど異なった条件の下で成立していながら、結局はその支配形式ならびに諸制度がともに驚くべき類似性を示すに至った事実を鮮やかに分析した。この視点は、一九一七年ボリシェヴィキ革命直後、ボリシェヴィキによる政治的弾圧にさらされたソヴェト・ロシアのアナキストたちや、少し離れた場所からそれを凝視していた一九二二～二三年の大杉栄らにとっては当然のものであったろう。だが、多数派の左翼・リベラル派は、現実の歴史の中で実践された共産主義とナチズムが、共に「全体主義」の名のもとに一括りにされることに、依然として抑え難い抵抗感を持ち続けている。そのことは、グローバリゼーションという名の現代資本主義に立ち向かう上で困難な問題を出来させているように思われる。

ラテンアメリカ世界を席捲した新自由主義的改革

右に見たグローバリゼーションが世界制覇するきっかけは、一九七〇年から七三年にかけてのチリ革命をめぐる攻防にあった。一九五九年に独裁打倒という意味では勝利したキューバ革命は、これを潰そうとするアメリカ帝国による執拗な妨害工作と孤立化策動に抗するために、公然とではないにしても「大陸革命」路線を採用した。アルジェリア解放闘争に投企した精神科医、フランツ・ファノンに『アフリカ革命に向かって』と題した著作があることからもわかるように、一九六〇年代の第三世界における革命的な高揚の中にあっては、とりわけラテンアメリカとアフリカにおいて「大陸革命」を切り拓く展望をもって活動している人びとが存在した。ボリビアにおけるチェ・ゲバラたちのゲリラ戦の企図もその一環だった。だが、それは一九六七年一〇月のゲバラの死によって大きく挫折を強いられた。このため、フィデル・カストロは、それまでの相対的に自立した路線を改め、ソ連路線に従属する道を選んだ。一九六八年八月、「人間の顔をした社会主義」を求めるチェコスロヴァキアの政府と民衆に向かって、ソ連がチェコへの軍事侵攻によって応えたとき、カストロはこれを支持した。大国＝米国に果敢に抵抗する小国＝キューバというイメージは、小国＝チェコを軍事的に蹂躙した大国＝ソ連をカストロが支持したことで、深く傷ついた。とりわけラテンアメリカ地域において熱狂的ともいえる支持を獲得していた革命キューバを人びとが冷めた目で見つめるようになったのは、これ以降であった。

歴史を通観する者が痛切に実感するように、歴史の中で起きる良いことは多くの場合きわめて短い期間しか続かない。新しい事態に敵対する者たちによる妨害もあれば、主体の側の過誤や挫折や後退も常に起こり得る。にもかかわらず、その良い経験は、それ以降長い時間をかけて起こるかもしれない次の新しい出来事に決定的な影響を及ぼさずにはおかない。受け継がれてゆくこの〈精神のリレー〉に対する信頼感によって、私たちは否定的な現実を前にしても、辛うじて持ち堪えていけるのだと言える。

チリ革命は、キューバ革命がそのような段階を迎えている最中に始まった。長年社会主義者としての政治活動を行なってきたサルバドル・アジェンデが一九七〇年の大統領選挙で当選したのである。他所での武装革命の挫折の後に起こった「武器なき革命＝チリの道」の勝利は、時代の転換期を示してもいて、大きな意味を持った。貧富の差が大きいチリ社会にあって、アジェンデ大統領は、経済的に公正な社会にするための諸施策に取り掛かった。米資本の下にあった基幹産業・銅鉱山の国有化などの根本的な政策が採用された。この革命の過程と、それに対して反対派の右派ならびにその背後に控える米国が行なった妨害工作はよく知られている。二〇一七年にようやく日本でも公開されたチリ映画、パトリシオ・グスマン監督の『チリの戦い』（一九七五〜七八年制作）は、チリ革命が持続した三年間、すなわちおよそ一〇〇〇日間のチリ階級闘争の攻防を描いた優れたドキュメンタリー作品だ。

この映画の中でもっとも重要な描写は、社会の基層を形成する民衆の動きだ。米国ＣＩＡに支援を受けたトラック業者のサボタージュで物流が途絶えると、自分が働く工場の車を調達して、日常必需品を運び、住民間で公平に分配する。食糧品を隠匿している業者の倉庫を摘発し、これを市場に出す。工場や農場を自主管理して、経営する。とりわけ「産業コルドン（紐帯）」は工場内の活動家が地域を基礎にして結集した組織だが、それは時に「自治コマンド（遊撃隊）」の形成にまで至り、それは併行的地域権力の萌芽形態とも言えよう。いわば、ソヴェト（評議会）に依拠した人民権力の創出過程が描き出されているのである。指導者＝アジェンデを超えて、アジェンデの先へと向かう草の根の運動が実在していたことを、それは示している。だが、一九七三年三月、議会選挙で左派が多数派を占めると、保守層・軍部内右翼・米国ＣＩＡは「ブルジョワ的合法性」もかなぐり捨てて、クーデタ工作へと邁進する。同年九月一一日、遂にチリ空軍機がアジェンデの籠る大統領宮を空爆し、アジェンデは死亡し、クーデタは成立した。チリ革命の良い時代も短命に終わった。だが、「産業コルドン」をはじめ後世の人びとがリレーとして受け継ぐべき歴史的経験がいくつも刻印された。

ピノチェ軍事体制は、クーデタを指南した米国からすれば、キューバ・モデルを超える第三世界の発展モデルとならなければならなかった。それは、もちろん、キューバとは違って、資産・所得の再分配や社会的公正さに気を配る政策ではない。世界資本主義システムの中にあって、従属的な位置を運命づけられている第三世界の一国にふさわしい役割を与えることである。それは、すなわち、米国の経済学者、ミルトン・フリードマンが主張する「小さな政府」論に基づいて市場原理を重視する政策を採用するよう指導することを意味する。社会主義政権下でいったんは国営化された各事業の私企業化、外資の積極的な導入、貿易と資本取引の自由化、財政赤字の削減、関税引き下げ、労働市場の柔軟化、規制緩和――私たちにも馴染みとなった用語が続く。この政策の本質は、第三世界の国々が国際収支を改善し、債務の返済を円滑に行なうためには経済構造の調整が必要であると指導する点にある。地元政府は、融資と引き換えに経済自由化を推進する政策を実施しなければならない。いわゆる「構造調整」である。これが国策として採用されて数年も経てば、どのような社会が立ち現われるか。私たちは、一九八〇年代初頭の中曽根政権、二〇〇〇年代前半の小泉政権、二〇一二年以降の歴代安倍政権の下で身をもってそれを経験しつつあるのだから、誰もが身に染みて、その結果を感じ取っていよう。詳説は不要だろう。

一九六〇年代から七〇年代にかけて、キューバ革命の影響下で解放闘争が高揚したラテンアメリカ全域は、それゆえに激しい東西冷戦の現場であった。各国で繰り広げられた農村部や都市部での反政府武装闘争を壊滅に追い込んだ米国は、次々に軍事政権を樹立し、チリに対するのと同じ新自由主義政策を指導した。一九七〇年代半ば以降のラテンアメリカは、こうして、世界に先駆けて新自由主義に席捲されることになった。チリとほぼ同じ時期に軍事政権の時代を経験せざるを得なかったボリビアの民衆は、一九八〇年代初頭、軍事政権の打倒を目指す民主化闘争の渦中で次のように語っている。「軍事政権期には、経済発展の条件がかつてないほどそろっていた。錫の価格は最高値をつけ、石油も高騰して、巨額の借款が流れ込んだ。まさに発展を遂げられる時期だった。でも、そうはならなかった。軍事政権の時代に流入してきた莫大な借款。その対外債務はいまどこにあるかって？　あそこよ！

（と、擂り鉢型のラパスの街の高台から、鉢の最下部に広がる高級街区の高層ビル群を指さしながら）あの中央銀行やシェラトンね。あれは少数の人間を利するばかりで、貧困と惨状から民衆を救うのには何の役にも立ってこなかった。」「（それから何年も経ったいま）直接的にこの対外債務を支払っているのは、われわれ労働者なのだ。」（ボリビア・ウカマウ集団、ホルヘ・サンヒネス＋ベアトリス・パラシオス共同監督、一九八三年制作のドキュメンタリー『ただひとつの拳のごとく』の台詞から。日本でも繰り返し上映されてきている）。

遠くラテンアメリカで進行していたこの事態を自分の問題として受け止めた、同地域の経済を研究する日本の専門家たちがいた。佐野誠、小池洋一らである。小泉政権下の「構造改革」を身をもって経験した彼らは、数十年前のラテンアメリカから日本の未来に対して警告が発せられていると考えた。日本の経済・社会を鋭く分析している経済評論家・内橋克人と共同研究を続けた彼らは、二〇〇五年、『ラテンアメリカは警告する――「構造改革」日本の未来』を刊行した（内橋克人＋佐野誠編、新評論）。アルゼンチン、チリ、ペルー、ブラジル、メキシコなどを具体例として「失われた一〇年」を考察した地域研究の専門家の分析を読んだ内橋は、そこから「たとえ経済は栄えても社会は衰退する分裂の時代の苦い経験」を読み取るべきだと述べた。「分裂の時代」という表現には、日本の「いま、ここでの」現実を思い浮かべて、頷くひとが多いだろう。

こうして、現地の声を届けたり、そこでの教訓を学び取ろうとしたりする形で、新自由主義に席捲されたラテンアメリカ民衆の過酷な経験を日本の現実に結びつける地道な作業は行なわれていた。接し得た人の数は少ないかもしれないが、それを見聞きすることで、人びとの現実認識／世界認識が深みと広がりを獲得していったことは確かだろう。

反グローバリゼーションを目指す政権の成立と逆流

軍事政権下、先進国大国と国際金融機関が主導する新自由主義政策に翻弄されたラテンアメリカ諸国は、一九八〇年代に入って以降、順次「民主化」の過程をたどった。軍事政権による弾圧政策と新自由主義的改革によって、伝統的な労働組合組織・農民組織の多くは解体され、政党再編も進行した。左翼武装闘争組織の中には合法政党へと再編し、議会へ進出する動きも目立った。

後者のもっとも顕著な例として、二〇一〇年ウルグアイのホセ・ムヒカ大統領の誕生を挙げることはふさわしいことだろう。ムヒカは一九六〇年代から八〇年代前半にかけてウルグアイで活動した都市ゲリラ「トゥパマロス」に加わった。このゲリラのふるまいは「義賊」と呼ばれるほど、大衆的な人気があった。ムヒカも四回投獄され、脱獄も二回行なった。最終的には一三年間収監されたのち、八〇年代半ばに実現した軍政から民政への移管によって釈放された。「トゥパマロス」は合法組織を立ち上げ、中道左派連合「拡大戦線」に加入した。ムヒカは下院議員と上院議員を一〇年間ほど務めたのち、大統領に選出された（任期は二〇一〇〜一五年）。彼は、二〇一二年六月、ブラジルのリオデジャネイロで開催された「国連持続可能な開発会議」で演説した。その趣旨はこうだった。「無限の消費と発展を求めてきたのが私たち自身であることを顧みるなら、残酷な競争によって成り立つ消費資本主義社会が孕む問題を放置したまま、共存共栄の論理を語ることは不可能だ。問題の本質は環境危機ではなく、問題の本質に向き合わない政治危機なのだ」と要約できよう。特別に目新しいことが語られているわけではない。だが、これは世界中のネット環境で大評判となった。時代はもはや、一国の大統領か首相かが、この水準の「論理」と「倫理」を兼ね備えた発言をすること自体が稀なこととなり、世界各地の草の根の人びとはそこに新鮮な驚きを感じ取ったのだと言えよう。逆に言えば、政治家なるものには不信感しか持ち得なくなった人びとが二一世紀初頭の世界には溢れていて、マスメディアでも日ごろは無視される南米の「小国」ウルグアイ大統領の「人間味あふれる」言葉に突然のように打たれたのだと言ってもよい。ムヒカが言うように、まさにこれが現代における「政治危機」を表象する出来事なのだ。私の観点から付け加えるなら、都市ゲリラ、政治犯、脱獄囚——それらの「マイナス記号」をいくつも持つ人物を大統領に選出するウルグアイの人びとは、限りない精神の自由さの持ち主なのだと思う（萩一晶『ホセ・ムヒカ　日本人に伝えたい本当のメッセージ』、朝日新書、二〇一六年）。

さて、ラテンアメリカ全体に戻ると、新しい形の運動の萌芽がさらに見られた。一九九二年——それは、コロンブスの大航海とアメリカ大陸への到達から五〇〇年を経た年だった（一四九二年→一九九二年）。私たちも東京で「五〇〇年後のコロンブス裁判」を開き、アメリカ大陸の隷属化・植民地化を通して実現されたヨーロッパ近代の曙をいかに捉えるかの討議を行なった。世界各地で同じような取り組みが、期せずして同時多発的に行なわれた。その意味で、一九九二年は世界的な規模において、民族・植民地問題に関わる認識方法に大きな変化が現われた記念すべき年となった。それを推進した力のひとつを、ラテンアメリカにおいて「先住民族・黒人・民衆の抵抗の五〇〇年」運動を組織した人びとの動きに求めることは妥当だろう。これを機に、今までは周縁化されてきた「先住民族」の存在が社会の中に可視化された。「近代」と「国家」を、先住民族との関係で捉える方法が必然的に生まれたのである。その具体例を二つ挙げよう。

ボリビアで、先住民族を主体に据えた映画作りを一九六〇年代から行なってきた私の友人、ホルヘ・サンヒネスが、二〇世紀末になって書き送ってきた手紙には、いつも次のことが書かれてあった。「コロンブス五〇〇年」の年を契機に、先住民族に出自を持つ国会議員が増えた。彼ら・彼女らは、並みの庶民が得る平均的な給与より遥かに高い議員報酬の一部をプールし、一定額になると、それを人びとに還元するような用い方をしている。金まみれ・役得まみれだった政治家のあり方を見慣れた人びとにとって、この「倫理性」は新鮮な驚きだ。先住民族出身の議員の増加は、政治の在り方に大きな変化をもたらしている、と。それは二〇〇六年に、信じられない結果が生み出されることに繋がった。アイマラ先住民出身で、コカ栽培農民運動の指導者であったエボ・モラレスが、大統領に選出されたのである。先住民族が人口の過半を占めながら、彼らに対する差別を構造化してきた植民地時代以降のボリビア社会の来歴を思えば、その変化がもつ意味の大きさがわかるだろう。

メキシコの例も挙げよう。同国では、一九九四年、南部チアパス州の先住民族組織、サパティスタ民族解放軍（ＥＺＬＮ）が反グローバリズムのスローガンを掲げて武装蜂起した。時代状況的に言えば、「季節外れ」の武装蜂起とも言えた。だが、蜂起が行なわれた一月一日は、メキシコ、カナダ、米国が加盟した北米自由貿易協定（ＮＡＦＴＡ、スペイン語表記ではＴＬＣ）が発効する日であった。二〇世紀後半のラテンアメリカ全域を巻き込んだ新自由主義路線の集大成というべき事柄のひとつが、自由貿易協定の締結だった。自由競争にさらされる農産物、外資への売買の対象となり得る農地――メキシコの貧農からすれば、「死刑宣告にひとしい」協定だった。ＥＺＬＮが掲げた「反グローバリズム」のスローガンは、だから、世界各地で同じ問題に直面する人びとの心を摑んだのだ。この運動は、従来の社会革命運動のどれとも異なる特徴をいくつも備えている。武装蜂起を行ないながら、軍事至上主義ではない。軍事的抵抗はすぐに止め、政治交渉の場に中央政府を招き出し、問題を全国化する。「兵士であることをやめて、ひとを生かすふつうの仕事に就く」ことのできる未来を展望している。前衛主義ではないから、国家権力の掌握を目標としない。他のさまざまな社会運動との間に水平的な空間をつくりつつ、別個に進んで、共に撃つ運動論をもつ。フェミニスト、多様な性、社会的に排除された存在への呼びかけが何度も繰り返される。そして何よりも、公表される文書に漲る言葉の革命――その背後には、運動の主体である先住民族がもつ歴史観・自然哲学・人間観・価値観が息づいている。そこに、かつて都会からこの最貧地域に「オルグ」にやって来た知識人・学生が頭に詰め込んだマルクス主義が混淆し、稀有な思想と実践が生まれたのだと言える（サパティスタ民族解放軍

『もう、たくさんだ！』、太田昌国＋小林致広編訳、現代企画室、一九九五年など）。

グローバリゼーションの趨勢は、多国籍企業に従来とは異なる資源の開発に目を向けさせた。例えばボリビアの場合、第一次産品の国際価格の低迷から鉱山業は衰退した。かつて民衆運動の要を担った鉱山労働者は激減した。多国籍企業は、今度はボリビアの豊富な水資源と天然ガス資源に着目し、これへの介入を試みた。二〇〇〇年の「水戦争」、二〇〇三年の「天然ガス戦争」はその現われである。これらの資源を外資に売り渡そうとする政府や地方自治体の方針に果敢に反対し、多くの犠牲者を生みながらも目的を達成した闘争の担い手は先住民族であり、標的とされた土地の地域住民だった。グローバリゼーションの時代は、抵抗の主体にも変化を及ぼした。革新政党や労働組合を主体とした従来の運動の在り方は大きく変化したのである。

二〇世紀末から二一世紀初頭にかけて、ラテンアメリカ地域には、このような民衆運動と一定の結びつきをもつ政治家が首相や大統領の任に就く例が目立った。米国による一元的な支配に抵抗する、いわゆる「左派政権」が次々と成立したのである。政権と民衆運動の間に一定の距離があることは、好ましいことだと言える。左派政権であろうと国家権力を手中にした以上は、米国による妨害と揺さぶり、多国籍企業・国際金融機関との関係性如何、軍部と寡頭勢力への態度、急進左派からの批判、開発主義路線を採用するか否か、そして家父長的・縁故主義的な重用の誘惑などの諸課題に常に向き合わなければならない。その意味で、政権に一体化することなく、自由な立場で批判し得る野党的な民衆勢力の存在が不可欠なのだ。

二〇一九年初頭の現在、右に見た左派潮流は、一定の逆流にさらされている。この時代の経験を、外部から眺めていた者の視点でまとめてみる。

1．対米自立的な政権が多く存在することによって、米国の政治的・軍事的存在感（プレゼンス）は大きく減退した。その間、米国は誤謬に満ちた「対テロ戦争」のために中東地域に釘付けになっていた理由もあったとはいえ、それはラテンアメリカ全域に好ましい結果をもたらした。米国の介入がなければ、その地域の安定が得られることが実証されたからである。

2．左派政権下の諸国家が、国家の枠組みの中でいかなる関係を形づくるかの試行錯誤が行なわれた。実例としては、二〇〇五年のキューバ・ベネズエラ間で、二〇〇六年にはボリビアも含めた三ヵ国間で結ばれた「人民貿易協定」がそれである。そこには、何世紀にも及ぶ新旧植民地主義による搾取・略奪とも、新自由主義に基づく現代資本主義の略奪とも違う、「相互扶助・連帯・協働」の精神が謳われている。旧社会主義圏を包括していたソ連主導のコメコン体制とは異なる原理がそこにはたらいていることは明らかだ。他に先駆けて、未踏の領域に踏み込んだ三ヵ国の試みの結果が、成功の過程も、失敗の実例も明らかにされることが望ましい。

3．経済的な自立のために「南の銀行」の設立も、欧米メディアによる情報独占を打破するために「テレスール」なる「南のテレビ局」の設立もなされた。後者の場合はとりわけ、報道機関が、関係する各国政府からどこまで自律性を保っているかが常に問われた。その評価も公正になされるべきだ。

4．ボリビアのエボ・モラレス政権の場合、政権掌握以前には彼と共に民衆運動を担っていた人びとの多くが政権内部に入った。それが、政権から一定の距離を保つべき民衆運動の弱体化に繋がった。エボが採用する開発主義路線は、開発対象とされた地域の先住民族集団との対立・矛盾を激化させている。

５．ベネズエラのウーゴ・チャベス政権（任期は一九九九年～二〇一三年の死去まで）を引き継いだ現ニコラス・マドゥーロ政権の在り方を見ると、その独裁・権威主義路線には看過しがたいものがある。米国トランプ政権の干渉主義的政策に対する徹底した批判は当然行なうべきものとしても、だからといって、マドゥーロ政権の独裁主義と、さまざまな理由に基づいて抗議活動を行なう民衆への弾圧政策を認めるわけにはいかない。チャベスが開始したボリーバル革命の過程では、大衆自身が革命過程に参加する形態がさまざまに工夫されていた。マドゥーロ政権はそれを基本的に禁圧している。ボリーバル革命の〈精神と実践のリレー〉は行なわれておらず、断絶しているのだ。

サンダースが言うように、世界を覆い尽くす排外主義的右翼の独裁・権威主義には耐え難いものがある。その性格を微妙に異にしつつも、それは米国にも、日本にも実在している。そして、民衆はこれに「自発的に従属」（エティエンヌ・ド・ラ・ボエシ）するという奇妙な現実が私たちの眼前にはある。これと有効にたたかうためには、〈内なる独裁・権威主義〉への批判を止めるわけにはいかない。東アジア世界には「独裁・権威主義」体制の象徴というべき現実が複数の国々に存在し、日本の現政権はそれへの大衆的な反撥を思う存分利用している。近隣に〈敵〉をつくり、もって〈城内平和〉を固めるのだ。

私たちは、「独裁・権威主義」体制の批判的な分析を、半世界ではなく全世界に及ぶ視野をもっ

て行なわなくてはならない。■

四月一〇日（金）

レイバーネット上の連載は第四二回目。人間の「可変性」について。

「サザンクロス」第四二回二〇二〇年四月一〇日
人間が「可変的である」ことへの確信が揺らぐ中で

のっけからこんな書き方をするどおこがましい物言いに聞こえるだろうが、私には、人間としての「更生」を願って、長い時間をかけて、その立ち居振る舞いや言動を注視してきた人物がいる。率直な批判もたびたび行なってきた。可能性は少ないがもしそれが目に留まって、深読みできる人間なら、「助言」と思って受け止め、それを活かすことができるような形で。

その人物は、二〇〇二年、内閣副官房長官として首相に随行してピョンヤンへ行き、先方の首脳との会談にも同席した。相手国との間で解決すべき重要な案件の一つとなった拉致問題について、彼は相手国に対する最強硬派として際立つ存在となった。この問題をめぐる彼のさまざまな発言が私の耳目にも入るようになった。例えば、「北朝鮮なんて、ぺんぺん草一本生えないようにしてやるぜぇ」という言葉だ。仲間内での空威張りだが、これが政治家の発言と思うと、絶望的だと思った。同じ時期、当時の拉致被害者家族会事務局長の発言にもたびたび触れる機会があった。「平和憲法を唱えている間にも日本人の人権は侵されている。憲法九条が足かせになっているなら由々しき問題だ」。この案件のまっとうな解決方法を模索する上で、この二人の発言はいずれも論外だと私には思えた。二〇〇二年に刊行した拉致問題に関する本の中で、私は二人の考え方を厳しく批判した。

前者の政治家は、二〇〇五年にもメディアの前面に出てきた。二〇〇〇年末に開かれた「国際女性戦犯法廷」の内容――それは、天皇裕仁の戦争責任および「慰安婦」問題における日本軍＝国家の責任を認定するものだった――を報じる予定の二〇〇一年一月のＮＨＫテレビ特集番組に関わって、その「偏向性」を問題視し、ＮＨＫ幹部に改変するよう圧力をかけたのがこの政治家だったとする記事が朝日新聞に出たからである。当時自民党幹事長代理だった彼は、いわゆるワイドショー番組に出ては、およそ論理にも倫理にも適っていない「反論」を繰り広げた。だが、筑紫哲也氏以外のキャスターは、件の「戦犯法廷」そのものに無知だったから彼に真偽を問い質すこともできず、彼の言いたい放題だった。虚しさを堪えながら、この時も私は彼の言い分に対する批判提起を行なった。

後者の家族会事務局長とは、その後対話が成立した。二〇〇二～〇三年当時は、この人の顔がテレビに映ると、すぐチャンネルを切り替えていた。言うことはわかっていた。でも、雑誌や新聞での彼の発言にはその後も注目して、読んでいた。テレビとは違って、当方も少しは冷静に接することができるから。いつの頃からか、彼の言うことが変わった、と感じた。もちろん、私も、意見を異にする他者との対話可能性に関する考え方を改めた。その人、蓮池透氏と直接会い、対話を申し込んだ。半年後『拉致対論』という共著が成った（太田出版、二〇〇九年）。「拉致問題の解決は私の手で」と自負する前者の政治家がこの本を読んでくれたなら、真の解決のための道筋を見つけることができようと思えることを、蓮池氏と私は語り合った。これまた、道ならぬ道に迷い込んでいる政治家が「更生」できるよう、主権者の立場からできる批判的な働きかけのつもりであった。その後一〇年以上が経過したが、その間に件の政治家は首相に返り咲いた。そして、何があったかを誰もが思い起こすことのできる、彼＝安倍晋三政権下の八年近くの歳月が過ぎつつある。

去る四月七日の、コロナウイルス対応緊急事態宣言を出す際の首相演説（記者会見とは到底言えない）を読んだ。この人物が政治哲学を欠き、思いやりのかけらもなく、悪意と卑劣さの塊そのものであることが全開していた。それを再確認したと言うべきだろう。

私の死刑廃止論は、人間は「可変的である」という信念に基づいている。この論理の中にあっては、死ぬまで自らの戦争責任を認めなかった天皇裕仁ですら、条件によっては「変わり得た」と考えるのである。安倍晋三に関しても、例外ではない、論理的には。だが、私のこの信念は、無責任さを心身全体で体現し続けている彼を前に、儚く、脆い。痛い目に合わせなければ――言うまでもなく、身体的な意味ではない――彼は変わりようもない人間である以上、彼の「暴政」を許してきた主権者としての私たちが「可変的」であることを示すほかはない。■

映画監督・大林宣彦氏、死去。

四月一一日(土)

東京都、図書館・体育館・映画館・美術館・パチンコ店・バー・カラオケ・ネットカフェ・性風俗店などに、きょうからの休業要請。

ペルーに住む友人が、早川書房から近々にも発売される翻訳書が二四時間のみネット上で無料公開されたといって、知らせてくれる。イタリアの作家、パオロ・ジョルダーノの『コロナの時代の僕ら』（飯田亮介＝訳）。これは原題を忠実に訳したというより独自の日本語タイトルと思われるが、やはり、ガルシア＝マルケスの『コレラの時代の愛』にインスピレーションを受ける人は少なくないようだ。

四月一二日(日)

イギリスＢＢＣ「ニューズナイト」司会者のエミリー・メイトリス曰く「ＣＯＶＩＤ－19にまつわり使われる言葉は時に陳腐で、誤解を招くものになっている気がします。不屈の胆力と精神力があれば助かるなんていうことはありません。首相の同僚たちがなんと言おうとも、そしてこの病気が誰でも平等に扱うというのも違います。金持ちも貧乏人も同じように苦しむというでまかせも否定しなくてはなりません。今この戦いの最前線にいる人たちはバスの運転手、商品を棚に並べる人たち、看護婦や介護施設スタッフ、病院スタッフで、この人たちはこの国の労働人口の中で不均衡に低賃金の人たちです。ウイルスを浴びる機会の多いこのひとたちはその分だけ感染する可能性が高く、低所得者向け高層住宅や小さいアパートに住む人たちは今このロックダウンで特に大変な思いをしています。肉体労働の職種の人たちは自宅で働くことができません。この健康問題は社会福祉に多大な影響を与えます。そして同時にこれは社会福祉の問題として公衆衛生に多大な影響を与えます」。

そのすぐ後に、次のニュースが出てきた。すなわち、「安倍晋三首相は一二日、シンガー・ソングライターで俳優の星野源さんがインスタグラムで公開した楽曲「うちで踊ろう」に合わせて自宅とみられる場所で過ごす動画を自身のツイッターで公開した。七日に緊急事態宣言を発令した首相は、在宅勤務や外出自粛を繰り返し呼びかけており、自身が取り組む姿勢を国民にアピールした。首相は星野さんの楽曲に合わせて、ソファで犬とくつろぐ様子や、飲み物を飲んだり読書したりする様子を投稿。「かつての日常が失われた中でも、私たちはＳＮＳや電話を通じて、人と人とのつながりを感じることができる。いつかまた、きっと、みんなが集まって笑顔で語り合える時がやってくる。その明日を生み出すために、今日はうちで…」と外出自粛への協力を呼びかけた。——毎日新聞デジタル版四月一二日一三時一三分」

私には、もはや言うべき言葉もない。首相がこの程度の人間でしかないことは、すでにして十二分にわかっている。語るべき自前の言葉を持たない人物だから、動画を流すので精いっぱいだったのだろう。取り巻きの秘書官らの鈍感さも隠しがたい。改めて驚くのは、この記事を書いた記者の、それを認めたデスクの、批判精神の欠如についてである。

新型コロナウイルスの感染拡大を受けて、世界保健機構（ＷＨＯ）がパンデミック（世界的流行）

宣言を行なってから一ヵ月。死者は一〇万人を突破した（米国とイタリアがそれぞれ一万八〇〇〇人、スペイン一万六〇〇〇人、フランス一万三〇〇〇人など）。ウイルス流行下でのＤＶ（家庭内暴力）の激増も世界各地から報告されている。

四月一三日（月）

毎日新聞夕刊に、先日触れたイタリアの作家、パオロ・ジョルダーノの本のことが大きく紹介される。原著者にも翻訳者にも取材した記事は、藤原章生記者による。

四月一四日（火）

沖縄、名護市辺野古での米軍基地新設工事に抗議して五年九ヵ月間続けてきた座り込みを、参加者のコロナ対策のために明日から中断することを「オール沖縄会議」が決定。

トランプ米大統領は、世界保健機構（ＷＨＯ）のコロナウイルス対策は「中国寄り」だと批判して、検証を終えるまで拠出金の停止を言明。

トルコ研究者の内藤正典氏がツイッターで、カラスの鳴き声の喧しさを書いている。子育ての季節かとも書いているが、氏は京都にお住まいだろうが、そういえば、このところ、東京都と埼玉県の境目のこの辺りでも、カラスの鳴き声が目立つかな。ここらのカラスは、銀座、新宿、渋谷、池袋などの繁華街にまで出張して餌を漁っているというから、飲食店街から残飯も出ない日々が続いていて、カラスの食事情も「苦境」に立たされているのだろうか。

内藤氏は以前のツイッターで、トルコのエルドアン大統領が、人びとに対する外出禁止令が出ている間にも、街頭の、要するに野良ネコや野良犬への餌やりは続けなければと言って、一定の区画ごとに、餌やりのための住民の外出は認めるという措置を発表したと書いていた。人間社会の周辺で自由に生きる動物や鳥たちに、今回の事態はどんな影響を与えているのだろうか。

四月一五日（水）

フェイスブックから、女優・杏がギターをつま弾きながら、いまは亡きフォークシンガー、加川良の「教訓1」（一九七〇）を歌う映像が流れてきた。自宅なのか、壁面いっぱいに本が並ぶ書棚を背景に、杏は床に座り込んで歌っている。幼い女の子が絵本のページをめくったり、書棚の本に触ったりしている姿も画面のはしっこにちらちらと見える。よい歌い方だ。杏が生まれる遥か以前の、決してメジャーではない曲だろうに、彼女はどんな風に出会って、心に残ったのか。個人的にも、社会的にも、状況を摑んだうえでの杏の「覚悟」が伝わってくる。「自分のことを守ることが、外に出ざるを得ない人を守ることになる。利己と利他が循環するように、一人ひとりが今、できることを杏」という、インスタグラムに添えられたメッセージも端的で、的確な語りだ。

二〇一六年夏、瀬々敬久監督が準備中の自主企画映画『菊とギロチン』のクランクインを目前にしていたころ、この映画に出演して、ギロチン社のメンバーや大杉栄、中濱鐵、古田大次郎などを演じる予定の若手俳優一〇数人に、私は講義をした——アナキズムとは何か、アナキズムとボリシェヴィズムの違いは何か、「一九二三年」とはどんな時代だったか、関東大震災と朝鮮人虐殺をいかに捉えるか、東アジア反日武装戦線とは何だったたか、サパティスタが登場した背景は何か……。受講者の中に、中濱鐵を演じる東出昌大もいた。その後も映画の完成後のパーティなどでも数回会った。映画の中でも好演していたが、好青年だった。

それはともかく、きょう現在の問題意識からすると、一九一七年／ロシア革命、一八年／第一次世界大戦終結・シベリア出兵・米騒動、一九年／三・一独立運動、同／五・四運動……そして二三年／関東大震災の史実に触れながら、一八年から二〇年にかけての三年間世界中を席捲した「西班牙風邪」の歴史的な重みを、私は少しも感じていなかったなあ。日本国内で五〇万人（当時の人口は四〇〇〇万人）、世界中で五〇〇〇万人（一億人説もある。当時の総人口は二〇億人）もの死者を出した大事件だったのに。日本近現代史の座右の書、ねずまさしの『日本現代史』全七巻（三一書房、一九六六〜七〇）も触れていない。「政治史」先行の問題意識の中で「社会史」的な観点を欠いていたせいか。重大な「欠落」だった、と今なら思える。ヨーロッパ中世史の阿部謹也、同近代史の良知力、日本中世史の藤木久志のような歴史家が、「日本近代史」を書いていたならば？　と叶わぬ夢想をする。網野善彦には『日本社会の歴史』全三巻（岩波新書、一九九七年）があるが、これは近代・現代に関しては駆け足で通り過ぎたから、無い物ねだりにしかならない。もちろん、自力で気づくべきだったのだが。

「米騒動」発祥の地・富山には「生・労働・運動ネット富山」というユニークな団体があって、二〇一九年には「『米騒動』一〇〇年プロジェクト：『米騒動』を抱きしめて――ECHOES FROM THE RICERIOT――」を企画して、全七回の討論を行なった。その記録をまとめた冊子「ニューズレター　SCENE1〜SCENE7」（二〇一九年二月）を、関わったスタッフから事後的に送られて読み、地域に根差した、その広範な問題意識に刺激を受けた。改めて取り出してみたが、西班牙風邪に関する発言はなかった。内務省衛生局が一九二二年に刊行した『流行性感冒』には「我邦に於ける今次の流行状況」の章があって、富山県の状況についても数次にわたって触れているが、米騒動と関連づけた記述はない（これは、内務省衛生局編『流行性感冒――「スペイン風邪」大流行の記録』と題して、二〇〇八年に平凡社「東洋文庫」七七八として復刻されている）。この史実を時代状況の中に繰り込んで考察することは、どこから見ても、今後の課題だと自覚しておきたい。

四月一七日（金）

首相記者会見。大型連休を前に緊急事態宣言を全国に拡大。現金給付案で混乱を招いたが、国民一人当たり一〇万円を給付するよう変更、と言明。確信を持てないままに、側近の囁きで思い付きの政策を打ち出すから、世論の反撥を喰らったり、自党内や公明党からの強い不満が表明されたりすると、いとも簡単にひっくり返る。その繰り返し。

日々配達される新聞の折り込みチラシは、この一ヵ月間漸次減ってきていたが、とうとう今朝の朝日新聞には一枚も入っていなかった。近所のスーパー「ライフ」にも、今月いっぱいはチラシを折り込まないとの告知が貼ってあった。目玉商品を求めて買い物客が殺到する「過密」の事態を避けるための、賢明な判断なのだろう。毎日新聞にはB4サイズの表裏カラーのチラシが一枚。「激安SALE」とあるそのチラシは「お仏壇全品」から「墓石」まで。時期が時期だけに、コロナによる死者に向けての阿漕な商魂とみえてしまう危険を冒した、広告主の小さな「冒険」。

日本弁護士連合会が、出入国管理庁の収容施設において「三密」リスクの解消を求める声明を発表した。茨城県牛久市の東日本入国管理センターに収容された経験を持つ人によれば、六人ほどが入る一二畳の大部屋では収容者たちは一つのテーブルで食事を摂ったり話したりする。夜は互いにマットレスをくっつけるように敷いて寝るという。

四月一八日(土)

夜半から午後まで強い雨、のち晴れ。

国連開発計画（ＵＮＤＰ）総裁と経済協力開発機構（ＯＥＣＤ）事務局長が連名で、新型コロナウイルスの感染拡大を受けて、途上国支援を強化するよう、各国政府と財界に呼びかけ。対外援助を増やす。希少な医療物資は、充実した医療制度や強い外交交渉力を持たない国に優先的に。財とサービスに国境を開く。途上国への送金手数料の大幅引き下げを。増大する債務に関して、返済延期などの緊急対処を。コロナ対策支援を行なうからといって、難民・気候変動・差別など「既存の危機」への支援を怠るな、など六指針を提示。

名古屋の加藤万里さんから、同人誌『象』九六号が送られてくる。加藤さんは、私が二〇一一年に河合教育文化研究所から刊行した『新たなグローバリゼーションの時代に生きて』を担当された編集者。このブックレットは、もともと、二〇〇九年に河合塾の博多校で行なった講演に基づくもの。この時は、チェ・ゲバラの生と死をめぐる話をした。河合塾の小倉校と博多校にはその数年前にも呼ばれていて、その時は拉致問題がテーマだった。初回に招かれたとき、博多校には「主」のような存在感を放つ茅島洋一氏がいた。加藤さんが今回の『象』に寄稿したのは、昨秋亡くなった茅島氏の追悼文で、『「予備校文化」の終焉と再生』と題されている。私は二度とも別な河合塾講師の伝手で、小倉校と博多校の二日連続講演会に招かれたのだが、初回夜の歓迎会の場に行くと、茅島氏の姿があった。初対面だが、名前には聞き覚えがある。一九七〇年、伝習館高校の教師だった氏は、「検定教科書不使用、文部省の学習指導要領無視、一律評価、反体制思想の鼓吹」を理由に懲戒免職処分を受けた。そのことが新聞記事に載ったときに、彼は当時わたしが事務局を担っていたレボルト社刊『世界革命運動情報』誌の定期購読者だったから、購読者名簿にあったその名前を記憶していた。氏は同じく懲戒免職された同僚二氏と共に処分を不当とする裁判闘争をたたかったから、その経緯も含めて関心を持っていた。三〇数年後に初めて、その人物に直接出会ったのだった。茅島氏に会い、話したのはこの一度限りだが、加藤さんの追悼文はそのとき私が感じ、抱いた茅島像を余すところなく描いている。彼は単なる「偏向教師」だったのではない。国家そのものの存立基盤を疑い、したがって戦後民主主義的な「国民教育論」によって形成される「国民」予備軍としての生徒を教師の立場から「教育」することの〈不可能性〉を自覚していたのだと言える。免職されて浪人となり、やがて河合塾教師となって、一九七〇年代〜九〇年代に特有の「予備校文化」を創り上げた人物のひとりであった茅島氏の姿がくっきりと浮かび上がる追悼文である。茅島氏を偲ぶ会の案内が先日来ていたが、開催地は博多なので欠席の返事を書いた。出会いのエピソードをハガキの隅に添え書きしておいた。しばらくして、このコロナウイルス流行のために、偲ぶ会延期との通知があった。「因縁」

とは、そう簡単には断ち切られないもののようだ。

ところで、『象』の編集責任者は水田洋氏である。一九一九年生まれの社会思想史研究者はすでに一〇一歳だが、ご健在の様子。水田氏の仕事のいくつかに私は敬意をもって接してきたが、思い出すのは若い日のこと。氏が『マルクス主義入門』を光文社のカッパブックスから刊行したのは一九六六年。二〇代前半で、学生だった私は現代思潮社でアルバイトをしていた。水田氏は同書の中で、現代思潮社が刊行していた『トロツキー選集』について、その編集方針と翻訳の質について厳しい批判をした。或る日、現代思潮社社長の石井恭二氏と『トロツキー選集』監修者の対馬忠行氏が水田氏の著書を手に相談していて、水田氏の評価に対する抗議文を作成していた。そばにいた私にも読ませてくれた記憶があるが、その後の経緯は忘れた。対馬氏は一九七九年、七七歳で自死。瀬戸内海のフェリーから身を投げたのだが、遺書には「マルクス曰く、レーニン曰く、曰く曰くで我が生涯は終わりぬ」とあったというエピソードを後日知った。これは、限りなく哀しく、侘しい挿話だ。石井氏も道元の『正法眼蔵』の現代語訳（河出文庫）という大仕事を終えて、すでに鬼籍の人となった。相手方の水田氏が一〇〇歳を超えてなお、同人誌の責任編集の任を担い、編集会議にもバス、地下鉄、タクシーを乗り継いで出席し、闊達に発言されているという後記を読み、感慨は深い。氏は「西班牙風邪」が猖獗を極めていた一九一九年に生まれたのだと思えば、時節柄なおさら。

四月一九日（日）

朝日新聞に面白い写真。アルゼンチンのビーチリゾート、マルデルプラタでは観光客が消えた大通りにアシカの群れが寝そべっている。チリの首都サンティアゴの街中には、野生のピューマの姿が。「水の都」ベネチアでは、運河の水が透き通り、水底が見える。大気汚染で霞が掛かっていたニューデリーでは、澄み切った青空が……。

四月二〇日（月）

朝日新聞朝刊に、外国時技能実習生の受け入れ窓口として国が運営許可している三「監理団体」が総額五億円の所得隠しの記事。実習生からさまざまな名目で月六万円近くを「受領」し、文字通り「実習生ビジネス」と化している実態がここでも明らかになる。政府の方針が、「実習生の利用主義」に堕していることが、問題の根っこにはあるだろう。同紙夕刊には、コロナが農業を直撃している実態についての記事が。訪日外国人の激減、飲食店の休業で、「高級」食材の価格が急落。出入国制限で、実習生が入国できず、収穫期には「人手不足」になるとの予測。実習生については、朝夕刊を合わせ読みしなければならない。

四月二一日（火）晴れ

沖縄・辺野古工事一時中止、の小さな記事あり。

米国と世界の原油価格の基準とされるＷＴＩ原油価格が、歴史上はじめてマイナス価格となった。原油の供給が過剰となり、持っていると維持費がかかるところから投げ売りとなった。

四月二二日（水）曇り

朝のBS「ワールド・ニュース」、ドイツTVが、今年の「オクトーバーフェスト」中止の決定を早々と下したと報道。もちろん、バイエルン州ミュンヘンで開催されるビール祭りのこと。世界中から六〇〇万人が訪れ、一二億ユーロのお金が動く一大イベントの由。日本各地の夏祭りも次々と中止が決定されている。多くのひとが、コロナウイルスとの付き合いは長期のものになると覚悟し始めているようだ。ただひとつの群れ――東京オリンピック＋パラリンピックに群がる人びとを除いては。

朝日新聞夕刊にエルサレム支局の高野遼記者のコラム。内戦・抗争地域に対して「コロナ停戦」の呼びかけがなされているなか、パレスチナとイスラエル間の争いだけは、変わらず続いている。そのもどかしさを記者がパレスチナ人の友人にぶつけると、「言いたいことは分かる。でも、我々はウイルスより、イスラエルの存在が害悪だと思っているんだ」という答えが戻ってきた……。

四月二三日（木）

「介護感染　欧州猛威」状態を伝える朝日新聞の大型記事。フランスでは、死者一万七九二〇人のうち六八六〇人が高齢者などを受け入れる施設の入居者だという。職員の大半はアフリカ系の人たちで、平均月収は一四〇〇ユーロ（一六万四〇〇〇円）。上司から怒鳴り散らされ、ボーナスも出ずに危険な職場で働いているという証言も。

毎日新聞夕刊に、スーザン・ソンタグの『隠喩としての病い』（原書、一九七八年。みすず書房、一九八二年）を鋭く読み解く橋都浩平氏（元東大医学部教授）のインタビュー。取材は藤原章生記者。橋都氏が漏らす「七〇年代までと八〇年代以降では、歴史の方向も人の生活感覚も急激に変わった気がします」という感慨は、後者を象徴する冷戦の終わりを思い浮かべると、私も同意するところだが、氏は同時期のエイズの流行が性生活、ひいては人びとの暮らしや生き方に与えた影響の大きさを語る。もちろん、『隠喩としての病い』におけるソンタグに倣って。なるほど、私が見てきたのは〈半世界〉でしかなかったかな。

「密」を避けよ、人との接触を避けよ――というスローガンが独り歩きしているいま、性交渉をどう考えるか、という問題提起が希薄だと感じていた。どこかで論じているひとはいるのかもしれないが、人目につく論じ方がないという印象が強い。人びとが否応なく「家に籠る」日々が始まった時、今年末から来春にかけては「ベビー・ラッシュ」かと思ったが、果たして、どうか。ソンタグの言葉を半ば借りるなら、人びとが「欲するところをなさ」ず、「楽し」まず、ひたすら不安の裡にいるに違いない現在の状況の中では。

「市の木」ゆえ、この町の街路樹はハナミズキ一色。そのハナミズキが花開いた。

四月二四日（金）

広島・上八木でライブ・ハウス「カフェ・テアトロ　アビエルト」を主宰する畏友、中山幸雄兄から、五月下旬開催予定の「死刑囚絵画展」のチラシが届く。五月二三日の初日には私が講演予定。ここでは数年に一度くらいの頻度で、この絵画展が開かれている。昨年は二月に開かれ、この時も私が行って講演した。でも、この「ご時世」、五月連休明けのコロナ情勢を見ながら、開催か否かを判断するという。今年はアビエルト創設から二〇周年。六月には、恒例の「ガルシア・ロルカ生誕祭」を兼ねて、二〇周年記念イベント開催の予定。私は二〇一四年以来毎年ロルカ祭に参加し、彼の詩を朗読しているが、今年も参加の予定。今回は、テント芝居「野戦の月」の桜井大造氏が、ロルカの芝居を翻案したものを上演するらしい。難物になりそうだが、どうしたものか。

朗読するロルカ詩の選択は、当初は主宰者＋共演するフラメンコ舞踏家からの提案に基づいていた。いつも、二つか三つの詩を朗読するから、しばらくして私も選択することになった。一八年、一九年は、『ニューヨークの詩人』（福武文庫、一九九〇年、鼓直＝訳）から選んだ。ロルカがニューヨークに行ったのは一九二九年、到着して四ヵ月後にあの「大恐慌」が起きた。彼は、資本主義文明の頂点を極めた栄華の様相と、それが一瞬にして奈落の底へと没落してゆく有り様の、ふたつの貌を見る機会を得たのだった。帰国後創られた詩篇には、「ウォール街」的なものに対するロルカの懐疑、違和感がにじみ出ている。一八年には「小便垂れる群衆のいる情景」を読んだ。一九年には「一九一〇年（幕間）」と「散歩の帰り道」を読んだ。ニューヨークでもウォール街よりはハーレムにいる方が落ち着きを感じ、ジャズを楽しんだロルカは、ニューヨークからキューバへ赴く。黒人のソンから得たインスピレーションは深いものがあった。帰国して間もない一九三一年三月、ロルカは若き日々を過ごしたマドリーの「学生の家」で集まった聴衆を前に講演し、できたばかりの数篇の詩を朗読した。それは、ロルカの「アメリカ観」を端的に語っていて、余すところがない。鼓直氏訳で紹介したい。

《……わたしはあなた方に、外から見たニューヨークを語ろうとは思わない……また、旅行談をするつもりもない。詩人として感じたことを、ただ誠実に、素朴に伝えたいのだ。知識人にきわめて困難だが、詩人にとっては容易な誠実さと素朴さで。旅行者があの大都会で直観する二つの要素は、超人間的な構造と凄まじいリズムである。幾何学と苦悩。一見、そのリズムは陽気に思われるが、社会生活のメカニズムや、人間と機械の双方を支配する痛ましい隷属的な関係などに気づくとき、犯罪やギャングでさえも逃避の道として許されるべき、あの空虚で悲劇的な苦悩が理解される。稜線は雲となる意志もなく、また栄光を希うこともなく、空へと上昇する。ゴチック的な稜線は埋葬された古い死者たちの心臓から発するのだ。それらは、根もなく窮極の渇望も持たない美しさを見せながら、冷たく上昇する。精神的構築物の場合と同じように、建築家のつねに低次な意図を克服し超越することができない、おぼつかなげな様子で。摩天楼と、それを蔽う空との戦いほど詩的で、戦慄的なものはない。雲と雨と霧が巨大な塔を強調し、湿らせ、蓋をする。しかし塔は、すべての戯れには眼もくれず、神秘を斥けるその冷静な意図を表現し、雨の髪を刈りあげる。あるいは静かな白鳥の霧を透して、三千本のサーベルをちらつかせる。あの広い世界には根がないという印象は、到着後日ならずしてあなた方を捉える。そして、あなた方ははっきりと、なぜ幻視者エドガー・ポーが神秘に、あの世界の中での陶酔という狂熱に憑りつかれざるを得なかったか、その理由を知るだろう。》■

二〇一九年のロルカ祭では、詩の朗読の前に、この文言も読み上げた。それから一年、九〇年前にロルカが視たと同じニューヨークはウォール街の光景を、コロナ禍の渦中にある私たちは視ている。

しんぶん赤旗にユーロスペース支配人・北條誠人氏のインタビュー。毎年二月の「死刑映画週間」でお世話になっている。もっとも、大学で映画の自主上映サークルに彼がいた時代からの知り合いだが。ミニ・シアターの苦境を語る言葉から、以下のデータを取り出しておく。全国のミニ・シアターは映画館総数の二〇％。興行収入は一％から二％。今さらながら、その数字に驚く。

四月二五日(土)

しんぶん赤旗に「イタリア、スペインの医療崩壊の元凶は緊縮政策」とする大型記事。一九九〇年代、両国は欧州単一通貨ユーロに参加するうえで課せられた基準を満たすために緊縮政策を実施し、公共支出を削減した。さらに、二〇〇七年の世界金融危機、一〇年のユーロ危機以降は、欧州連合（ＥＵ）や国際通貨基金（ＩＭＦ）からさらなる緊縮政策を要求され、社会保障や医療分野を犠牲にした。資材も人員も削減した新自由主義政策のツケが、今回のコロナ流行で露呈したとする。

朝日新聞編集委員・吉岡桂子のコラム。「売国奴」などとネット上で罵られながらも、武漢の記憶を伝え続ける作家・方方。「新型コロナとの戦争に勝利したと、国家がドラや太鼓を鳴らし、大騒ぎを始めるとき、そんな空っぽな歌を一緒に歌うような物書きではなく、自らの記憶を持つ偽りのない人間でいてほしい」とオンラインで香港の学生たちに語りかける、『愉楽』『炸裂志』『父を想う』『丁庄の夢』（すべて河出書房新社）など、中国では発禁処分の多い作家・閻連科――その在りようを伝える。

四月二七日（月）

「密を避けよ」「在宅で仕事を」などの官製の掛け声が響く中、朝日新聞には「障害者施設　集団感染との闘い」「ごみ袋の防護服　緊迫の解除」「派遣・契約社員　やむなく出社」「身重でも在宅許されず」などの見出しで、大型記事を掲載。ＫＤＤＩの子会社が運営するコールセンターで働く人びとが、窓もない、密な環境で働かせられている実態を明かす。

今朝のＮＨＫ／ＢＳ「ワールド・ニュース」に、ＮＧＯに拠って途上国での感染症対策に取り組む國井修氏が、スイスはジュネーブから出演した。「今後、感染症は、台風や地震と同じような形で襲ってくると覚悟すべき」という言葉が印象に残った。

毎日新聞夕刊に三輪晴美記者が「作家・津島佑子の没後四年」の記事を書いている。初期短篇の連作が多言語で紹介されているが、後期の骨太な長篇作品を翻訳することの難しさを、津島さんの作品の多くを英語に翻訳してきた、ニュージーランドのジェラルディン・ハーコートさんが語っている。彼女は以前わたしにメールをくれて、二〇一四年、新宿のケイズ・シネマで開催した「ボリビア・ウカマウ集団全作品上映」時に、津島さんと私が行なった対談が、外国で津島作品の理解を深めるためにとても役立ちそうなので、ユーチューブ映像に英語字幕を付けて広く流布することの許可を求めてきた。もちろんよろしいですよと答えたのだが、そのハーコートさんが昨年故国で亡くなっていたことをこの記事で知った。それは残念だが、不幸中の幸いというべきかその英語字幕付き映像はまだインターネット上に残っている。https://www.youtube.com/watch?v=83pIj8FL1RY&t=8s

（←最終アクセス　2021/04/27）

四月二九日（水）

一九八七年五月三日、朝日新聞阪神支局で「赤報隊」を名乗る男に記者二人が殺傷される事件が起こって以降、同紙は毎年この連休の時期に『「みる・きく・はなす」はいま』と題する連載を掲載している。今年は、コロナ危機で疑心デマが増幅するいくつもの例を挙げている。ウイルスに対してひとが当然にも抱く不安と恐怖は、「怪しい他人」を根拠すらなく排斥する「弱み」を見せてしまう。その恐ろしさが、さまざまな事例から浮かび上がる。一九二三年九月一日、関東大震災の衝撃から半日後に始まった朝鮮人虐殺を思い起こさずにはいられない。

四月三〇日（木）

きのう、全国知事会ウェブ会議で、緊急事態を全国一律で一ヵ月前後延長するよう政府に提言することを決定。

三月五日に開催予定だったが延期されていた中国全国人民代表大会（全人代）、五月二八日開催決定。

5. パニック（二〇二〇年五月）

五月一日(金)

東京新聞に琉球大学の山本章子さんの「戦争とマラリア」。アジア太平洋戦争末期、石垣島や西表島など八重山諸島の山岳部はマラリア有病地帯だった。そこを避けて暮らしていた住民に対して、八重島諸島に駐屯していた日本軍は沖縄戦最中にマラリア地帯へ避難するよう軍令を出した。住民が軍事作戦遂行上の邪魔だったこと、食糧徴発、米軍のスパイになることへの警戒――などが理由だった。

「反天皇制運動 Alert」第四七号に連載第一一九回目。

太田昌国のみたび夢は夜ひらく第一一九回
コロナ禍を通して見る自国中心主義と国際主義

四月二九日付けＡＦＰ電が目に入った。米国のジョンズ・ホプキンス大学の発表によれば、米国におけるコロナウイルス禍による死者の数は五万八三六五人となり、ベトナム戦争における死者の数を超えたというものだ。米国の国立公文書館の数字に基づけば、ベトナムでの戦闘及び事故による米国兵士の死者数は五万八二二〇人である。ベトナム戦争は、短く見ても、一九六五年二月七日に始まった米軍による北爆（北ベトナム爆撃）から、七五年四月三〇日の解放戦線軍の南ベトナム・サイゴン解放まで、一〇年間続いた。流行が始まってわずか三ヵ月ほどしか経っていないコロナウイルスによる死者数が、一〇年間続いた戦争における死者の数を上回ったのだから、確かに驚くべきことではあろう。だが、米国での大多数の人びとの関心はここで止まるだろう。

ベトナム戦争では、米国はあの狭いインドシナ半島に最大時には五四万人もの兵士を派兵し、北ベトナムを爆撃し、解放戦線に荷担する南ベトナムの人びとと山野の上に大量のナパーム弾を降らせたのだから、ベトナム側にも膨大な死者が出ているに違いない。だが、二一世紀に入ってからの「対テロ戦争」でも、アフガニスタンやイラクにおける米国兵士の死者数の報道は克明になされても、戦場となっている現地の死者の実態にも数にもまったく関心を示さないのが、米国政府・軍・メディアとそれに誘導される大方の米国人の在り方だった。これは「大国」では〈ありふれた〉光景だ。他ならぬ日本が行なった対アジア侵略戦争による、国の内と外における死者の数え方を思い返してみれば、これは取りも直さず、私たちの足もとを照らし出す問題でもある。

今回私が読んだのはＡＦＰ電だから、まだしも「続き」があった。ハノイ当局の公式統計に基づいて、北ベトナム軍兵士と南ベトナム解放民族戦線ゲリラ兵の死者が一一〇万人、民間人の死者が二〇〇～三〇〇万人と推定されることが書き加えられていたからである。コロナ禍とベトナム戦争における「米国人」の死者数だけを取り上げて比較するという内向きの発想の犯罪性と限界は、こういう形で露わになる。

この三ヵ月間続いているコロナ禍一色報道の中にも、当然にも、同じ問題が見られる。欧米および中国のような大国の状況に偏重した報道の渦の中から、「小国」から届けられる小さなニュースに注目することで見えてくる問題を探り当てること、これが肝要である。「世界エイズ・結核・マラリア対策基金（グローバルファンド）戦略投資効果局長」國井修は、途上国では新型コロナ以上の威力を持つ病原体が多く流行し、三大感染症で一日約七千人が死亡していても、世界はさほど真剣な取り組みをしてこなかった、主要七ヵ国が当事者になるとこんな反応になるのか、と冷静に分析している（三月二五日付け朝日新聞）。彼の考えの根底には「感染症に国境はない」こと、「今後、感染症禍は、台風や地震と同じように随時やってくるもの」だという確信が据えられている。新興感染症の多くは途上国で発生するが、地球全体を見れば健康格差があるのはおかしいという人道的な立場からいっても、それがグローバル化によって容易に先進国に広がることを防ぐという「功利的な」立場からいっても、先進国は途上国の感染症対策を援助すべきだ、と正当にも結論づける。

この観点からすると、最も注目すべき動きを「小国」キューバに見ることができる。キューバの医療水準の高さはよく知られているが、今回もコロナ禍に苦しむイタリア・ロンバルディア州をはじめ、医療体制が乏しい中米やカリブ海の小さな諸国に多数の医師と看護師を派遣している。生命工学分野でもキューバは七〇年代から米国やフィンランドの研究者と共同研究を重ね、インターフェロンの開発に成功し、それはデング熱、B型骨髄炎、エイズなどの克服に有効なことが証明されている。米国が改めて課している経済制裁のために資材不足が続く中で小国が実践する国際主義的な連帯の在り方は、「国境なき感染症」とたたかう世界に示唆するところが多い。キューバ政府の内政路線にはいくつもの疑問と批判を持つ筆者だが、いま審問にかけられているのは新自由主義的経済原理そのものだと考えれば、六〇年有余に及ぶキューバ革命の「試行錯誤」から学び取るべき国際的な視点の広がりと深さを否定することはできない。（事実の抽出は *We are Cuba! : How a revolutionary people have survived in a post-Soviet world*, Helen Yaffe, Yale University Press, 2020. から行なった。）（五月一日記）■

ここで、遡って紹介しておきたい文章がある。エイズの流行が大きな問題となっていた二〇〇四年に、私が書いた文章である。

戦争に血道を上げる大国、連帯の精神でエイズをたたかう小国

「派兵チェック」一四五号（二〇〇四年一〇月一五日発行）掲載

「自立的社会主義者雑誌」と銘うつ米国左派の雑誌「マンスリー・レビュー」を購読し始めて数十年になる。創始者のひとり、レオ・ヒューバーマンが一九五〇年代に資本主義発展史、アメリカ史について平易な著書を書いており、それらは若い頃の私にとって入門書の役目を果たしてくれた。ヒューバーマンは、もうひとりの創始者で経済学者のポール・スウィージーと共に、キューバ革命勝利の翌年に同地を訪れ、直ちに『キューバ――一つの革命の解剖――』（岩波新書、池上幹徳訳、一九六一年）を書いており、それも私がキューバ革命への関心を深める大きなきっかけと

なった。いわば「恩義」を感じて、第二次大戦終了直後から刊行されているこの月刊誌の購読を続けている。

時代状況を当然にも反映して、私たちの心をかき立てた一九六〇年代的な刺激あふれる内容が、現在の誌上にあるわけではない。だが、二〇世紀初頭以来今日まで一貫して、政治・経済・軍事・文化のモンスターとして、世界の命運を握る帝国の内部に生きていて、なお現行秩序の変革を目指すときに何が焦眉の問題なのか、に取り組む姿勢からは、得るものが大きい。だから、「恩義」などという言い方は本質的ではなく、ノーム・チョムスキーやハワード・ジンなどの発言と共に（最近では、天野恵一が本誌前号で論じたマイケル・ムーアの映像表現なども加えて）、必然的に注目せざるを得ないのだ。はるか先を行く、この「大帝国」の驥尾に付すかのようにふるまう「小帝国」に生きる身としては。

その「マンスリー・レビュー」誌最新号（二〇〇四年九月）に掲載された小さな記事が目をひいた。要約してみる。「エイズ感染率がもっとも高いのは、サハラ以南のアフリカで、それに次ぐ地域が、カリブ海諸国だ。キューバは例外で、感染率が〇・〇七％で、世界でももっとも低い国のひとつだ。去る七月一五日、一五カ国から成るカリブ共同体（Caricom）の会議で、キューバはカリブ全域でエイズ禍をたたかうための提案を行なった。キューバは他国にエイズ治療薬を市場価格より安い価格で提供する。各国の公共医療機関に医師を派遣する。カリブ海諸国はこの方針を《目ざましいもの》として歓迎している」。

長年におよぶ米国の経済封鎖で、キューバが医薬品・医療器具の不足に悩まされていることは、よく知られている。にもかかわらず、総合的に見てキューバの医療水準が第三世界ではずば抜けて高く、高度な医療・福祉政策が実施されている一部先進国並みであることも、異なる立場の観察者たちが一様に報告してきたことだ。この厳しい条件の下で、どうして、高度なエイズ予防策が可能になっているのだろうか？

「マンスリー・レビュー」誌の報告は続ける。「一九八三年、後にエイズとして知られるようになる、当時は未知の病の出現を知って、カストロは熱帯医学研究所職員に対して、これは《世紀の病》になると語り、以下の施策を実施した。他国からの血液輸入を禁止する。国内で献血された血液の全検査を実施する。国外から帰国した兵士などのＨＩＶ検査を行なう。感染者の性交渉の経過を調査する。感染者をサナトリウムへ強制収容する」。

感染者の強制収容策は、当然にも、国際的な人権擁護組織の厳しい批判にさらされる。キューバには「前科」がある。革命の勝利後まもなく、「性的な倒錯」と見なされた同性愛者は徹底的な取り締まりの対象とされ、その人びとが収容された監獄もその処遇の劣悪さで有名であった。最初は革命を歓迎したが、自らが同性愛者であったがゆえに文学作品の発禁処分をうけ、逮捕・投獄などの弾圧を受け、やがて革命に対する徹底した批判者となる作家レイナルド・アレナスが、自伝的な長篇『夜になるまえに』（国書刊行会、一九九七年）でよく描いているところである。

だが、エイズ対策においては、キューバは轍を踏むことはなかった――と「マンスリー・レビュー」誌は言う。一九九〇年代初頭から長期にわたる強制的な収容政策は取りやめ、公共衛生の徹底、エイズ教育の充実へと力点を移した。現在、多くの患者は、病気との付き合い方、薬の管理方法、ＨＩＶを他の人に感染させない方法などを、最低三ヵ月間学ぶ。こうして、キューバにおけるエイズ・サナトリウムは、その条件整備と収容者の健康管理方法の双方で、国際的な賞賛をうけることとなる。他方、キューバの科学者は、ＨＩＶ治療薬の開発に専念し、現在までに五種類の有効な治療薬を開発して、それを総合的な治療のなかで使用している。今回、エイズに苦しむカリブ海地域に低価格で提供されるのは、こうして自国で開発された治療薬である。カリブ海の貧しい国々では、どんなにエイズに苦しむ人びとがいても、米国その他の資本主義国の製薬企業が販売している治療薬を買う経済力がない。「ここにこそ、資本主義社会と社会主義社会の違いがある」と結論づける同誌の物言いの楽天性にはついていけない私も、エイズ対策をめぐるキューバの志向性が、現代世界に示唆するところは大きい、とは思う。

資本主義大国はこぞって、本人たちにも先の見えない戦争に血道を挙げて、きょうも異国の民衆を殺すために膨大な資金を投じている。他方、経済的に困窮していることが誰にもわかるカリブ海の小国キューバは、苦しむ隣人諸国に連帯の手を差し延べ、戦争とは別な意味でこわいエイズとたたかおうとしている。世界中の人びとが対等の条件で出会い、戦争・飢餓・病気など（入れたければ「テロ」なるものを加えてもよい）を防止するうえで、どちらの志が有効に生きるかは自明のことだ。世界が直面する困難な問題をめぐって、メディアをにぎわわせる大国と、（メディアでは無視されるが）ここまで対照的な態度をとる「小国」の実例があることが、もっとさまざまな現実に即して浮かび上がるならば、私たちの選択肢はぐっと広がって見えてくるだろう。■

小樽に住む哲学者・花崎皋平氏から、最新詩集『生と死を見晴るかす橋の上で』（私家版、二〇二〇年）が届く。氏の詩集は、奥付によると一〇冊目。ここ一〇数年のものは刊行の都度いただいているが、一九五〇年代の若き日にも二冊の詩集刊行と初めて知る。國文社から。八八歳、花崎氏が書く詩の境地は自在だ。詩篇で長い人生を振り返り、出会った女性たちをフェミニストとして思い出し、己が躓きや、失敗、しくじりを「おろか者め！」とわらいとばす。老境にあってこその「余裕」。自由で、いいな。

五月二日(土)

きのう反天連機関誌に書いた文章で、「キューバ政府の内政路線には、いくつもの疑問と批判を持つ筆者だが」と書いたところ、それを具体的に指摘してほしいとの個人メールを知人から受け取った。その一端は『「ゲバラを脱神話化する」』（現代企画室、二〇〇〇年）でも、その増補版『チェ・ゲバラ プレイバック』（同、二〇〇九年）でも見ることはできるが、最近のものは、ゲバラの孫、カネック・サンチェス・ゲバラ（一九七四〜二〇一五）が書いた『チェ・ゲバラの影の下で――孫・カネックのキューバ革命論』（同、二〇一八年）に付した解説だ。カネックの作品は、革命下に生きる青年の心象風景を文学的に描いて、なかなか読ませるのだが、彼はこれとは別に、政治・社会的な発言をネット上に膨大に残した。祖父への思い、フィデル・カストロ体制は「国家資本主義」であるとする批判、その結果、次第に、反権力の立場からアナキズム思想に近しいものを感じるようになっていく過程などが、よく理解できる。私が書いた解説は一五〇枚の長さになったが、キューバ革命の意義と「限界」を一定程度明らかにし得たと思う。

きのう流れた「国立成育医療研究センター」名のツイート――「N95マスクと防護服が不足しています!! ご寄付いただける方がいらっしゃいましたらkoho@ncchd.go.jpご連絡いただければ幸いです。（営業のご連絡はご遠慮ください）N95マスクと防護服以外のご寄付の申し込み方法については、https://ncchd.go.jp/donation/application.html… をご覧ください。よろしくお願いします。」

五月三日（日）

憲法記念日のきょう、改憲派のオンライン会合にメッセージを寄せた首相は、新型コロナ対応に自衛隊員が当たっていることを引き合いに出し、「自衛隊は違憲というおかしな議論に終止符を打つ」として、九条に自衛隊を明記する必要性を強調する持論を展開した。よほど気に入っているのか、得意の「論法」なのだろう。

五月四日（月）雨のち晴れ

政府、五月六日で期限が切れる「緊急事態宣言」について、全都道府県を対象に、五月三一日まで延長することを決定。

山梨の友人・富田克也氏からワイン一本届く（赤、一升瓶）。夕方、近所のスーパーで、鰹発見。赤ワインに、鰹の刺身がこれほど合うとは知らなかった。

五月五日（火）

きょうの清水潔氏のツイート――「特段アテはないけど一ヶ月。その二回目が始まる。思えばその前はアテはないけど二週間を何度も何度も繰り返す。思えば安倍政権って、このように何もしないで七年間の繰り返しなんだよ。経済対策、拉致問題、年金、保育園待機…、何も解決せず七年間。そう思うと先が怖い。」

挙げられた課題については、清水氏の言う通り。同時に、私は、こんな政権に見切りをつけずに、支え続けている「世論」の罪深さを思う。

五月七日（木）

ＮＨＫ／Ｅテレで「バリバラ」観る。「新型コロナと各国障害者」。インド、ベルギー、日本、米国、イタリア、イギリスなどを結ぶ多元的な生放送。祖父をアウシュヴィッツで亡くしたというユダヤ人の米国女性が、自分たちが置かれている境遇もさることながら、刑務所や移民収容所の「密」状態を警告。異なる障碍を抱えるすべてのひとの発言が、心に食い入ってくる。

五月八日（金）

だれが言ったのだったか、「息をするようにウソをついて」恥じることのない日本国の首相が、去る四月七日、緊急経済対策の内容を語り、「ＧＤＰ（国内総生産）の二割に当たる事業規模一〇八兆円、世界的にも最大級の経済対策を実施する」と大見得を切った。当初から、この発言の真偽のほどが問い正されてきたが、きょうの朝日新聞に一ヵ月後の検証記事。二二兆円は以前からの対策費、二八兆円は税金などの支払い猶予分で、あとで支払う必要あり――というわけで、国と地方の追加支出は二八兆円だけというからくりを解き明かしている。

朝日新聞に医療人類学者・磯野真穂さんのインタビュー記事。「新型コロナ　社会を覆う『正しさ』」をめぐって。「感染拡大を抑制さえすれば社会は平和なのか」と基本的な問題を提起している。同紙には、また、立川市にある国文学研究資料館館長、ロバート・キャンベル氏が「日本古典と疫病」について語っている記事もあって、おもしろい。

外交評論家・岡本行夫氏が去る四月に死亡していたことが分かったらしい。享年七五。それを知った私は、フェイスブックに次のように記した。――「外交評論家・岡本行夫氏がコロナウイルスに罹り、亡くなったというニュースが今朝から流されている。一九九一年の湾岸戦争時、氏は外務省北米局北米第一課長を務めていた。一〇年後、当時のことを回顧した氏は、欧米諸国との交渉の矢面に立っていた自分が、いかに「屈辱とトラウマ」を感じていたかを語った。それは、イラクに対する「正しい戦争」のために汗も血も流すことなく、ただただ他国（米国）の軍資金一三〇億ドルを肩代わりした「だけ」に終わった日本の現実を、悔しさを滲ませて振り返るものであった。約めて言えば、他国と一緒に戦争に加わることができないような制約を効かせる憲法九条を持つ国は、「ふつうの国」ではない、という主張である。現状のような日米関係が作られる過程で氏が果たした役割を高く評価する追悼の言論が溢れ出るであろうから、私は一九年前に書いた文章を再投稿し、別な考えかたを示すことで岡本氏の死を追悼したい」。

岡本氏は、一九九〇年前後以降今日に至るまで、外交問題に関して発言できる場を多様に持つ人物だったから、私は氏の発言に対する疑問や批判を何度も提起したことを思い出す。

日米安保体制堅持の「正当性」を毫も疑わない外務官僚たち
『外交フォーラム』特集「湾岸戦争から一〇年」を読む

「派兵チェック」第一〇七号（二〇〇一年八月一五日発行）掲載

自民党政治の迷走が続く。別に彼らの路線的迷走を心配する立場でもないが、国際社会における「普通の国」とは、欧米社会をモデルにするからこそ出てきた彼らの国家像であり、その具体性は、たとえば国連安全保障理事会の常任理事国になることであり、国連レベルで発動される軍事行動に自国の国軍が参加できて、いわゆる国際的規準を満たすことであると彼らは語ってきた。前者のための必要条件を考えると、「つくる会」の教科書採用問題や首相の靖国神社参拝強行などは、アジア諸国が日本の安保理常任理事国選出に積極的に関わることを妨げるという意味で、論外なことだと思える。

サッカー狂の友人は、日本（政府）が、二〇〇二年ワールドカップ共同開催予定国の韓国に対して、いま／なぜ、こんな喧嘩を売るのか、理解に苦しむと言う。退場した、かのサラマンチ程度のものに留まることのない、ＦＩＦＡ（国際サッカー連盟）の政治力を、自民党政治は侮っているのではないか、と。ＦＩＦＡの政治力の件は私にはわからない。仮に、ワールドカップ共同開催の前提条件としての二国間の友好関係を日本は掘り崩しているとの批判が、国際的に、あるいは韓国側から出てくるとして、「政治とスポーツは違うレベルの問題だ」という、いつもながらの原則的な（？）立場で、切り抜けることができると彼らは信じこんでいるのだろうか。

ところで、「国際的規準としての」軍事行動への参加の一件はどうだろうか？　集団的自衛権の問題については、小泉は従来の自民党政治の路線を一気に越えようとする意気込みを組閣直後から示している。その具体策が今後どのような形で出てくるのかは、いまのところ不明だ。だが、政府がやがて打ち出す具体策の策定に当たっている外務官僚などが、どう考えているかを示す材料はある。発行人＝粕谷一希、編集委員＝本間長世、山内昌之、編集協力＝外務省の月刊誌『外交フォーラム』二〇〇一年九月号「特集：湾岸戦争から一〇年」がそれである。

湾岸戦争当時外務省北米局北米第一課長で、その後橋本政権時に首相補佐官を務めた岡本行夫は「また同じことにならないか――もし湾岸戦争がもう一度起こったら？」なる文章をそこに寄稿している。一〇年前の湾岸戦争の経験を正確に復刻しなければと思いつつ「依然として客観的な観察者には、なれない。感情が出る」と自ら書く岡本だけに、情緒的な筆致である。岡本によれば、イラク軍のクウェート侵攻を前にした米国主導の湾岸戦争は不可避の正しい戦争であった。そして、この地域に多数の石油タンカーを常時行き来させていながらイラク制裁の軍事行動に参加せず、軍資金しか出さなかった日本は（欧米諸国によって）「キャッシュ・ディスペンサー」のように扱われたが、それに「屈辱とトラウマ」を感じている男の立場から、すべての言葉は語られている。岡本が自明のこととしているこれらすべての前提は疑うに値するが、文章のタイトルにまでして自ら発した問いに対する岡本の自答は悲観的だ。

第一に、人命に対する超安全主義という国民意識が日本にはあり、「自由のために銃をとって戦うことに対する支持などない」。このような国民意識を批判するために岡本は独特の比喩を使う。町内会のドブさらいで各家庭が衣服を汚して働いているのに、金持ち＝日本家は家訓を守って泥仕事への参加を断り、クリーニング代だけを負担したに等しい（！）、と。戦争と平和の問題への対し方が、この程度の比喩で揶揄できると考えている男が、湾岸戦争時の外交実務に当たっていたことは記憶に値する。

私の考えでは、岡本が憂える、身の危険を僅かでも冒すことを嫌う「国民意識」なるものは、すでにして虚構だ。岡本のように自らは戦場に出ることもない立場で、「ナショナリズム」という心情的妖怪に振り回されて、戦争を煽る雰囲気はこの社会に充満している。その意味では、岡本は安心してよい。焦るべきは私たちのほうだ。

にもかかわらず岡本が悲観的になる第二の問題は、「官僚の権限意識と行政の縦割り」状況にある。外務省、大蔵省、内閣官房などの間の意思疎通がなく、方針の決定や発表の仕方があまりに拙劣で、しかるべき時に当然得られるべき米国の信頼も得ることもできなった事実が縷々述べられる。なるほど、「キャリア・クラス」の外務官僚の目は米国をしか見ていないことを如実に示す文章が続く。

湾岸戦争と一口で言っても、当時者は多様だ。渦中にあるイラク、クウェート以外にも、中東地域には多くの国がある。米国側についた専制的な王政諸国もあれば（ついでに言えば、これらの諸国の非民主主義的な専制を、米国は決して非難の対象としない）、反米の一点でフセイン批判を控えたアラブ諸国もある。私はこれらの為政者の目線にも関心をもつが、それだけではなく、自分たちの土地に生まれる天然資源が自らの手の届かぬ地点で〈国際取引〉される現実を見ている「産油国」の貧しい民衆が、湾岸戦争をどう見ていたかということにも強い関心をもつ。

このような問題意識など、エリート外務官僚はカケラも持つこともなさそうだ。外務省の中枢に長年いた岡本がこの文章を書いていたとき、メディアは外務省スキャンダルを書き立てていた頃だろう。外務省問題の本質は、あえて言えば、ノンキャリアの「不祥事」にはない。モラルに関わる不祥事がキャリアを巻き込んで内攻しているであろうことは明らかだが、より根本的には、外務官僚が主導してきた日米安保堅持に象徴される外交路線が孕む問題性をこそ指摘しなければならない。

冷戦構造が終わりを告げて一〇年を経たいまも、米国との二国間軍事同盟体制を不動の前提として外交政策を立案することに何の疑念もいだいていない岡本のあり方こそが問われるべきだ。だが、ここを「聖域」とする岡本は、省庁間のつまらぬ権限争いに問題を矮小化するだけだ。

岡本はさらに、「法的整備」の現状についても悲観的だ。ＰＫＯ法の成立は「大きな前進だ」ったが、「鳴り物入りで成立した」周辺事態安全確保法は、「立法意図は評価できる」ものの「あまり実際の役には立たない法律だ」。だから、法的整備をさらに行ない、法律条文の逐条解釈にこだわって柔軟な運用を邪魔する法制局を規制して……と、「戦争を可能にする国家」に向けた岡本の「妄想」はとどまることを知らない。

ほかにも「外交フォーラム」誌には、「湾岸の夜明け作戦と五一一名の隊員たち」を書いている元海上自衛隊ペルシャ湾掃海舞台指揮官・落合峻の文章など、軍人の心情を顕にした内容のものが掲載されており、見逃すわけにはいかない。

湾岸戦争後の一〇年の過程を顧みるべき課題は、私たちの前にもある。■

五月一〇日（日）

宮城県古川市（現大崎市）に住む友の近所にあった豆腐屋が閉店したという。お土産で何度かいただいたことがある。豆腐も厚揚げもおいしいお店だった。彼女から、東京の友人たちに配ってと言って、たくさん送られてきたからおすそ分けするとの電話がYさんから。駅で待ち合わせ、受け取る。夕餉に食す。おいしい。明日葉、フキの茎と葉、三つ葉などと共に、健康的な夕食。こんな時期だけに、有り難味が増す。

五月一一日（月）

「レイバーネット」ウェブ上コラム「サザンクロス」は第四三回目。以下を書いた。

太田昌国のコラム「サザンクロス」第四三回　二〇二〇年五月一〇日

「コロナ以前」の政治の延長上にしか、現在はない

コロナウイルスの流行が、決して軽視すべきではないと判断すべき段階に入って以降、だれもがそうであるように、感染症に無知であった私も素人なりに学習し、メディアを通して専門家が言うことを見聞きし、過去に出版されていたいくつかの文献も読んで、自分なりの判断基準を持とうとしてきた。過去の事例からいっても、どの分野にせよ専門家の言うことが常に信頼し得るとは限らないし、専門家間でも見解の違いがある場合もある。在野の自分がそれなりの時間を積み重ねて調べたり、研究したりしてきた分野での、専門家なる者の疑わしくも怪しい発言を見聞きした記憶は、多くのひとが持つだろう。ましてや、今回は、ウイルスの正体がいまだ定かではなく、既存の知恵が常に有効にはたらくとは言えず、ワクチンも未開発……という諸条件が重なっているのだから、事態が困難を極めていることは容易に想像がつく。

だが、感染症の拡大をできるだけ最小限に食い止めるという公衆衛生の観点からいっても、これに関連して行政の推進する施策が社会を構成するすべての人びとの生活の隅々にまで影響を及ぼすものである以上、その補塡策はどうあるべきかという社会経済政策の観点からいっても、政府および地方自治体が果たすべき「政治」の役割と責任は重い。とりわけ政府には、事態の「困難さ」に見合った「責任」が問われるのである。その意味で、私たちは最悪の政権の下で今回の事態を迎えている。現在の首相を冠とする政権の存在自体が「緊急事態」だとする趣旨のことを、私も、二〇〇六年の第一次政権成立時にも、二〇一二年の、よもやの第二次政権成立以降の七年間有余も言い続けてきた。無念にも力及ばず、そのあいだに、この政権の下でさまざまな分野においてどれほどの制度的改悪が行なわれてきたことか。肝心なことは放擲し、私たちから見れば「不要不急」のこと――「戦後レジームからの脱却」なるスローガンを掲げてきた安倍からすれば本丸のこと――の実現に力を注いできたのが、この政権の一貫した本質だった。にもかかわらず、私たちはこの政権を倒すことができなかった。自分たちの不甲斐なさを思う気持ちが、この問わたしには強かった。彼らからすれば、この水準の「政治」で自分たちは権力の座を持ち堪えることができることを学び、自信を深めたのである。

これだけの悪行を積み重ねても打倒されなかった現政権が、コロナ対策に限っては、突然変異のように、ことごとく「善政」を行なうはずがない、というのが私の見立てだった。マスク二枚の配布（五月一〇日現在、私にはまだ届かない）にしても、一〇万円の緩慢なる「給付」にしても、この程度のことを「施してやれば」大衆はコロッと「満足してくれる」とばかりに、私たちは見くびられているのだと考えるほうがよい。前者の措置を首相に囁いたという側近秘書官の物言いなどを聞くにつけても、私たちを「見くびる」態度は、政権首脳ばかりか官僚にまで及んでいることが分かる。もちろん、コロナ対策上「要請」されている「自粛」措置で、社会・経済的に困難な状況を強いられている場からは、当然にも抗議の声が挙っている。挙げ続けて、いささかなりとも「政策転換」を図らせることが重要なことは言を俟たない。

同時に、繰り返し言うが、「コロナ以前」の「安倍政治」が、決してよいものだったわけではない。それを「許して」きたことが、直線的に現在に繋がっているという視点を手放すけにはいかないはずだ。この視点は、世界全体に広げて持つべきものだと思う。今回のコロナ禍が、思いもかけない広がりと深さで世界を「転倒」させたことは事実だ。だが、すべてをコロナ禍のせいにしては、私たちは間違うだろう。「コロナ禍」以前の世界だって、手放しで喜ぶことができるような、調和と平和に満ちていたわけではない。むしろ、敵対と分断を煽る社会・政治の在り方が、すでに世界に亀裂をもたらしていた。

問題の所在に、いつ、どこで気づき、その克服のための努力をしてきたか。社会の基層を形づくる私たちに問われるのは、常にこのことだ。■

五月一二日（火）

朝日新聞夕刊に、日系ブラジル人二世でニューヨーク在住の画家・大岩オスカールの記事（大西若人記者）。三月半ば以降マンハッタン島のマンションにほぼ閉じこもり、大型のタブレットで、黒一色の絵画を「デジタルドローイング」と題して制作し、ウェブサイトで発表。→http://oscaroiwastudio.com/（←最終アクセス　2021/04/27）

「僕の窓からの眺め　ニューヨーク」は「自分のことしか考えない」トランプ大統領への風刺が強烈だ。「各国は自国を守るために税金を軍隊に投じてきたが、戦争と同じくらい人が亡くなっても、医療設備やマスクが足らない。税金の使い方を変え、国の概念を超えた制度や医療機関が必要なのではないか」と的確。かなり以前の東京での個展でお会いしたことがある。現代企画室から、作品集『ART&ist』（二〇〇〇年）と『大岩オスカール　グローバリゼイション時代の絵画』（二〇〇八年）が発行されている。

毎日新聞夕刊の「コロナ自粛　動物に異変」も面白い。繁華街で生ゴミや残飯にありつく機会を失ったネズミが人目につく路上にまで現れるようになったとか、広島県竹原市の大久野島には放し飼いのウサギが多くいるが（戦争中、毒ガスを製造していたこの島には、数年前広島へ行ったとき、中山夫妻に案内されて行った）、観光客の激減で餌不足に陥っているとか、奈良公園のシカは、「鹿せんべい」を与える観光客が来ないから主食の芝や落ち葉しか食べないので健康を取り戻したとか。動物や鳥たちにも、コロナ感染の下でのそれぞれの物語がある。

一週間ほど前、沖縄に住む友人、ダグラス・ラミス氏からメールあり、最近書いたという文章が添付されていて、感想を乞われていた。「日米安保六〇年」特集の『ジャーナリズム』誌（朝日新聞社）五月号に載ったもので、『憲法と安保　異なる「押しつけ」の構図、双方を支持する矛盾　その背後にある背景は』と題されている。彼らしい委曲を尽くした安保論。共感するところ多い。とりわけ、憲法九条が大事だと思うひとが、同時に日米安保を肯定的に捉える傾向が増しているという指摘と、それへの違和感に関しては！　短い感想を送り、同時に、私が昨年書いた文章でラミス氏のことに触れながら送らず仕舞いにしてあったことを思い出し、お詫び方がた以下の文章を送った。これは、「非核市民宣言運動・ヨコスカ」と「ヨコスカ平和船団」が二〇一九年九月に刊行したパンフレット『米海軍横須賀基地兵士アンケートを読む——私たちの「ともだち作戦」』に寄稿したものだ。

軍隊のない、戦争のない未来世界の視点から——米軍兵士アンケートの「背後」を読む

私がときどき焼酎や日本酒を買う地元の酒屋さんのモットーは「★あせらず★あわてず★あ

きらめず★あくせくせずに★あてにせず」である。角打ちコーナーがあるので、毎日のようにメールで、「今日入荷した酒と用意するおつまみ」の案内がくる。メールの末尾にいつも付いてくるこの文言を読むたびに、私にはそれが「非核市民宣言運動・ヨコスカ」のモットーのように思える。自らの立ち位置をしっかりと定めて右往左往せず、他人の力を当てにせずに、悠然と(?)わが道を行く……とでもいうような。

同運動が二〇一六年から一八年にかけて一一日間かけて行なった「米海軍横須賀基地兵士アンケート」と題する『私たちの「ともだち作戦」』の暫定報告書を読んだ。「軍隊には反対でも、働いている兵士は同じ街に住む〈ともだち〉だ」という気持ちにあふれた「作戦」で、私が勝手に、この運動のモットーと推定した精神がここでも貫かれていると思える。一一二人の兵士がアンケートに答えたという。兵士の年齢・性別・出身地・所属機関・入隊の動機・仕事の内容などの統計を見ても、私のような外部の者が言えることは少ない。「横須賀市民にひとこと」の項目で、兵士の心の襞に辛うじて触れたか、と思えるくらいだ。私に言えることは、これら現役の若い兵士の背後に浮かび上がってくる、幾人もの米国の元兵士たちについての思いだ。

まず、Veterans for Peace(平和を求める元軍人の会)の人びとがいる。米国が行なってきて、自らも兵士としてどこかで参画させられてきた戦争の本質に気づいた元兵士たちの組織である。来日ツアーを企画しては、横須賀、広島、長崎などを回り、自らの戦争体験に基づく反戦・平和の活動を行なっている。辺野古では新基地建設に抗議する座り込み活動にも参加している。現在沖縄に住む友人、ダグラス・ラミスが、この元兵士の運動に参加しているのは、一九三六年生まれの彼が一九六〇年には海兵隊員として沖縄に駐留したからだろう。翌六一年には除隊したが、その後の彼の長年にわたる反戦・平和活動は、兵士としての経験に基づく貴重な証言によって裏打ちされている。本土が戦場になった経験を持たず、常に海外を戦場とした戦争を続けている米国に「戦争が帰ってくる」という彼の分析は核心を突いている。戦場での経験からPTSD（心的外傷後ストレス障害）に苦しむ元兵士が、帰国後に引き起こす家庭内暴力や銃の乱射事件などは、「帰ってきた戦争」そのものだからだ。

国際政治学者、チャルマーズ・ジョンソンは『アメリカ帝国への報復』（集英社、二〇〇〇年）や『帝国解体――アメリカ最後の選択』（岩波書店、二〇一二年）などの著作を通して、「軍事基地帝国」を維持することに憑りつかれている米国の政策に対する厳しい批判者であった。一九三一年生まれの彼（二〇一〇年逝去）は、一九五〇年に始まる朝鮮戦争に従軍した。彼は戦車上陸用舟艇LST八八三に乗り、中国義勇軍捕虜を北朝鮮側に運ぶ作戦にも従事した。この舟艇に乗って横須賀に停泊したことから、日本への関心を深めた。除隊後、彼は中国・日本などのアジア研究者となるが、その原点にあるのも、すでに見たように、兵士としての朝鮮戦争体験なのだろう。

私が随時参照するアメリカ史は、ハワード・ジンの『民衆のアメリカ史』全三巻（TBSブリタニカ、一九九三年）と『学校では教えてくれない本当のアメリカの歴史』全二巻（あすなろ書房、二〇〇九年）である。ジンの名は、一九六〇年代の公民権運動やベトナム反戦運動の重要な担い手として、早くから知っていた。その後彼の本を読むようになって、一九二二年生まれの彼は第二次世界大戦に従軍し、「優秀な」空軍爆撃手として働いたことを知った。革新的な歴史家の若いころの素顔に、私は心底驚いた。

こうして私ひとりの体験に即して振り返ってみても、アメリカ帝国内部から聞こえてくる強力な反戦・平和の声を発しているのは、元兵士たちなのである。軍隊内でどれほど「アメリカ・ファースト」の価値観や米国が行なう戦争の「絶対的な正義」を叩き込まれようとも、現実の戦場で行なわれた自国軍の殺戮行為・無差別爆撃・焦土作戦などのむごさと傲慢さに、市井の一庶民に戻った元兵士たちの心が疼いたのだろう。

「非核宣言市民運動・ヨコスカ」の人びとが行なってきている月例デモ、米兵士アンケート、米基地ゲート前での英語によるスピーチなどが〈持ち得る〉意味合い＝可能性は、ここでこそ明らかになる。

もうひとつの視点からも、この問題を考えてみよう。私は韓国の作家、黄晳暎と同年生まれである。一九六〇年代後半、当時の韓国の朴正熙軍事政権は、米国との同盟関係を強固なものにするためにその要請に応えて、ベトナムへ韓国軍を派兵した。徴兵制度の下で、若き黄晳暎もベトナムへ派遣された。その後作家となった黄晳暎は、例えば『駱駝の目玉』のような短篇（中上健次編『韓国現代短篇小説』、新潮社、一九八五年）や『武器の影』（岩波書店、一九八九年）のような長編で、自らのベトナム戦争体験を、こころに迫る形で描いた。私はかつて、黄晳暎論を書いたが、そのとき心に留めたのは、同じ東アジア地域に生きていながら、同世代の人間の中には、国によっては徴兵されて侵略兵としてベトナムへ派遣された者もいれば、他方、徴兵制はなく、ましてや軍隊不保持と戦争放棄を定めた憲法に守られて、海外へ派兵されるどころか、軍隊への入隊そのものを強いられることのなかった私たちもいるという、存在形態の〈差異〉を重視することだった。もちろん、後者の場合にあっては、憲法九条の本源的な精神に相反することに、日米安保条約の下で日本各地に米軍基地が存在し、そこからベトナムを爆撃する戦闘機が絶え間なく飛び立っていたことから、日本は明らかにベトナム侵略に加担していた事実を忘れることなく。「非核宣言市民運動・ヨコスカ」には「高い理想を掲げない」というモットーもあるようだ。足元の地道な実践を大事にしたいという戒めだろう。でも、「私には夢がある」と敢えて言いたい。「ひとを殺す兵士という仕事が地球上から消えてしまう日を夢見るという夢」が……。それは、軍隊のない世界、したがって戦争のない世界、ということである。人びとは誰でも、他人を活かし、自分を活かす仕事に就くということである。この夢は、結局のところ、幸いなことに兵士になることを強いられることなく育つ人びとと、一時にせよ兵士として生きざるを得なかった辛い経験を通して「戦争を拒否せよ！」の意志を固めた元軍人たちとの協働作業の果てに実現されるものなのだろう。いまだ見ることのできないその協働作業を、横須賀の人びとは米海軍横須賀基地の兵士たちに呼びかけているのだ。人類史のどこかの時点で、それが実現されるだろうという夢を、私は手放したくない。■

これも一週間ほど前、独立系の映画を主に配給しているムヴィオラの武井みゆきさんから、このコロナ禍で苦闘する小さな配給会社を激励・支援するためにキャンペーン計画中とのメールあり。ムヴィオラは、ウカマウ集団作品上映の時も協力してくれているし、一時期は何よりもイランのモフセン・マフマルバフの作品の紹介に力を入れていた。二〇〇一年夏、いまはなき千石の「三百人劇場」で、マフマルバフの新作『カンダハール』の試写を観たとき、彼から興味深いテキストが届いたという話を聞いた。それは、「9・11」後の緊迫した情勢の中で、『アフガニスタンの仏像は破壊されたのではない　恥辱のあまり崩れ落ちたのだ』（現代企画室、二〇〇一年）と題する単行本となった。ペルシャ語原文を渡部良子さん、英語訳を武井さんが担当し、突貫工事で仕上げた一冊だ。同年一一月、『カンダハール』が上映される東京国際映画祭会場に、刷り上がったばかりの同書一〇〇冊を持ち込んでロビーで売った。全冊捌けたが、居合わせたかの怪優・天本英世氏が寄ってきて、本を手に取りながら、アフガニスタン爆撃を開始していた米国の横暴ぶりを厳しく批判していた姿と言葉が忘れられない。

ところで、武井さんはミニ配給会社応援キャンペーンを始めるので、ボリビアのホルヘ・サンヒネスに動画メッセージ送ってもらってほしいとのこと。早速ホルヘに依頼したが、彼曰く「現代技術には不慣れ。自分ではできない。ラパスから離れていて、いつも手助けしてくれる知人もいない。」と。彼の地の外出制限も厳しいようだ。

きょうのフェイスブックに以下を投稿した。——きのう、スペインのエル・パイース紙のツイッターに掲げられていた一枚の写真に目を吸い寄せられた。一九三六年、スペイン内戦が始まってまもなく、ファシストに対峙する共和国派の兵士たちがマジョルカ島を奪還するために、この島に上陸した瞬間を捉えたもののようだ。

内戦に共和国側で参加したものの、いまに至るまで最後の姿が杳として知れない祖父の記録を探していた孫が、ようやくたどり着いたものらしい。この写真が残っていたのは、カタルーニャ州政府「民主主義の記憶」プロジェクトの文書庫。

記事中に、人物名、アルベルト・バーヨ Alberto Bayo あり。マジョルカ島上陸作戦を指揮したとある。バーヨは、一八九二年キューバ・カマグエイ州生まれ。キューバ民衆によるスペインからの独立戦争が高揚する直前の生まれだ。一九一〇年代からスペインへ行き、そこで軍人としてはたらく。北アフリカ、モロッコでの対ムーア人の戦争にも参加したが、ムーア人の小部隊ゲリラ戦にスペイン軍が大いに悩まされたことから、その後の彼独自の「ゲリラ戦争論」が生まれた。スペイン内戦では、前述のように、ファシズム勢力と対峙。しかし、共和国派が敗れたためにメキシコへ亡命。一九四二年以降、メキシコに暮らした。一九五〇年代半ば、キューバから亡命したフィデル・カストロ、たどり着いたメキシコでカストロらに出会いキューバへの反攻作戦に参加すると決めたチェ・ゲバラらに、メキシコ市郊外の農場でゲリラ戦の訓練を施した。グランマ号に乗船した者たちはほとんど全員がバーヨの下で訓練を積んだ。革命の勝利後はキューバ革命軍に入り、晩年はキューバに暮らした。

レボルト社から一九六九年に刊行した「世界革命運動情報」一六号は、バーヨの『ゲリラ戦教程』を全訳・紹介した。当時はガサ入れのたびに、事務所でも自宅でも、必ずこの号が一冊は押収された。かくして、半世紀以上も前のことが重層的に思い出される一枚の写真だ。

https://elpais.com/…/el-rastro-del-abuelo-miliciano-que-fue…（←最終アクセス　2021/04/27）

時空ともに、いささかかけ離れた話題かと思ったが、バーヨが登場することもあって、記録しておきたかった。それにしては、アクセス数も反響もそれなりに（予想外に）あって、驚いた。

米国カジノ大手のラスベガス・サンズのアデルソン最高経営責任者（ＣＥＯ）が、日本進出から撤退すると声明。もちろん、コロナの感染拡大でカジノが打撃を受けたため。カジノを含む統合型リゾート施設（ＩＲ）の整備計画を推進してきた安倍政権にとっても、誘致を狙う横浜市や大阪府・市にとっても、手痛い打撃だろう。結構なことだ。

五月一三日（水）

コロナウイルスの世界的な流行の危機について考えるとき、アフリカをはじめとする、医療資源に乏しい貧しい途上国が抱える危機的な状況が、当初から真っ先に頭に浮かんだ。同じ思いで書かれた新聞記事も、この間、いくつも目にした。でも、今朝のＮＨＫ・ＢＳ「ワールド・ニュース」によると、アフリカ諸国ではコロナ対策での苦闘が続いているものの、現状では予想されたほどの感染規模にはなっていない。それは、従来から頻繁に感染症の流行に見舞われていることから、対策が迅速に立てられるからだという。いわば、経験に学ぶ実践例ということか。今後もそうあってほしいものだ。

五月一四日（木）

福島の蜂蜜屋から、ヤマザクラの香りの蜂蜜が届く。これは注文品。一五年か二〇年近く前、現代企画室にいた私に読者から電話があった。かなりの高齢者で、かつて、いいだもも氏などと政治活動を共にされた方という。いまは高齢者施設に入っていて、読書三昧の日々の由。私の本も読んでいて、その感想を訊いたり質問に答えたり。最後に「あなたは難しいことを考えて、文章にも書いて、頭が疲れることだろう。福島の甥っ子が蜂蜜やをやっているから、少し送らせる。うまいから、それを舐めて、頭を休ませてください。」と言われた。間もなく、本当に瓶詰めの蜂蜜が届いた。ヤマザクラの香りがする、それはおいしい蜂蜜だった。まとめ買いして友人・知人に配ったり、代わって売ってあげたりもした。二〇一一年の原発事故の後には、放射能測定を行なったうえで安全を確認して販売中との連絡も受けた。当方も年を取り、注文の頻度は間遠《まどお》になってきたので、今回は久しぶりのこと。蓋の開け立てにそこはかとなく漂うヤマザクラの香りは健在。

読者からの贈り物と言えば、こんな方もいる。チェ・ゲバラの大ファンで、あらゆる関連書を読み、おそらく「ついでに」私の本も読んでくれているという女性。鰹を一匹、発泡スチロールの箱に入れてよく送ってくれた。氷がほとんど溶けたビニール袋の中に入っている鰹の口ばしには、さらにポリ袋に入れた一万円札がくくりつけられている。これは、当方から送った書籍の代金。なかなか見られぬシュールな光景だった。

五月一五日(金)

韓国の映画監督、キム・ミレさんから、彼女の新作ドキュメンタリー『東アジア反日武装戦線』の韓国上映の日程が具体化しそうだという。ついては、マスコミ用試写会を行なうから、私が韓国へ行き、取材を受けてほしいとのこと。折りからのコロナウイルス流行から、両国ともに出入国制限を行なっており、入国後もＰＣＲ検査や結果が判明するまでに隔離措置など、さまざまな障害があるので、事態の推移を見ながらでないと確たる判断はできないと返事。今後も密に連絡を取り合うことに。

キム監督らは、もう何年もかけて何度も来日しては、取材と撮影を続けてきた。一九七〇年代前半この社会に出現した反体制武装闘争を担った同戦線の活動を、刑期を終えて社会生活を営む元メンバーや救援活動でその周辺にいる人びとへのインタビューで振り返った作品だ。私もインタビューを受けている。この作品は、日本でも太秦が配給することを決めており、契約済み。去る二月に完成、日本でも今年六月以降のできるだけ早い時期に上映の予定だった。だが、このコロナ禍で、配給会社もミニシアターも、三月以降の上映スケジュールに狂いが生じ、いまは見通しが立たない。それでも、韓国上映が具体化しつつあるのはよいことだ。

キム・ミレ監督には、従来『NoGaDa（土方）』(二〇〇五年)『Weabak：外泊』(二〇〇九年)などのドキュメンタリー作品があり、日本でも狭い範囲ではあったが自主上映されてきた。『Weabak：外泊』に関する小冊子『外泊外伝』は現代企画室から刊行された(外泊外伝編集委員会＝編、二〇一一年)。三作を通しで見ると、社会と歴史を見つめる彼女の視点には一貫したものがあって、揺るがない。

唐澤が作った燻製(サバ、ホッケ、アジ)や梅干(二〇一七年製)、山椒味噌、即席漬けなどを「コロナお見舞い」として、ひとり住まいの兄や幾人かの友人に送る。燻製は、一品持ち寄りの会合によく持っていく。自家製というとみんなが驚くが、燻す構造は至極簡単だ。ブリキ製の菓子箱でガスコンロの大きさに見合うものを二つ(これは、近所の介護センターからわけてもらう。高さは一五センチくらい）用意。ガス台に置き、底にチップ。網を渡して、その上に素材（アジ、ホッケ、サバ、シシャモなどの干物、あるいはチーズなど）を並べて、もう一つの缶で蓋をして、燻すこと二〇分から三〇分間。それで出来上がり。

五月一六日（土）

今日はフェイスブックに以下のことを書いた。――ひどい政治・社会状況が七年も八年も続くと、時に知らずして、論理と倫理の基準が歪み、緩む。

或るひとの死を悼むのはよいが、故・岡本行夫氏について、『森友学園をめぐる財務省の公文書改ざん事件では、「不利なものを改ざん、無いことにするなどあり得ない」と役人を喝破した』ことが、故人が持っていた「歯に衣着せぬ権力批判の痛快」さの証し（五月一二日付け毎日新聞、大治朋子専門記者）とされるのは、どうか。同じような趣旨の追悼の言葉を、随所で見聞きした。

「公文書の改ざんがあり得ない」ことは当たり前。こんな当たり前のことを、元外務官僚が口にしたからといって、それをもって「役人を喝破」とか「歯に衣着せぬ権力批判」と大仰に表現するのは、崩壊し続ける政治・社会の中に生きてゆくうちに、あるべき論理と倫理の根拠地が掘り崩されていたことを意味しないか。表現した個人（記者）に留めるべき問題ではない、おそらく自分も含めた社会全体の崩壊状況がそこには映し出されているのだ。

検察庁法改定案について、元検事総長ら検察ＯＢ一四人の意見書が、きのうから話題になっている。その趣旨はよいが、従来の「検察＝正義」という公式を信じていない者は、別な感慨を合わせ持ってもよいだろう。冤罪に苦しめられてきた（きている）人びとはとりわけ。

ともかく、首相や政権と言えば、現在の首相や財務相や官房長官をしか知らない子どもが、すでにして小学校を終えたのだ。子どもたちが抱く「政治」「政治家」のイメージの貧相さを思い、不甲斐ない大人の心は塞ぐ。

去る五月一五日の東京新聞夕刊に、写真家の板垣真理子さんが寄稿、「ウイルス禍と文化」シリーズに「医療先進国キューバの光と影」。八〇年代〜九〇年代に開かれた（私たち「キューバ・ネット」が開いた場合も多かった）キューバ関連の集会・講演会ではよく会ったが、今はキューバにいるようだ。私が五月一日に「反天連ユース」で触れた、キューバにおいてインターフェロンアルファ2bが開発されたこと、今年一月段階でいち早く中国に派遣されたキューバの医療チームがこれを持参し大きな効果を得たこと、米国はキューバに医薬品や人工呼吸器が届かないようさまざまな悪辣な手段を取り続けていることなどを板垣さんは語っている。日本でのワクチン報道は、欧米の大製薬企業および日本の企業の開発状況に偏していて、まっとうな世界性を欠いている。

五月一八日（月）

三月末、コロナウイルスに罹って芸人・志村けんが亡くなった。この人の「芸」をほとんど見たことがなかった私は、追悼報道の大きさに驚いた。この日記にも、彼が亡くなったことにだけは触れた。山田洋次監督も、準備中の次回作『キネマの神様』の主役を演じる予定だった志村の死を悼む痛切なコメントを寄せていた。その後、テレビでは志村けん追悼番組があって、彼が演じるコントをいくつか見る機会があった。なかなか面白かった。数日前、『キネマの神様』には志村けんに代わって沢田研二が出演することになったというニュースが流れた。はて？ と訝しく思っていたが、ユーチューブにはさっそく、かつてふたりが演じたというコントがいくつもアップされた。主に一九七〇年代に演じられたもののようだ。おかしい。とりわけ「鏡」と題する演目は。猫がよく、鏡に映るおのれ自身に向かってさまざまな身動きをして見せることがあるが、その応用。ガラスのこちら側ではジュリーばりの服装で身を固めた志村が動くと、ガラスの向こう側では同じ服装をした沢田が、志村と同じく動き、同じ表情をつくる。こうして、ふたりは同一人物であるかのように、鏡（ガラス）の中で重なり合う。芸人としての志村の力量と、こんな喜劇を演じてもさまになる沢田のスター性とタレント性を感じる。

デビュー五〇周年を記念する沢田のコンサートへ行ったのは、もう二年ほど前か。私のフェイスブックでは、数年に一回くらいか、彼が歌う、ボリス・ヴィアンの曲『脱走兵』を紹介している。この曲を知らないひとも多いらしく、いつも反響が大きい。ヴィアンのこの曲は、去る二月の死刑映画週間の講演で触れたロベール・ブレッソンの映画『抵抗』と同じ時代に作られたが、ベトナムとアルジェリアに対するフランス植民地主義の支配が打倒された、あるいは揺らいでいた一九五〇年代の息吹きを伝えている。

https://www.youtube.com/watch?v=wkn8mbTju7U（←最終アクセス　2021/04/27）

五月一九日（火）

長野は木曾の親戚から、山菜が届く。フキ、コシアブラ、ワラビ、山ウド、ウドの芽、ヨメナ、手作りの山葵漬けなど。麹やの甘酒も。

五月二〇日（水）

きょうの共同通信配信――新型コロナウイルスの影響で困窮する学生らに最大二〇万円の現金を給付する支援策を巡り、文部科学省が外国人留学生に限って成績上位三割程度のみとする要件を設け、大学などへ伝えたことが、同省への取材で分かった。アルバイト収入の減少などは日本人学生らと同じ状況にありながら、学業や生活を支える支給に差をつける形となり、論議を呼びそうだとの報道。文科省は「いずれ母国に帰る留学生が多い中、日本に将来貢献するような有為な人材に限る要件を定めた」と説明。対象者の審査は各大学などが行うため、同省が示した要件を満たさない学生らでも給付対象になる可能性はあるとしている。

死刑廃止フォーラムの友人から「コロナ騒動の中で、Ｚｏｏｍで会議だとか騒いでいるうちにＺｏｏｍで判決が出る時代になった」と、以下のメールが届く。

「裁判官、Ｚｏｏｍで死刑宣告　外出制限中のシンガポールで遠隔裁判」

新型コロナウイルス感染防止のため外出制限が続くシンガポールで、薬物取引事件の被告が、オンライン会議システムを通じて死刑を宣告された。同国の最高裁判所によると、リモート（遠隔）裁判で被告に死刑が宣告されるのはこれが初めてだという。

一五日の一審の公判で死刑を宣告されたのは、三七歳のマレーシア人男性。二〇一一年に実行役の男性二人が手がけたヘロインの違法取引を主導したとして、一六年に逮捕されていた。シンガポールでは麻薬犯罪に対する刑罰が厳しく、実行役の二人についてもすでに死刑と終身刑が宣告されている。シンガポールでは四月七日か六月一日までの予定で、大半のオフィスを閉鎖する大規模な外出制限を続けている。刑務所でも四月七日から外来者の訪問を中止し、入所者の出廷が必要な場合も、できる限りオンライン会議システムを使ってきたという。ロイター通信は、被告側の弁護人の話として刑務所内にいた被告への死刑判決言い渡しには「Ｚｏｏｍ」が使われたと報じた。最高裁の担当者は「新型コロナの感染拡大を防ぐ政策に歩調を合わせ、刑事裁判も含めリモートでの裁判を進めている。今回の裁判も、関係者全員の安全のため、ビデオ会議システムを使って実施した」と説明している。

国際人権団体などからは「非人道的だ」と反撥する声が上がっている。アムネスティ・インターナショナルは「Ｚｏｏｍでも対面でも、死刑は残酷で非人道的。コロナで世界が人の命を守ることに集中している時に死刑など、とんでもない」とのコメントを出した。

さかのぼれば、五月八日には、以下の報道もあった。

「Ｚｏｏｍ裁判」で死刑言い渡し、人権団体が批判　ナイジェリア

ラゴス（ＣＮＮ）アフリカ西部ナイジェリアの首都ラゴスで、殺人罪に問われた男がビデオ会議サービスの「Ｚｏｏｍ（ズーム）」を使った裁判で死刑を宣告された。これに対して人権団体からは、非人道的だとして批判する声が出ている。

司法省によると、オラレカン・ハミード被告は二〇一八年に母親の雇用主を殺害した罪に問われ、四日にラゴスの裁判所で開かれた公判で有罪を言い渡されて、絞首刑による死刑を宣告された。ハミード被告はＺｏｏｍを通じて出廷し、判決を言い渡された。弁護側も検察側もＺｏｏｍ経由で弁論を行った。ハミード被告は起訴内容を否認しており、拘置所で拘置されている。裁判所は新型コロナウイルス対策のため他人との距離を置くソーシャル・ディスタンシング規定に従って、Ｚｏｏｍ経由で公判を開いていた。

これに対し、国際人権団体のアムネスティ・インターナショナルはＺｏｏｍを使った死刑判決の言い渡しを批判、四日の公判は延期することもできたはずだと指摘した。

司法省もラゴスの司法当局も、こうした批判についてのコメントは避けている。

アムネスティ・インターナショナルによると、ナイジェリアの死刑囚は約三〇〇〇人。死刑を執行するためにはそれぞれの州が承認する必要がある。しかしここ数年は承認を手控えている州もあるといい、アムネスティはナイジェリアに対して死刑の廃止を求めている。

五月二一日（木）

近所の人の車で、唐澤と三人で、川崎市の整体道場へ。往復ともに四〇分程度かかった。

私には、整体の「真髄」はまだわからないが、受けてみて気持ち悪くはなく、身体になじんできたので、ここ一〇年ほど月一回程度の頻度で受けている。八〇歳を超えている整体師は、コロナ対策の技を獲得し得た、と意気軒高だ。他の人の治療中に、整体師のお孫さんが弁当を届けに来て、「おばあちゃん」と声をかけていたが気づかなかったようだ。その集中度の高さには驚く。確かに耳は少し遠くなっているが、孫の姿が目に入らなかったのだから。

私は三〇年から四〇年前には、気の合った鍼灸師の鍼治療をときどき受けていた。これも、私の身体には合っていた。鍼灸も整体も、我が身に直に触れられる治療方法だけに、相性は大事だ。

ところで、そのきっかけは一九七九年中米ニカラグアで起きたサンディニスタ革命だった。三〇年代から続いた親米独裁体制を打倒したこの革命に、なぜだったか幾人かの日本人鍼灸師が共感を覚えた。貧しく、医療手段に乏しい現地に赴く鍼灸師や「ニカラグアに鍼を送る会」という形で後方支援に従事する活動が続いた。現地へ行った一人が、友人・井上真で、彼はニカラグア現地で行なった医療活動の成果と今後の展望を『戦争と鍼灸――ニカラグアのいのちの革命』（現代企画室、一九八八年）に著した。彼の活動を支援していた鍼灸師に、私はときどき鍼を打ってもらっていたのだ。日ごろは病院にも薬にも縁遠い日々を送っている私だが、こうして、〈東洋医学系〉には近しいものを感じる。

帰宅すると、厚生労働省からマスクが二枚届いていた。数日前に届いたという姉は、仏壇に供えてチーンと鳴らしておいたと、皮肉たっぷりハガキに書いてきていた。官房長官が、日本は戸別配達の優れた郵便制度を持つことを自慢げに言い、これを利用して迅速に配布すると述べてから五〇日後のことである。そして、全国的に見れば、未配達のところが多いという。

きょうも、唐澤がここ数日来作っていた魚の燻製を、近所の介護センターのスタッフなど幾人かの人びとに配る。

五月二二日（金）曇り

きょうのフェイスブックに、差し当たって、次のように書いた——夕べひと晩、親（今は亡き）・兄姉・現在の家族・親戚・隣人・友人・知人・幼馴染・仕事上の付き合いのある人・同志、そして己——さまざまなひとのことをできる限り思い浮かべた。そこに、黒川某・佐川某・加計某・安倍某・菅某・麻生某・園児たちに教育勅語を暗唱させていた、安倍に裏切られる以前の籠池夫妻など、権力中枢にゴロゴロいる人びとに成り代わり得る可能性をもつひとは、見当たらない（と思えた）。

「余人をもって代えがたい」ひとが、あの中枢部には蝟集していることを、実感した。

だが、この言い方は、おそらく適切ではない。この社会を形成するひとり一人の在り方こそが、心底愚劣で、許しがたいこの政権が一度ならず二度までも成立し、しかも二度目はすでに七年有余ものあいだ存続する状況を支えているのだ。

批判の刃は、差し当たってはもちろん、権力中枢へ向けるべきだろうが、同時に、自己批評・自己批判なくしては、それは十分な力を発揮し得ないことをこころに留めておきたいと私は思った——と。

東京高検検事長・黒川某は、賭け麻雀の件で引責辞職した。佐川氏や黒川氏は、〈真正なる〉回顧録でも書いて、自らの人生の〈空疎さ〉にケリをつけるべきだろう。それにしても、この連中は、いったい、どんな顔をして、街を歩いているのだろう？

しんぶん赤旗に、石子順が「ドラえもん」連載開始（一九七〇年一月号から『小学四年生』など六誌で年齢層に合わせて同時連載が始まった）から五〇年という一文を書いている。私は、年齢的にいって、この漫画それ自体にしてもテレビ化された番組にしても、親しんだ世代ではないが、〈表面的には〉それとなく、この漫画の中身はわかったつもりでいたが、ダメな「野比のび太」を主人公に据えたこの漫画の奥行きの深さと広がりは、想像以上のもののようだ。もう五、六年も前か、幼い孫が「アンパンマン」に親しんでいた時にも、やなせたかしの世界に目を開かれる思いがした。

五月二三日（土）

きょうのフェイスブックに書いたこと——きのうの投稿に関して、「なんか難しいので、明日の朝考えてみます」との応答をいただきました。言葉を代えて、表現してみます。手にした権力に溺れる／権力者に阿る、あるいは自発的に隷従する——それは、自己対象化の契機を持たなければ誰にでも起こり得ることなので、自分自身も周辺の近しい人たちも、よき初心を持つからといって、先験的に「正しい」わけではない。ボリシェヴィズムとナチズムが同時代的に「共存」し得た二〇世紀の歴史を教訓としたいという意図です。黒川某的なものも安倍某的なものも、「あちら側」にのみあるわけではなく、私たちだっていつそれに取り込まれるか、わからない。そのことの自戒です。この、卑しい、軽蔑にしか値しない政権を七年有余も倒せていないという事実は、上に述べたような内省へと、私たちを導くのだと考えるのです。——と。

きょうは、出張してくれる整体師を迎え入れる当番日。私たちは一昨日道場へ行ったので、パス。近所の介護センター・スタッフをはじめ親しくしている近隣の人たち七人が来宅。一〇：三〇～一七：三〇。唐澤は、醤油入りマーマレードにしばらく浸した鶏肉の燻製を作り、みんなに配る。

五月二四日（日）

本橋哲也氏から、翻訳書、レベッカ・ウィーバー＝ハイタワーの『帝国の島々――漂着者、食人種、征服幻想』（法政大学出版局、二〇二〇年）が届く。ひとりの人間が（多くの場合、男が）、或る島に漂着して始まる物語の世界には、ダニエル・デフォーの『ロビンソン・クルーソー』に典型的なように、ひとが子ども時代からよく馴染むものだ。この種の物語の背後に潜む植民地主義的にして帝国主義的な企図をあぶり出す、刺激的な書物のようだ。

近隣の友人から牛肉ステーキの差し入れあり。ステーキ店が休業に追い込まれているために、肉の卸売り業者がいろいろなところで安売りをしているらしい。その線から頼まれて職場でまとめ買いをして、その「おすそ分け」。ありがたくいただく。

五月二五日（月）

所沢に住む兄から、狭山の新茶が届く。最近は以前のようには緑茶を飲まなくなったが、やはり新茶は格別。

去る五月二一日、画家・菊畑茂久馬氏逝去（一九三五～二〇二〇）。二〇一一年、毎日芸術賞受賞。この年は作家の津島佑子さんも受賞されたので、私はその関係で授賞式とパーティに出席した。パーティ会場で、菊畑氏に声をかけ、自分が氏の作品から深い思いを受け取ってきたこと、著書『フジタよ眠れ』（葦書房、一九七八年）と『天皇の芸術』（フィルムアート社、一九七八年）にも感銘を受けたことを伝えた。思いがけない声がけだったかもしれないが、東京で未知の者が発したオマージュが、氏にとって不快なものではなかったことを信じたい。

五月二八日（火）

歯科医院へ、三ヵ月おきの定期検診に行く。本来は四月末だったが、延ばしてもらった。むかし職場があったころから通院していた縁で、神保町まで。問診票に身体状況を書き入れ、血液中酸素濃度と体温の検査を受けてから、受診。日々きれいに磨いていると言われる。歯磨き粉の匂いが嫌なので、ほぼ毎日、使うのは歯ブラシだけ。稀に塩も。励行しているのは、ベロ回しと歯茎のブラッシング。先日の新聞記事で、大阪歯科医師会が、感染症の流行で受診者がまったく来なくなり、歯科医はどこも大変と訴えているとあったので、久しぶりに行くことができてよかった。次回は三ヵ月後の八月末。この歯科医からは、歯の健康なるは身体全体に及ぶ、の鉄則を学んだ。唐澤も一時期この歯科医に診てもらっていたが、口内環境が同じ、同じものを食べていますね。脂ものはあまり食べていませんね、と言われて、その通りなのだが、びっくりしたことがあった。

五月二九日（金）

夜、駒込・東京琉球館で「太田昌国の世界」その六一回目。予約制で人数を制限し（一五人）開催。テーマは『「不要不急の」人間は、コロナ後の世界を、どう生きるか』。コロナ以前にあっても、世界も日本も、政治的・社会的に壊れていた。それを隠蔽し、すべてを「コロナのせい」にするのではない社会観・歴史観を持つことが必要だと強調。安倍政権の正体は、ますます露わになったが、それを批判するに罵詈雑言をもってする傾向はよくない。『ルイ・ボナパルトのブリュメール18日』を一九五一年に書き著したマルクスは、「第二版への序文」でこう書いている。「私は、中庸でグロテスクな一人物が主人公の役を演じることを可能にする事情と境遇を、フランスの階級闘争がいかに創出したか、ということを証明する。」（平凡社ライブラリー、植村邦彦＝訳、二〇〇八年）。つまり、ルイ・ボナパルトは、凡庸にして滑稽な人物だったにもかかわらず、男性普通選挙が実現した共和政下のフランスでクーデタを成功させたばかりでなく、国民投票で圧倒的な支持を得て独裁権力を確立した。それはなぜだったのか、をマルクスは分析する。それから遡ること三世紀、フランスのエティエンヌ・ド・ラ・ボエシ（一五三〇〜六三）は『自発的隷従論』を書いて、いつの世にもはびこる圧政は、民衆がそれに自発的に隷従するからこそ完成するという秘密を暴いた（ちくま学芸文庫、西谷修＝監修、山上浩嗣＝訳、二〇一三）。この二冊をモデルとするような、冷静かつ鋭利な批判的分析が必要だ。

追悼―松田政男とその時代

「週間読書人」五月二九日号は「追悼特集：松田政男とその時代」で、足立正生氏と私が、平沢剛氏を聞き手として話している。私が話した内容は以下の通り。

1――松田政男さんとの出会いは自立学校かと思いますが、レボルト社での協働も含めて、当時についてお話しいただけますか？

六〇年安保のラディカルな部分を引き継ぎながら、それとも異なった新しい思想的、実践的潮流を生み出し、その後の六九年を準備、予見したと言えるかと思っています。（太田竜については、『［極私的］60年代追憶』（インパクト出版会、二〇一四年）で書かれていると思いますが、松田さん版でお願いできればと。また、例えば、映画評論家として映画と共闘、具体的には大島、若松との作業をになった松田さんをレボルト社の方々はどのように見られていたか、などもすこし伺えればと思います）

太田　高校時代に読んだ吉本隆明の『抒情の論理』のあとがきに出ていた編集者の名前として、文字面での最初の記憶が残りました。私は一九六二年に大学に入り東京へ出たのですが、その年の秋、自立学校の開設を知り、早稲田の観音寺に通いました。事務局を担当していたのが松田さんと山口健二氏でした。その後もいろいろな講座や行動での断続的な付き合いがあり、一九六五年には、米国の北ベトナム爆撃が始まったので反戦活動や日韓条約反対闘争のために結成した「東京行動戦線」での一定の協働がありました。私は高校時代からソ連共産党の在り方を見て、党派活動はするまいと考えていたので、当時次々と結成されていた新左翼諸党派からも自立した、小さな行動集団を居場所にしました。だから、アナキズムに近しい松田さんや山口氏と波長が合ったのでしょうね。都内各大学の同じような傾向の仲間と学習会・集会・デモなどを企画し、松田さんから聞いたバブーフ論やブランキ論には大いに興奮したものです。松田さん、山口氏、太田竜氏など年長の世代の人びとがレボルト社を創設し、「世界革命運動情報」誌を刊行し始めたのが一九六七年。私はまだ学生だったが、高校時代から欧米中心の歴史観に飽き足らず第三世界に関心があったので、そこに視点を据えた同誌に注目して、学習会・編集会議・資料の読み込み・翻訳などで協働していました。翌年卒業したものの行き場所もなかったので、松田さんなどの勧めでレボルト社の専従になり、事務所に寝泊まりし始めました。無給だが家賃免除という「特典」付きです。学生時代の延長上で家庭教師をして暮らしていました。フリーターです。この事務所は、「失業革命家」になった松田さんの個人事務所も兼ねていたので、一九七〇年までの数年間はほぼ毎日、彼と顔を合わせていたはずです。「情報」誌の編集、チェ・ゲバラの死後一周年に出した論文集『国境を超える革命』の翻訳・編集作業の過程では、松田さんの編集技術を学びましたね。未來社と現代思潮社で鍛えた彼の編集の技は見事でした。原稿を指定字数ぴったりに収めるという技術も含めて。松田さんは若者への面倒見がよいから、映画関係誌での翻訳の仕事などを紹介してくれました。松田さんは次第に映画関連の仕事への比重が大きくなり、付き合っていた大島組や若松組、若かった足立正生氏の話がよく出るようになった。状況的には、全共闘による大学知識人の「専門性」への批判とも重なり、人間が生きる道としてはジャンルを固定化せずにクロスオーバーしていく過程の面白さを実感していたわけですから、見るだけだった映画の「創る側」の世界が垣間見えて、楽しかった。松田さんは一九七〇年に「映画批評」誌の編集長になり事務所も別に構えたので、その頃から日常的な接点は途切れ始めます。でも「映画批評」誌の編集方針は面白かったですね。執筆者もテーマも意外性に満ちていて、映画誌でこんな編集方法が可能なのか、と思わせるものがあった。松田さんは「世界革命運動情報」誌の編集過程で感受した世界観・歴史観上の、大げさに聞こえるかもしれないが「コペルニクス的転回」を、「映画批評」誌の編集方針に見事に生かしたと思います。

2――一九七三年にレボルト社を閉じて、太田さんはラテンアメリカに、松田さんは赤軍と距離を取りながらも、共同すべくパリに渡り強制送還され、その後はご本人が自嘲気味に言われているように「余生」としてプロの映画評論家になられていて、太田さんが帰国後に、ウマカウ集団の上映運動で出会い直しがあるわけですが、このあたりのお話しを伺えますか？

松田さんは、七〇年代後半から、若い世代の新しい自主映画運動を擁護し、大島―若松との政治的共闘とは異なった新たな映画運動の可能性を模索されていくわけですが、こうした潮流や人脈とウマカウ集団の上映運動はかなり近しいものであったと思われます。

太田　当時は松田さんとの付き合いは途絶えていたので、お互いに知らずして、出国していたのですね。松田さんが赤軍に関連する一件で、フランスから強制送還されたニュースはボリビアで知った。私はエクアドルで、ボリビア・ウカマウ集団（ホルヘ・サンヒネス監督）の映画と出会った。世界と歴史の見方に変更を迫るだけの迫力があった。ゲバラが死んだ国であり、先住民族を主体とした作品だから、先住民と出会い損ねて「人民の海」を創り出せなかったゲバラの失敗の根拠にも思いは及ぶ。ホルヘとも会って、日本での上映の可能性を追求することを約束して、『第一の敵』（一九七四年制作）の16ミリ・フィルムを託されて帰国した。フランス映画社の柴田駿氏に相談したが、政治色が強すぎて商業公開の可能性はないという。自主上映しかないと考え、松田さんら旧知の人びと十数人に観てもらったところ、反応は良い。いけるかなと思って、一九八〇年に字幕作り以降の作業をすべて自分たちでやった。「ぴあ」などの情報誌が勢いを増していた頃で、松田さんがいろいろな担当者を紹介してくれたので、どこにでも映画評が載った。ボリビアでのゲバラの死から一三年目だから、人びとの記憶も鮮明だった。ゲバラの闘いと敗北を彷彿させる映画だと聞いて、多くの人びとが詰めかけた。この初動の成功が、今まで四〇年間続く全作品自主上映・共同制作の道を切り開いたのです。松田さんは一貫して、個々の作品の映画評を通して、批判的な援助をしてくれた。彼のいう「運動の映画」に出会えたことで、松田さんの自嘲的な言葉を使えばその「余生」をいささかなりとも彩ったのでは、と勝手に思います。同じ八〇年には、鈴木清順監督の『ツィゴイネルワイゼン』上映のために巨大なテントを立てて興行した。「ぴあ」のフィルム・フェスティバルも八一年に始まりました。私たちに大いなる協力をしてくれた法大のシアター・ゼロのように、各大学には自主上映サークルがあった。いま全国各地にミニ・シアターを持っている自主映画愛好家の人たちも、借り小屋で自主上映企画に取り組んでいた。このように、通常の興行形態を離れた自立的な動きが多様な形であったことが、私たちには幸いしましたね。

他方、私は一九九一年のソ連崩壊以降、レボルト社の総括を改めてしなければ、と考えてきました。とりわけ、ゲバラの戦いと挫折をめぐっては、死後三〇年を迎えた一九九七年から幾冊もの書籍を出版し、私の考えも単行本や長文解説の形で公表してきました。それに関心を持った山口健二氏、松田さんとは何度か討論を重ねていたのですが、一九九九年の山口氏の死によって、未完に終り、残念です。私は二〇一八年には、ゲバラの孫のカネック・サンチェス

（一九七四〜二〇一五）が書いた、革命下に生きる青年の心象風景を文学的にスケッチした作品を『チェ・ゲバラの影の下で――孫・カネックのキューバ革命論』と題して刊行し、一五〇枚の長文解説を付しました（現代企画室）。祖父チェ・ゲバラの「重さ」に堪えかねて「ぐれ」、二〇歳でキューバを出奔したカネックは、「左翼」の立場からフィデル・カストロを「国家社会主義者」として批判するのです。独裁権力を憎むその立場は、差し当たってはアナキズムに接近します。そこには、一九五〇年代以降の山口氏や松田さんの、六〇〜七〇年代以降の私の「試行錯誤」を、世代を越えて重ね合わせて見る思いがします。私の解説も含めてこの書をふたりに読んでもらえたならば、六〇年代／ゲバラ／レボルト社をめぐる総括討論は、せめても豊かさを増したと思います。

3――松田さんの革命論について

太田さんは、レボルト社での議論を、サパティスタやシアトルージェノバ以降の運動のなかで捉え返されていて、また新左翼運動、さらには七〇年代に武装闘争にいたる赤軍や反日の問題点を批判的に検証されているわけですが、現在の太田さんのお考えのなかで、松田さんの革命論をどう位置づけられるでしょうか？

松田さんは、晩年まで当時の暴力革命論を一貫して譲らない姿勢だったと思いますが、そうしたご本人の態度は別として、現在のなかで問い直されるべきなのか、あるいはなんらかの可能性があると思われるか、伺えれば幸いです。

（私の方ですと、足立さんの再評価にともなって、松田さんたちの風景論についての再評価を国際的に進めてきました。「テロルの回路」にまとめられた暴力革命論を、七〇年代において新たな権力論、革命論として捉え返したものとして広めてきましたが、風景論という用語だけが流行っている傾向があり、その捉え方にも大きなバラつきが出てきた気がします。他方で、『テロルの回路』、での議論も、フランスの「来るべき蜂起」に代表される新しい蜂起論と近しい潮流のなかで、読み直されている傾向があります。）

太田　一九九一年のソ連崩壊以降はとりわけ、アナキズムを含めた広い意味での社会主義の理念と実践が再審に付されていると考えています。共産党に代表される旧左翼はもちろん、新左翼の革命論・権力論・世界と歴史の捉え方が、用いる用語・文体も含めて批判に曝されているのです。社会革命の企図が、多くの場合、善意に解釈される時代が続いていたのは、階級差・年齢差・性差・民族と国家の違いを超えて、対等・平等・水平・公正・共生・相互扶助・民主主義・連帯など人類に本源的に訴えかける志向性を帯びていたからです。（「続いていた」という時制の使い方には、残念ながら現在はそうではない、その条件は失われている、という意味を込めています）。いま世界を制覇し、現代資本主義の精神を体現している新自由主義の価値観と比較すれば、その違いが分かります。言うも愚かだが、現在の日本国首相の言葉遣いを思い出せば、そのことはいっそう歴然とします。だが、人類の歴史的な経験、とりわけ二〇世紀の一定期間、同時代的に実在したファシズムとボリシェヴィズムの共存体験から私たちは学ぶべきです。ハンナ・アーレントが言うように、この二つの体制は歴史的にも社会的にもこれ以上の相違はないほど異なった条件の下で成立していながら、結局はその支配形式ならびに諸制度はともに驚くべき類似性を示したことを教えているのです。その意味で、六〇年代に私たち自身が展開した「第三世界論」「帝国主義—植民地論」「暴力論」も、松田さん独自の「暴力革命論」も、半世紀後のいま、そのままで生き延びていることはあり得ないでしょう。ボリシェヴィズム批判の立場性を「反スターリン主義（反スターリニズム）」と一般的には表現していた「時代的制約」の中に、私たち自身もいたことは明らかですから。その点で触れておきたいのは、一九九四年に公然化したメキシコのサパティスタ運動への関心も、ゲバラの捉え返しの必然性も、私は松田さんとも山口氏とも共有していたということです。二〇世紀型社会革命の限界を知ったうえで、それを突破できる可能性がどこにあるかを模索した結果です。最後に、〈意外な〉エピソードに触れておきたいと思います。『「拉致」異論』を書いた時（初版二〇〇三年、太田出版。現在「増補決定版」が現代書館）、私は排外主義的日本ナショナリズム批判を行なうと同時に、北朝鮮の独裁的な歴代指導部も批判しました。松田さんは、ある日の、待ったなしの別れ際に、それに関してひとこと「あんな小さな国を批判することは可哀そうでしょ」と言ったのです。氏は断固として「反スターリニズム」の場に立ち続けていたのですから、本来的にはキム一族独裁体制への苛烈な批判者であったと思うのですが、この言葉が何を意味したのか、その後もとうとう聞きそびれてしまいました。確固たる「論理」の隙間に、別世界のようにときどき垣間見える松田さんの「心情」には何が秘められていたのか。彼を喪ったいま知りたい、討論したいのはそのこと

――なのですが、遅すぎましたね。■

ＮＨＫニュースから「航空自衛隊の「ブルーインパルス」が、医療従事者などに感謝と敬意を示すためとして東京都心の上空を飛行した。飛行ルートは患者の受け入れにあたった病院の上空に設定され、病院では機体が見えるとスマートフォンで撮影したり、手を振ったりする人の姿が見られた」。数日前、イタリアでも同じことが行なわれた。これを批判するに、税金の無駄使いとか安全上の問題とかいうのを、私は採らない。「国家テロ」そのものである戦争をなくすためには、軍隊(＝国軍)を廃絶すべしと考えている私から見れば、愚かしくも腹立たしい所業、とだけ言う。

五月三一日(日)

先日、クルド人男性が渋谷署の警察官から職務質問を受けた際に、威圧的な態度を取られ、身体を押さえつけられているところを映した動画がインターネット上に流された。きのう、それに抗議するデモ隊一八〇人が渋谷の街をデモ行進。最後は渋谷署前で抗議行動。きょうの東京新聞は「こちら特報部」で、「コロナ禍　入管施設の問題顕在化」を取り上げている。去る四月、東京出入国在留管理局(港区)で、一時的に収容が解かれる仮放免を求めた女性収容者に対して職員が暴力的な対応を行なったことが明るみに出た。コンゴの一女性は個室で下着姿でいるところを動画撮影されたり、職員に「ここから出る方法はたった二つ。コロナにかかるか、死んで遺体袋に入って出るしかない」と言われたりしたという証言がなされている。

小樽の兄夫妻からグリーンアスパラが、荒川区に住む友人から冷麺＋キムチが届く。新鮮なアスパラ、暑い時期を迎えての冷麺はうれしい。

山崎雅弘氏のツイッターに、きのうの航空自衛隊ブルーインパルス「作戦」の報道に関して、以下のことば。医療関係者に感謝の意を表すというこの飛行「作戦」の様子は、各種メディアで報道されたが、目立ったのは、世田谷区の自衛隊中央病院の屋上で手を振ったり飛行隊にスマホを向けたりしている医師・看護士たちの姿。山崎氏は他人の発言をリツイートして、その写真の撮り方を問うて、次のように言っている――【本当に　この写真は　薄気味悪い】私もそう感じます。「絵に描いたような作り物の構図」。太陽とコントレイル（飛行機雲）の位置まで計算されている。戦中の「ＦＲＯＮＴ」に出ていそうな、よくできたプロパガンダ写真だと思います。

山崎氏がリツイートしているのは、日比光則氏の以下のツイート――本当に　この写真は薄気味悪い。ＣＭや雑誌記事用の写真の仕事をした方ならば、この写真は相当前から練ったものだと分かるはず。医療関係者の方々も、事前に打ち合わせし、各自の配列とスマホの向け方にも指示が出ていたと予測できる。だからこのショットが撮れる。絵コンテが先にありきの写真だからだ。

プロの言葉には教わるところが多い。

6．展開（二〇二〇年六月）

六月一日(月)

ルネッサンス研究所（関西）の境毅氏が、今年一月二三日から四月八日までの武漢の都市封鎖下の生活世界に関するきわめて意義深い報告をメーリング・リストに流してくれた。境氏によると「この報告は一市民からの手紙とか、日本人による聞き取りではなくて、たまたま二〇一九年一一月に武漢大学の研究者と一緒に武漢近郊の農村の調査をやった、姉歯暁さん（駒沢大学）の武漢大学の研究者仲間が、突然訪れた都市封鎖下の状況を学術的調査の方法で報告してきた情報に基づいて」いる。報告は、五月一六日に行われた基礎経済科学研究所東京支部主催のウエブ研究会でなされた。実情がよくわかり、読みごたえがある。その内容は、以下で読むことができる。→

https://drive.google.com/drive/folders/1h-RlqECko1duMFRKjMU3EtI1aQaRWD9Q

（←最終アクセス　2021/04/27）

なお、境毅氏ら一九六〇年代〜七〇年代にブント（共産主義者同盟）や赤軍派で活動した人びとは、昨年末『追想にあらず——一九六九年からのメッセージ』（講談社エディトリアル）を刊行した。私は活動の場を同じくしたわけではないが、境氏に請われて、「日本の左翼はなぜ影響力を失ったのか」と題する一文を外部から寄稿した。この厄介な本の編集を担当した小川智子さんは、一九八〇年代初頭の札幌で、現在シアター・キノを運営している中島洋氏らの自主上映活動に加わっており、当時わたしに会ったこともあること、現在はシナリオライターとして、私もよく知っている瀬々敬久監督の『最低。』（二〇一八年）の共同シナリオを執筆したことを知って、ひとの「縁」の広がりを思った。

六月二日（火）

美術家のクリストがきのう亡くなった（一九三五～二〇二〇）。生地ブルガリアを出たのは、東西冷戦真っただ中の一九五七年。一九九一年、茨城県北部を舞台に行なった「アンブレラ・プロジェクト」にはアート・フロントが関わったので、身近なところで計画が練られていた。直径八メートル、高さ六メートルの巨大な青い傘一三四〇本を立てる試みだった。現場には行けなかったが、写真・設計図・ドローイングなどで示された構想は、素人目にも刺激的だった。→ *"Cristo Works from the 80s and 90s"*, Art Front Gallery, 1993.

「銭ゲバ」「アシュラ」「浮浪雲」などの漫画家・秋山ジョージが亡くなった。享年七七か。

近所の居酒屋「K屋」の店長から、仕入れに行った市場で鰹のアラを買ったが要らないかと電話。早速、取りに行く。最近のスーパーでは、鰹の最盛期になってもアラを出さないから、しばらくありついていない。

ここ数年、梅干用の青梅を取り寄せている小田原の某店から、落ち梅一〇キロが届く。箱を開けたとたん青梅の香りが部屋中に充満する。

広島のカフェ・テアトロ「アビエルト」の中山幸雄兄から、六月末から延期された「死刑囚の絵展」のチラシが届く（八月一日～九日）。初日夜には私が「オープニング・トーク」を行なわなければならない。

六月三日（水）

毎日新聞「ポストコロナの世界」は、ウルグアイ元大統領ホセ・ムヒカへのインタビュー、サンパウロ駐在の山本太一記者。二〇一六年ムヒカが来日したとき、彼について朝日新聞のインタビューを受けたことがある。七月一日付け朝刊、当時「オピニオン」欄の萩一晶記者が担当。参院選を前にした特集記事は「角栄とムヒカ」と題されていて、「最近幅広い人気を集めている政治家といえば、田中角栄・元首相と、ホセ・ムヒカ・前ウルグアイ大統領だろう」との問題意識に基づいて「人々の心を摑むリーダー像」を考えるものだった。角栄について語ったのは、元衆議院議員・渡部恒三氏。渡部氏と私とは、奇妙な取り合わせだが……。私の発言は以下の通り。

貧困や苦闘　言葉に深み

ホセ・ムヒカさんが属していたウルグアイの都市ゲリラ「トゥパマロス」については、当時から注目していました。

キューバ革命など第三世界の解放運動に関心を抱き、一九七三年にメキシコに渡った私は、日本語学校で教えながら三年余、中南米各地を歩いて実情を調べて回りました。彼らが銀行を襲って貧困地区で現金を配ったというような記事を読み、義賊だなと思ったものです。

あれから四〇年。彼らは合法政党となる道を選び、ムヒカさんも下院、上院の議員をへて大統領にまでなった。ぜひ肉声を聞きたいと思い、東京外語大での講演に足を運びました。

■「愛に時間を」

あの飾らぬ風貌に、素朴な語り口です。感銘を受けました。

現代の文明が、どれほど大きな危機に直面しているか。過剰な消費社会が、いかに人間的な存在の根っこを掘り崩しているか。いまという時代と世界を、これほどわかりやすく説いてくれる政治家がいるのかと、学生も衝撃を受けたでしょう。

思えば、いまの若者は生まれてこのかた、市場原理に覆い尽くされた世界で育ってきたんですね。だから「市場は万能ではない」「質素に生きれば自由でいられる」「もっと愛に時間を割け」といったムヒカさんの言葉には驚いたはずです。日本の首相の口から、こんな言葉が出るとは想像もできませんから。

あえて言えば、ご本人も認めているように、何か驚くほど新しいことを言っているわけでもないんですよ。それがとても新鮮に響くのは、いまの政治家の言葉があまりにも貧しいからでしょう。出てくるのは景気や国境警備の話ばかりです。

■哲学ある政治

昔は自民党にも、人間的な魅力を感じさせる政治家がいました。評価するかどうかは別にして、ある種の哲学があった。

それは、たとえば幼いころの貧困生活とか戦時中に従軍したこととか、人生で苦闘した経験があったからだと思うんです。自らが直面した社会の現実に対して、何らか感じ入るものがあったからこそ彼らは政治家を目指した。心の中に葛藤やら負い目やらを抱えていたからこそ、言葉にも味わいがあった。

それがいまの、特に世襲の政治家には見当たらない。核となる人生経験がないから、薄っぺらい言葉しか出てこないのではありませんか。計算ずくのパフォーマンスと、あざとさだけが透けて見える。

それにしても、元武装ゲリラであっても大統領にまで選ぶ国って、いいなあとも思うんです。日本の新左翼には、七〇年安保の後に議会政治に進出しようというような動きは見えなかった。有権者の側にも、非合法組織から転換した党派を与党にする度量はない。民主主義の成熟度が違うのでしょうか。

多くの政治家から、まっとうな言葉と論理が消えてしまいました。舛添要一・前東京都知事の問題のように、倫理も失われた。さらに人臭さまでが感じられなくなった結果、いまの「人間・田中角栄」を懐かしむブームがあるのではありませんか。■

小池都知事がコロナ対策で記者会見をすると、「夜の街」という言葉が頻発する。何を指すのか曖昧なままに、独特のニュアンスを込めて言っているらしく、見聞きする側がそれぞれ勝手にそのイメージを持つよう誘う。都は、昨夜「東京アラート」なるものを発動したが、夜の歓楽街での感染が増えていることを受け、対策として、警視庁と協力し、夜の歓楽街の「見回り隊」を結成することを検討していることがわかったというニュースが流れた。狡猾なタヌキなのだろう。

六月四日（木）

木曾の、唐澤の兄夫婦から、朴葉巻きが届く。米の粉をこねた皮であんこ（粒あんかこしあん）を包み、それを大きな朴の葉でくるんで蒸しあげた、初夏ならではの郷土お菓子だ。お隣におすそ分け。

本日付け共同通信配信――新型コロナウイルス感染拡大防止のため政府が全世帯へ配る布マスクを集合ポストから盗んだとして、京都府警北署は四日、窃盗の疑いで京都市北区大宮北椿原町、無職N・Y容疑者（八一）を逮捕した【記事は実名表記】。N容疑者は「マスクは持ち帰ったが、空き部屋のポストからなので悪いことと思っていない」と供述している。署によると、マンション管理人がポスト付近で不審な動きをしていたN容疑者に気づき、発覚。同容疑者の自宅からは布マスク計七八枚が見つかっており、他のポストからも盗んだとみて調べている。政府の配布するマスクは「アベノマスク」と呼ばれている。

六月五日（金）

『反天皇制運動 Alert』六月号に、連載第一二〇回目を書く。

●太田昌国のみたび夢は夜ひらく　第一二〇回

コロナの時代に知る「マヤ文明最古の建築跡発見」

なんでもコロナウイルスのせいにしてよいわけはない。個人的なレベルで言えば、自分のうちに怠け心が頭をもたげるたびに、そう思う。公共的なレベルで言えば、コロナの正体が突き止められていない間は、公衆衛生・医療の場で対応に当たる部局・人びとが選択する方針に、過ち・不十分さ・読みの浅さなどが生まれるのは〈時に〉止むを得ないだろうが、同じ公共のレベルでも社会・経済・政治の局面で感染症対策に当たる部局と職業人にはそれは許されるものではないだろう。その点から見て、日本の政治・社会の現在の有り様には、この間の、とりわけ二〇一二年・第二次安倍政権成立後の政治の〈貧しさ〉を直接的に反映している現実を見ざるを得ず、複雑な思いを抱く。政権の存続を許してきた社会全体としては、自己批判を込めて「自業自得」と考えるほかはないがゆえの苦い思いだ。ここでは、なんでもコロナのせいにするわけにはいかない、コロナ以前にも確かに存在していた不正義や諸矛盾を改めて心に刻まなければ、と自戒する機会にしておきたい。

こんな時代だから、コロナを離れたニュースを見聞きすると、いくらかほっとする。もちろん、中国政府の強権的な対香港政策や米国の警官による黒人虐殺などのように、いっそう胸が潰れるものもあるが、今回は別な話題を取り上げたい。

イギリスの科学誌『ネイチャー』六月三日付電子版に「マヤ文明最古の建築跡発見」に関する論文が掲載された。場所はメキシコ南東部タバスコ州で、グアテマラとの国境に近いアグアダ・フェニックス。国際研究チームが飛行機に積んだレーザー測量装置（ライダー）で観測した研究結果と現地での発掘調査に基づいて、南北一四〇〇メートル、東西四〇〇メートル、高さ一五メートルの、土を積み重ねた大基壇の存在が明かされた。周囲には、中小の広場や舗装された土手の道九本、人口貯水池がある。放射性炭素年代測定によると、これが建造・増改築されたのは、紀元前一〇〇〇年から八〇〇〇年にかけて、つまり二〇〇〇年をかけたと推定されている。もとより、さらに詳しい調査・分析は今後の課題となるだろうが、注目すべきは次の点だ。明確な社会階層を示す遺物がないことから、権力者が登場し中央政府のような組織ができることで社会に階層分化が起こる前にこの大建築が造営されたと推定できるが、だとすれば、超越的な存在の権力意志なくして大規模な共同作業が可能だったこと、人びとの自発的な意思に基づいて共同体のアイデンティティを確立しようとしてそれは建造されたことを示しているかもしれない。それは従来の文明観を覆す発見となり得る（論文そのもの、および日本語各紙で引用された共同研究者の猪俣健氏＋青山和夫氏の談話による）。

有名な古典期マヤ文明の神殿ピラミッドは、いったん上って石段を下りようとすると、その垂直性と石段の歩幅の狭さに足がすくむ思いがするが、それは取りも直さず、諸王の権力を誇示する様式だった。今回の調査チームが、アグアダ・フェニックス遺跡は「社会的な不平等が小さくても大規模な共同作業」が可能だったことを示していると強調することには十分な理由がある。

考古学上の発見には、時に衝撃的なものがある。二〇世紀初頭、地中海のクレタ島での発掘作業が明らかにした古代都市国家社会では、《女神》が至高な存在であったことから、戦争の痕跡がなく、経済は繁栄し芸術は栄えていた。戦争も支配のための階層性も女性の隷属性も必要としない社会組織が成立していた。男性支配原理の〈絶対性〉を信じてやまない怠惰な精神を震撼させたのである。

論文に付された地図を見ると、この遺跡の位置は、一九九四年に現代資本主義の象徴たるグローバリゼーション＝新自由主義の趨勢に抗し、「自由、民主主義、正義」を求めて蜂起したサパティスタ民族解放軍が、その後四半世紀有余にわたって自主管理を続けている地域の遥か後方を流れるウスマシンタ河の北側に位置していることが知れる。コロナ以前にもあり、コロナ後にもいっそう進行しかねない「格差と分断」の世界を思うとき、人類史にかつてあり得た／今後もあり得る「頭あるいは王なき」「水平的な」社会の夢は、何度でも見ていたい。（六月五日記）■

何がきっかけだったたか、若い友人たちと映画を観て、二次会で飲みながら話し合う会をもつようになった。称して「マサと映画を観る会」。もう五年ほど経っている。ここ数ヵ月は映画館が閉まっていたので、開催は無理だった。六月になって映画館も開けるようになったので、きょうは二三回目。渋谷・ユーロスペースで『ようこそ、革命シネマへ』を観た（スハイブ・ガスメルバリ監督、スーダン＋フランス＋ドイツ＋チャド＋カタール、二〇一九年）。アフリカ地域への関心も高校生時代から深かったが、思えば、スーダンからは独立や反植民地闘争の声が私の耳目には届かず、その歴史をほとんど調べたこともなかったことを痛感。以下に、今までに見た映画のリストを掲げておく。

「マサと映画を観る会」

第１回『野火』2015/08/31@ユーロスペース

第２回『秘色情めす市場』2015/09/23@併映『秘女郎責め地獄』

第3回『フルスタリョフ、車を！』2015/11/01@新文芸坐 併映『わが友、イワン・ラプシン』
第4回『パレードへようこそ』2015/12/26@新文芸坐 併映『フレンチアルプスで起きたこと』
第5回『恋人たち』2016/04/09@新文芸坐 併映『海街 diary』
第6回『死刑執行人もまた死す』2016/05/08@新文芸坐 併映『恐怖省』
第7回『狼』『ホワイトドッグ』2016/06/05@川崎市民ミュージアム
第8回『エスコバル』2016/06/26@新文芸坐 併映『ボーダーライン』
第9回『サウルの息子』2016/08/23@新文芸坐 併映『ハンナ・アーレント』
第10回『アルジェの戦い』2016/10/23@ K's シネマ新宿
第11回『帰ってきたヒトラー』2016/12/25@早稲田松竹 併映『トランポ ハリウッドに最も嫌われた男』
第12回『わたしは、ダニエル・ブレイク』2017/9/8 @早稲田松竹 併映『海は燃えている〜イタリア最南端の小さな島〜』
第13回『人生タクシー』2017/11/2@早稲田松竹 併映『サラリーマン』
第14回『菊とギロチン』2018/07/19@テアトル新宿
第15回『タクシー運転手』2018/8/21@早稲田松竹 併映『ペパーミントキャンディー』
第16回『まぼろしの市街戦』2018/10/30@新宿 K's シネマ
第17回『洲崎パラダイス 赤信号』2019/01/12@テアトル新宿
第18回『金子文子と朴烈』2019/03/08@イメージフォーラム

第19回『主戦場』2019/05/23@イメージフォーラム
第20回『清作の妻』2019/08/16@国立アーカイブ小ホール
第21回『存在のない子供たち』2019/09/14@銀座シネスイッチ
第22回『さよならテレビ』2020/01/26@ユーロスペース

六月六日（土）

整体当番日。昼食用と近しい「食糧難民」向けにカレーをつくる。

早朝、フェイスブックに以下のように記した――横田滋さんが亡くなった。お悔やみ申し上げます。新聞・テレビ・雑誌・書籍を通しての発言には何度も触れてきたが、一度だけ、公開の場でのお話を聞いたことがある。在日朝鮮人の権利問題などをめぐって活動してきた人びと（日本人も、在日朝鮮人も）が、自分たちが「拉致問題」に無関心だったことを顧みて、被害者家族を招いて講演会を開いたのだった。私が『「拉致」異論』を出版して間もない二〇〇三年秋口ころだったと思う。横田滋さんの発言はいつもそうだが、その時も、拉致問題があるからといって、在日朝鮮人への迫害を許すべきではないという点を強調された。まっとうなことを、まっとうな形で語る方だったが、如何せん、家族会の主導的な方針と、それを背後で操る人びと、およびそれが醸成した排外主義的な社会的雰囲気を利用して長期政権の座にある政治家たちの「質」がひどすぎた。いろいろな思いが心をめぐるが、ここでは、昨年二〇一九年七月一〇日、朝日新聞のWeb論座での、私へのインタビューを再掲しておきたい。「日本を根底から変えた拉致問題とその後の17年」。聞き手は樋口大二記者。

日本を根底から変えた拉致問題とその後の17年

ロングセラー『「拉致」異論』の著者・太田昌国さんに聞く

樋口大二　朝日新聞記者（二〇一九年七月一〇日）

北朝鮮に対して強硬一本槍だった安倍首相が突如、「前提条件なしの対話」をよびかけた。「拉致問題の解決は、安倍政権の最重要課題」としながらも、首相在任中、大きな進展は見られなかった。拉致問題も日朝国交正常化も、小泉首相の時代からほとんど前進していない。

太田昌国著『「拉致」異論』は一五年にわたって版を改めながら三度刊行されるという、時事的な評論集としては異色の経歴を持っている。太田さんは、二〇〇二年の小泉訪朝後、「拉致非難」一色に塗りつぶされて植民地支配の歴史を相殺してしまうような国内世論を批判する一方、それまで北朝鮮の拉致を認めてこなかった「左派」や「リベラル」の言論についても厳しい態度をとった。まず二〇〇三年七月に太田出版から刊行されたこの本は、初版五〇〇〇部、四刷で八〇〇〇部とこの種の本としては好調な売り上げを見せ、二〇〇八年には河出文庫として再刊された。さらに昨年、書き下ろしを加えた『増補決定版　「拉致」異論』が現代書館から刊行され現在も書店に並んでいる。初版から一六年、「拉致問題」は日本をどう変えたのか。著者の太田さんに聞いた。（聞き手・樋口大二　朝日新聞記者）

太田昌国（おおた・まさくに）　評論家・編集者
一九四三年、北海道生まれ。東京外国語大学ロシア語科卒。「現代企画室」編集者として人文書を編集する一方、ラテンアメリカの革命運動や南北問題の研究、評論活動を続けている。著書に『さらば！ 検索サイト＝太田昌国のぐるっと世界案内』、『〈脱・国家〉情況論＝抵抗のメモランダム2012-2015』、蓮池透氏との共著『拉致対論』など。

「左派」や「リベラル」は何を誤ったのか

——本来時事的な評論が一五年以上も新刊書として版を重ねてきたというのは、あまりないケースですよね。では二〇〇三年に書かれた批評がいまだ通用するほど、拉致問題、日朝関係にかんする事態は動いてないということなのでしょうか。

太田　日朝政府間の関係が動かない一方で、この一六年間で起きたことはやはり、日本社会の決定的な変化です。ある種の理想が体現した形であると長い間信じられてきた社会主義は、本当に無残な形で崩れた。理想主義の行き着いた極限の形をいや応なく見て、当然のことながら、どこで間違えたのかということ考え直さなければならなかった。しかし一般的には、社会主義があまりにもひどい間違いをくりかえした上での崩壊でしたから、うんざりした気分が蔓延していたと思うんですね。二〇〇三年の時点で社会主義の崩壊から一〇年あまりが経っていたけれど、その段階でもなお社会主義を掲げ、かつ日本が植民地支配をしていた国が拉致を行っていたことがわかった。そこで社会の保守化というか現状肯定が広がりました。

下手な理想をかかげるよりも現状肯定でやっていくしかないんだ、という大きな流れが作られた。あんなことが社会主義なら、もうまっぴらだというのは、大衆的な感情としてはある意味当たり前のことですからね。

そこにうまく出てきたのが安倍晋三氏です。彼は一九九三年が初当選で、小泉首相に随行して北朝鮮に行ったときはまだ議員として九年の経験しかない。それが自民党内の権力構造のドラスティックな転換があって、安倍氏や中川昭一氏のような極右派が政権中枢に肉薄できるような状況になってしまった。二〇〇二年に北朝鮮問題で拉致一色に塗り込められたようなときに、北朝鮮に対する敵対性をもっとも政治的に表現したのが安倍氏で、自民党内というだけでなく、日本社会全体の中で一気に浮上したのです。それに乗っかってその後の一五、六年というのがあったと思っています。

――こんなことを書かれています。「『拉致』事件の事実の解明と責任追及に関する限り、前者（引用注＝産経、文春、新潮、ＳＡＰＩＯなど）が正しく、後者（引用注＝朝日、ＮＨＫ、岩波、社民党、共産党など）が間違っていた、あるいは不十分であったこと。それが、誰の目にも明らかな、今日の基本的構図である。このことは『拉致』事件に限られることなく、すべての問題にまで及んで、この社会を根底から変える力を発揮するかもしれない」。（増補決定版『「拉致」異論』一五二ページ）

太田さんは、当時からこんな変化が起こることを予想されていたのでしょうか。

太田　ここまで具体的にこんな時代が来るとは思わなかった。このままの状況を許していたら、こうなるという予感はありました。でも実際には許すことはないだろうと思っていた。

――左派やリベラル派が拉致問題をきっかけに総崩れになり、結果世の中が変わってしまったとすれば、やはりそれらの人々の抵抗力というのは戦後、それなりに大きなものだったということでしょうか。

太田　それは左派の過大評価になるでしょうね。しかし日韓連帯とか日朝友好とか、どれほど社会に対する影響力がなかったとしても、やはりそうしたことに取り組んできた人の内部から、拉致問題が起きたときに、北朝鮮の体制を問う論議が起きてこなかった。あるいは、拉致はウソだ、でっち上げだとそれまで言ってきた人が、そこで何らかの姿勢を見せればよかったのですが、それも全くなかった。

――二〇〇二年以降、左派には挽回するチャンスはなかったのでしょうか。

太田　あのとき、目立った議論の中では、良心的な人であればあるほど、「拉致は確かにひどい犯罪だけれど、日本だって植民地支配で強制連行をした」というふうに相殺する論理をいう人が結構いたんです。でもそれは間違いなんです。両方とも国家犯罪として、両方を批判する方法を見つけなければダメだ。それが核心だったのですが、そこをあいまいにした議論が多すぎました。

「植民地支配の贖罪という呪縛」が解けた

――この本が出たのは二〇〇三年です。最初に書かれた動機は何だったのでしょう。

太田　もともとのきっかけは、二〇〇二年九月一七日の日朝首脳会談、その晩からの報道ぶりをみて僕自身がとても危機感を感じたことです。

拉致という北朝鮮の国家犯罪は確かにひどいものではあるのですが、翌日の新聞には「金正日自身が拉致を認めて謝罪したことを踏まえて交渉が開かれた。ようやく日本は『過去の植民地支配の贖罪』という呪縛から放たれ、拉致問題解決に本気の姿勢で臨むことができた」という家族会のメンバーの言葉が載りました。「今までは植民地支配のことを言われて肩身の狭い思いをしていたけれど、これでようやく被害者になれた。なんでも言える」というのです。そうした考え方が全面開花する、日本のナショナリズムがゆがんだ形で噴出し、怖い時代がやってくるだろうという予感がした。そこに僕なりの形で状況に対していきたいと考え、できるだけ文章を書き続けよう、発言しようと思ったのです。

そこで考えた柱が三つあります。一つは拉致という国家犯罪を犯した北朝鮮の国家体制をしっかりと批判的に考えること。次に、小泉氏が考えた日朝国交回復の問題は拉致一本にしぼって考えるのは間違いで、日朝両国間にある困難な諸問題を、歴史的過程をたどりながら考えること。三つ目は、日本の戦後左派とリベラル派――戦後民主主義派と総称してもよいでしょうが――が、北朝鮮の体制に対するまっとうな検討を怠り、社会主義であるから無批判に礼賛する、あるいは植民地支配の清算が済んでいないのだから北朝鮮の国家指導部を批判すべきでないといった態度が一貫してあった。それが間違っていたことを認め問題としてきちんと対象化すること。この三つを軸に問題を考えていくというのが出発点です。

――二〇〇三年に刊行されたとき、左派、リベラル派からの反応はありましたか。

太田　個人的、あるいは読者カードの形ではたくさん反響がありましたが、公的には少なかったですね。和田春樹さんからの反論を除いては。戦後左派、民主主義派の欠落した部分について、僕なりの問題提起をしたのですから、それを踏まえてもっと活発な自己批判的な切開がいろんな場で行われるべきだったと思います。しかし左翼も右翼もほとんど無視するという、寂しい状況でした。

――マスメディアでもあまり取り上げられることはなかったのですね。

太田　朝日新聞で高橋源一郎氏が書評を書いてくれたのが唯一の例外でした。あれほど大きな問題について集中報道がなされている中で、それとは違う意見が出たのだから、批判的にせよ取り上げてくれてよかったのではないかと思いますが、やはりできなかったんでしょうね。一方通行の情報ばかりで、家族会の方針に反する意見はシャットアウトされていたのが一時期の現実でした。

ある記者が僕のところにきていろいろ話を聞いていって、「太田さんの意見は貴重だとは思うが、ちょっと紙面には出せない」と言われたこともあります。そうしたことは、一六年経っても変わりませんね。これは自分が出たいという話じゃなくて、これほど大きな問題について異論が出ないのはおかしいということなんです。一九九六〜九七年のペルー日本大使公邸占拠事件のときはまだ、僕のような者でもテレビ・ラジオ・新聞にコメントを求められたりしていましたから。

社会の変化は首相の存在と連動している

――なぜ、左派は北朝鮮をじゅうぶんに批判できなかったのか。植民地支配に対する贖罪意識のために、北朝鮮を訪問した日本人が冷静な観察が出来ずに北朝鮮の体制に批判的な考察が及ばなかったという指摘が、この本の中にありましたね。しかし二〇一九年の時点では北朝鮮に贖罪意識をもっている人はもうほとんどいないし、「贖罪意識を持たないことの負い目」を感じる人さえいなくなっているでしょう。右派にとっては、贖罪意識なんか否定したいんだけど、それをもたないことを追及される後ろめたさみたいなものが、かつてはあったんじゃないでしょうか。

こんな記述があります。「マーク・ゲインは、カナダ人ジャーナリストとして、朝鮮に対する植民地支配や戦争の禍根を持たない国からやってきて、精神的な自由さをもって見聞している。美濃部（引用注＝亮吉・東京都知事）と松本（引用注＝昌次・未來社編集長）は、その意味では禍根を持つ（しかも、いまだその根を自力で絶つことができないでいる）国からやってきて、当然にも持っている贖罪意識が、何事かを見えなくさせ、何事をも言わなくさせているというように。これは、私自身が試行錯誤を続けてきている問題領域だけに、手放さずに考え続けたいと思う」（『増補決定版　「拉致」異論』七六ページ）

太田　それはあると思いますね。そういう意識も、いまは完全に吹っ飛んでしまった。かつて植民地支配をしてその清算も済んでいない相手に、弱点をみつけた。これを最大限に利用して敵を外部に作り出すことで、政権支持層を固めていったというところがあります。

社会全体を通じたメディアや社会教育の中での報道量の問題もあります。拉致問題について、もし一時間伝えることがあるとすれば、被害者家族の苦悩や悲痛な思いを三〇分伝えたら、明治維新から植民地時代を含む日朝の歴史も三〇分、等しい量を割いて教えるべきだと思っています。学校教育や社会教育、メディアを通じてそれが行われたら、人々の意識は変わるという確信を僕は持っています。その役割をメディアが放棄しているというのが、一六年前から変わらない悔しさです。

第一次安倍政権が成立した翌年（二〇〇七年）が、在特会が公然と街頭に登場した年だったと思います。やはり政治的トップが、自分たちに近い、シンパシーを持っているというのは、自分たちが社会の中で陽の目に当たってもいいんだということを確信させたのでしょう。テレビでも書店でもそういう表現が当たり前のような顔をして並んでいるのだから、彼らとしては「時をつかんだ」という意識になったのでしょう。「贖罪意識」などはすっとんで久しい。「いつまでもそんなことを言っているのがおかしい」という意識が、社会を覆い尽くすようになってしまいました。

――ただ、いろんな調査では若い人よりもむしろ年配の人に、韓国・朝鮮への差別意識が強いようです。この人たちは、社会の中で贖罪意識をもつ人がいた時代を知っているはず。「不当に贖罪意識を持たされてきたのがけしからん」ということなんでしょうか。

太田　もしかしたら、そうかもしれないですね。そこでは38度線をとっぱらって北朝鮮も韓国も同じになっちゃうんだろうけど、いつまで徴用工の問題をやるんだ、いつまで慰安婦をやるんだという意識は社会一般の中では強い。そういう表面的な反撥力を増長させる社会的雰囲気が、安倍首相の存在で担保されているともいえます。第二次以降の安倍政権はすでに在任六年半有余、社会の変化は首相の存在と連動していますよ。この本が出てから一六年のうち、第一次政権と合わせて安倍政権は七年半です。半分近い。しかしその間に拉致問題はまったく前進していません。

国交正常化は、植民地支配の問題から解決しなければならない

――ところが安倍首相が突然、「前提条件なしの日朝首脳会談」へと方針転換しました。

太田　二〇一八年の南北首脳会談、二カ月後の米朝首脳会談。安倍首相とあれだけ同じ歩調をとっていたトランプ大統領が、突然金正恩と対話を始めました。最初は安倍首相もすいぶんブレーキをかけようとしていた。南北首脳会談も米朝首脳会談も、できるだけ成果を軽く見てうまくいかなければ胸をなで下ろすようなそんな反応でした。やはりそれではダメだということくらいは気付いたのでしょう。いままでの制裁と圧力という一本槍ではもうダメだ。しかしなんの下交渉もなく、「前提条件なしに向き合わねばならない」と突然言い始めたものだから、北朝鮮からは「図々しい」と反応されてしまったわけです。

河野外相が他国に対しても「北朝鮮との断交を」とよびかける演説をしたのが二〇一七年九月です。直後の国連総会での安倍演説もすごくて、全体の八割を北朝鮮問題に割き「対話による問題解決の試みは無に帰した」と断固、制裁と圧力をと訴えたわけですから、急に「向き合う」と口先で言っても、足元を見られてしまいます。しかも、今回のG20会議で首相のふるまいをみても、韓国の文在寅大統領とは会談もしなかった。そしてG20を終えたトランプ大統領はさっさと韓国へ行き、板門店での三回目の米朝首脳会談を実現してしまった。文在寅氏は黒衣として、存在感のあるふるまいをした。かつての六者協議の参加国の中で日本の孤立が際立っています。だから、中露朝は、日本を除いた五者協議と言い出しているのです。

――そんな中でこの本の最後の章は「停滞の中で、どこに光明を求めるのか」と題されています。そこではおもに日韓両国の映画や文学・思想・歴史書などが挙げられていますね。

太田　いま政治的、社会的なレベルでは、この状況をそう簡単に突破する展望は残念ながら僕には見えません。長期的展望で考えるしかない。だから僕は文化や芸術に注目したのです。人の心に染みこんでいって長い時間をかけてどこかで芽をふいていく。そうしたものに――願うことなら――そう遠くない未来の可能性を賭けるしかない。

――この本をこれから初めて手にする読者もいるでしょう。どんなふうに読まれてほしいと思っていますか。

太田　二〇〇二年の日朝首脳会談以来一七年間の現代史ですね。そこでいったい何があったのか、一七年後の今、あのときと状況がどう変わったのか、変わってないのか、考えるヒントにしていただければ嬉しいですね。日朝関係は実は何も変わっていないんだということが、僕の結論としてはあるんですが、日本社会のあり方としてはとめどなく悪化していますね。

　日朝間に横たわる問題は、国交正常化です。拉致問題はその中の重要な問題の一つですから、正常な外交上の問題としてきちっと取り上げることです。国交正常化は、基本的には植民地支配の問題から解決しなければいけないわけです。真の謝罪と補償の意味をこめた関係を新しく打ち立てなければなりません。しかし「二つの国の問題は拉致だけだ」というような世論操作に負けてこの一七年間があったということを考え直さなければなりません。■

六月八日（月）

　死刑廃止フォーラムの定例会議、三ヵ月ぶりに開催。去る二月の第九回死刑映画週間の決算も未決のままに、会議を凍結せざるを得なかった。コロナウイルス蔓延で世の中の在り方がこれほど変わりつつある中で、「コロナと死刑」という問題提起がなされる。また、相模原市やまゆり園事件で、さる一月に一審死刑判決を受けた植松氏が控訴を取り下げたことをめぐって、一〇年以上前に裁判員制度が始まる直前の本フォーラムのシンポジウムで「重要なのは裁判員制度が始まるだけでなく、同時に被害者参加制度が始まることだ。これによって、法廷は被害者感情が支配する場となり、裁判員は裁判所から丁重に扱われ、物理的にも高い席に座り、その選ばれた使命感に駆られて、死刑判決が増えるだろう。一方の被告人は、その感情的な裁判に絶望し、控訴取下げが増えるだろう」との発言があったことを思い起こさせる指摘があった。

六月九日（火）

六月一三日付け「図書新聞」は、寺尾隆吉＝著『ラテンアメリカ文学ガイドブック』（勉誠出版）をめぐる著者インタビュー。聞き手の編集者・村田優氏が、寺尾氏の著書も多数の翻訳書も深く読み込んで質問しているので、読み応えがある。二一世紀に入って現代企画室から刊行した「セルバンテス賞コレクション」全一四巻、「ロス・クラシコス」全一三巻は、寺尾氏の企画力と人脈なくしては実現できなかった。

寺尾氏が何度か言及している鼓直氏は昨年亡くなられた。氏の仕事には、一九七二年に出版されたガルシア＝マルケス『百年の孤独』（新潮社）で初めて接したが、やがて知己を得て、いろいろとお世話になった。昨秋行なわれた「鼓直さん　お別れの会」で行なった私のスピーチを以下に紹介しておきたい。

「鼓直さん　お別れの会」におけるスピーチ

二〇一九年九月一四日（土）東京「アルカディア市谷　私学会館」

私が数年間に及んだラテンアメリカ放浪の旅を終えて帰国し、現代企画室に関わったのは一九八〇年代半ばでした。旅で蓄積したものを、次第に書物の形にして刊行し始めておりましたが、その過程で、『百年の孤独』のすぐれた翻訳者として、読者の立場から遠く仰ぎ見るばかりであった鼓直さんにお会いする機会がありました。五、六年にわたる私たちの仕事をご存じだったのでしょう、「ラテンアメリカ文学を少しまとめて出版しませんか」との言葉をかけてくださいました。一九八九年のことでした。

七〇年代後半から八〇年代半ばにかけて国書刊行会から「ラテンアメリカ文学叢書」全一五巻が、また八〇年代前半には集英社から全一八巻の「ラテンアメリカの文学」が刊行されていた段階です。新潮社もガルシア・マルケスの作品を次々と出版しておりましたし、果たして私たちの小さな出版社がさらに参入する余地があるだろうかという疑問が、正直なところ、私にはありました。でも、鼓さんは木村栄一さんを相談相手にしながら一〇冊以上の候補作品リストを作られ、それに私たちからの推薦作品も加えて、一五冊のラインアップが完成したのです。マルケス、リョサ、フエンテス、パス、プイグ、コルタサル、ドノソらの常連も名を連ねたうえで、アルゲダスの『深い川』、アベル・ポッセの『楽園の犬』、ドルフマンの『マヌエル・センデロの最後の歌』を加えることができたこと、さらにそれまで紹介されることがなかった女性作家の作品を、まだわずか二作品でしたが紹介できたことは、私たちの小さな誇りでした。それは、ルイサ・バレンスエラの『武器の交換』、マルタ・トラーバの『陽かがよう迷宮』です。

鼓さんと長い時間を共に過ごしたのは、つまりお酒を飲んだのは、ほんの数回です。どの場面もお店のたたずまいも含めて思い起こすことが出来ますが、一番強烈だったのは、初回でした。鼓さん行きつけのバー「ペーパームーン」、確か新宿の大ガードを外側へ超えたあたりにあったのですが、ビリヤード付きの広いバーで、飲み疲れると玉突きをやって遊び、また飲む、鼓さんは時々バーのカウンターの内側に入り込んでバーテンダーの真似事をする――そうこうしていたうちに、夜は明け、お互い始発電車で帰る破目になりました。いつも、楽しいお酒でしたね。

私の若い友人に、時々新宿のゴールデン街で飲んでいる人がいます。ここ数年来でしょうか、同じ店で鼓さんにお会いして話しをした、とよく言っていました。複数回聞きましたから、お気に入りのお店があったのですね。友人は、いつか鼓さんと私の公開対談を企画したかったようなのですが、鼓さんの急逝でそれは実現できなくなって残念だ、と先日会ったときに言っておりました。

スペイン語文化圏に関わる私たちの仕事も、文学に限定しなければ今では一五〇冊以上を数えるに至っています。それぞれに深い思い出がありながら、やはり、ラテンアメリカ文学紹介のパイオニアとしての鼓直さんのお仕事は際立っています。個人的にはこの間、若かった時とも異なる観点でガルシア・ロルカを読んでいるのですが、鼓さんは今はなき福武文庫でロルカの『ニューヨークの詩人』を翻訳されておられます。一九二九年大恐慌時のニューヨーク、ウォール街の繁栄と荒廃を見届けたロルカがこの詩集で見せる貌つきは、彼の他の詩集におけるそれとはずいぶん違います。他の方の訳業もありますが、われらが鼓さんがこの仕事も遺してくださって本当によかった。しみじみ、そう思います。

すぐれた先達を失った私たちの「孤独」は、このあと「百年」続くのでしょうか。■

同じ街に住む絵本作家、田畑精一さんが亡くなった。享年八九。『おしいれのぼうけん』『ダンプえんちょうやっつけた』などの作者。この一〇年ほどはお会いしてなかったが、お連れ合いの人形作家、田畑純子さんともども、一定期間よいお付き合いをしていた。
各紙に「コロナ予算　無駄懸念──持続化給付金／ＧｏＴｏキャンペーン／10兆円予算費」『名ばかり「コロナ対策」ずらり──ＩＴ化促進など緊急性乏しく』などの見出し。身内への外注を重ねて、税金を「中抜き」するやり口がここまで常態化しているとは！　長期政権とその取り巻きが放つ腐臭は、常民の想像を絶していて、悶絶するのみ。

六月一〇日（水）

レイバーネット・ウェブ上のコラム「サザンクロス」は第四四回目。以下を書いた。

第四四回　二〇二〇年六月一〇日
「これでは分からない　世界のいま」──ＮＨＫ番組が孕む問題

日曜日の夜在宅していると、「笑点」を楽しみ、その後チャンネルをＮＨＫに切り替えて、短い定時ニュースと、子ども向けの「世界のニュース」的な解説番組を見るのが、過去のある時期の習慣だった。もう二〇年ほども前までのことか。池上彰氏がまだＮＨＫの専属アナの頃で、父親役として、子ども向けに国際ニュースを、現在よりはるかに「ましな」水準で説明する姿が印象的だった。そのころ或る会合で池上氏と一緒になったとき、同氏は視聴者からの番組の〈偏向〉批判がけっこう多いと述懐していた。もちろん、〈左翼〉への偏向である。時代はすでにそんな雰囲気に充満していた。その後何回かの改変が加えられ、数年前から現在の形になったと記憶している。「これで分かった！　世界のいま」というのがタイトルだ。若く、〈おバカな〉女性タレントがまず登場し、そこへ男の解説委員が出てきて、その日のテーマについて語り始める。女性は奇声を発しながら驚き、質問し、頷き、納得するというスタイルだ。ジェンダーの視点を欠き、複雑な物事を無理に単純化して解説してしまうことの〈怖さ〉の自覚もないままに、こんな水準で「世界が分かる」とする、視聴者を舐め切った番組制作者たちの弛緩した精神が気に喰わず、見るのをやめた。

去る六月七日（日）、米国の人種差別抗議デモを取り上げた同番組がいかにひどいものであったかということは、ツイッターで指摘する人が多かったので、知った。使われたアニメの動画も、登場した「男の」国際部デスクの言い分も、誤解なく知るに十分な情報量がツイッターとフェイスブック上にあったと思う。一分強のアニメの作画の粗さ、否応なく滲み出ている黒人差別意識、筋骨隆々の黒人男性が差別を訴える口調の粗野さ、問題の本質からかけ離れたその訴えの言葉――制作当事者たちが人権問題についての「勉強」も経験も積まないままに、すでに一〇日間以上も米国で続いている抗議デモの具体的な在りようも知ろうとしないままに、この番組を担当していること――その姿勢の安易さには絶句するほかない。制作者たちは、日本の民族問題にも露ほどの関心も持たないだろう。

本コラムで毎回のように行なう安倍政権批判をしていて思うのは、あまりにひどいもの（存在）が主要な場に居座っていると、それへの批判の規準がズレていくということだ。検察官の定年延長に特例を設ける検察庁法改正案に関して元検事総長ら一四名の検察ＯＢが法務省に対して、痛烈な批判的意見書を提出した。それは、論理構成においても、文体においても、読むに値する意見書ではあった。政権が成立断念に至ったのには複数の理由が考えられるが、検察ＯＢの意見書が大きな反響を呼んだことも大きかっただろう。だが、この意見書の意義は、そこで引用されたジョン・ロックの言葉を借りるなら「法が終わるところ」で始まっている「暴政」に「否！」と言っただけに尽きる。ここに名を連ねた検察ＯＢ個々の名前を調べて、彼らがその世界で揺るぎない権力と〈名声〉を手にしていた時期に、権力犯罪としての冤罪に苦しむ無実のひとはいなかったかと問うてみる。検察が常に〈正義〉を体現しているわけではない。今回は、ただ、時の政治権力のあまりのひどさに、検察ＯＢのエリートたちですらが声を挙げたに過ぎない。日ごろの検察そのものの姿はどうか。それを問う姿勢を持たなければならない。

米国でも、白人警官による黒人虐殺とトランプ大統領の発言・態度のひどさに、ブッシュ（子）、パウエル、オバマ、マティスですらがトランプ批判を行なっていることが話題となっている。国内での抗議運動の盛り上がりに押されてこの種の発言を行なっている者たちが、かつて米国の政治・軍事の高位の責任者であった時代に、アフガニスタン、イラク、シリア、パキスタン……などで、どんな軍事作戦を米国兵士に命令していたか、を忘れてはならない。その殺戮行為の残虐性は、今回のミネアポリスでの白人警官のそれと同等の「質」を持っていた。だが、それは「国外で」起きている事件だったから、自国兵士の仕業だったのに、ブッシュをはじめとする米国の政治家と軍人は「それでよし」とした。むしろ奨励した。哀しいことに、多くの民衆もまた、その枠内にあった。そのような「留保」を裡に抱えつつも、もちろん、私は現在の米国の変革過程に大いなる期待を寄せている。

ＮＨＫの今回の番組を批判する際にも、米国の民族問題についての考察を通して、同じ問題を抱える日本社会へと戻ってくるような、内省的な分析が必要だ。■

ここ一週間くらい前から、あちらこちらの庭で紫陽花が花開いている。陽を浴びていても、雨に濡れていても、それぞれの美しさがある。きょうは、今どき残っているのが珍しい栗林で、栗の花が咲きこぼれ、あの独特の精液の匂いを放っていた。

六月一一日（木）

農業ジャーナリスト・大野和興氏、山形県置賜の百姓・菅野芳秀氏などが呼び掛けて、「コロナで飯を食えない人が増えている」から、「コメと野菜で繋がろう！」とのアピールが送られてきた。「米農家が、それならお米を提供しよう。野菜農家が、私は野菜を提供しよう。町場の人は、では、送料を負担しよう」。送り先は「一般社団法人あじいる／東京・山谷日雇労働組合／きょうと夜まわりの会／移住連（移住者と連帯する全国ネットワーク）」だという。六月末で終える「身の丈に合ったささやかな、小さな動きで、大きくしようとは考えていません」とある。早速、送料負担のカンパを送る。

この方たちは「ＴＴＰに反対する人々の運動」を名乗って、この間活動を続けてきた。昨年六月には「いま、私たちの立ち位置を考える」という討論集会に招かれ、「グローバリゼーションの果ての世界を想像してみる」という話をした。事前に調べものをしたときに、小農（小規模農業者）が現在、世界と日本においてどんな状況にあるかが、少しはわかった。以下はその際のレジュメである。

いま、私たちの立ち位置を考える　ＴＰＰに反対する人々の運動　討論会

二〇一九年六月二九日　アカデミー茗台（茗荷谷）

グローバリゼーションの果ての世界を想像してみる

1）三大グローバリゼーションの歴史過程

第一次／歴史の初源における人類の移動と拡散＝一〇万〜五万年前

およそ二〇万年前アフリカ大陸で誕生した人類は、ホモ・サピエンスになって以降十数万年をかけて移動・拡散し、次第にユーラシア、アジア、南北アメリカ、オセアニアへと渡った。一万年前までには、五大陸すべてに広がったと考えられている。

第二次／一四九二年以降／コロンブスの大航海と地理上の「発見」

ヨーロッパによる異世界の植民地化【先住民族の虐殺・労働力の収奪・原料資源の略奪・移動の強制（＝奴隷貿易）】

「地理上の発見以降、ものとひとの交通路が開かれたことで、世界は一つになった」

→「植民地化による世界分割を通して、世界は「南」と「北」に分断・分割された」

第三次／一九八九年〜一九九一年以降

第二次グローバリゼーションが生み出し、発展させた資本主義と、一九世紀後半以降それに対する批判勢力として登場した社会主義の、一世紀半におよぶ抗争がその後続いた。双方が、己のグローバリゼーションを目指したのである。そして少なくともこの段階では前者の勝利に帰した。この勝利を謳歌する者たちが、「グローバリゼーション」（＝全球化。唯一絶対神＝市場原理によって全世界が統べられているという用語）を用い始めた。

2）グローバリゼーションの前と後

第二次グローバリゼーション

アメリカ大陸で ― 先住民族社会が指し示すこと＝人類社会の初源形態

「征服」（＝ Conquista コンキスタ）の「歓喜」と痛み

先住民族・黒人・民衆の抵抗の五〇〇年（一四九二〜一九九二）

ヨーロッパで ― ユーロセントロシズム（ヨーロッパ中心主義）の誕生

「黒い伝説」をめぐる列強間の抗争

植民地主義・奴隷貿易・人種差別主義の帰結

第三次グローバリゼーション

冷戦期のラテンアメリカで

一九七三　チリ軍事クーデタ（一九七〇年来の社会主義政権、打倒さる）
「開発独裁」を支える新自由主義政策の「実験場」と化す
（同時代の韓国と比較！）
以後、各国に軍事独裁政権が次々と成立。ラテンアメリカ全域を世界に先駆けて新自由主義政策が席捲する。次にアフリカ、アジア地域が続く

一九八〇年～　若干の時間差はあるが各国で民主化運動高揚→軍事体制終焉
新自由主義時代の「虚構」が暴かれる→軍事体制下で投入された外資は先進国および国内の寡頭階級に還流されるばかりで、当時の借金は働く者一般の肩に背負わされていることetc.→二〇世紀末から二一世紀初頭にかけて、グローバリゼーションに批判的な政権と社会運動がラテンアメリカ諸国に登場し、一つの勢力を形作った根拠

一九九八～二〇一三　ベネズエラ（ウーゴ・チャベス）
二〇一三～二〇一九（ニコラス・マドゥーロ）
二〇〇三～二〇一一　ブラジル（ルーラ）
二〇一一～二〇一六（ルセフ）
二〇〇三～二〇〇七　アルゼンチン（キルチネル）

二〇〇七〜二〇一五（フェルナンデス、キルチネルの妻）
二〇〇五〜二〇一〇　ウルグアイ（バスケス、二〇一五に復帰）
二〇一〇〜二〇一五（ホセ・ムヒカ）
二〇〇六〜二〇一九　ボリビア（エボ・モラレス）
二〇〇六〜二〇一〇＋二〇一四〜二〇一八　チリ（バチェレ）
二〇〇七〜二〇一七　エクアドル（コレア）

↓この間、ベネズエラ、キューバ、ボリビア、ニカラグア、ホンジュラス、ドミニカ共和国、セントビンセント・グレナディーン、エクアドル、アンティグア・バブーダの九ヵ国は、「米州ボリバル同盟」（ＡＬＢＡ）を結成して、経済連携体制の強化に乗り出した（二〇〇四〜）。

また、ベネズエラ、アルゼンチン、キューバ、ウルグアイが出資して、「テレスール（南のテレビ）」（Televisión del Sur, 略記 telesur）を創設して、ニュース報道が欧米メディアに独占されている状態からの脱却を目指し始めた（二〇〇五〜）。

さらに、アルゼンチン、ベネズエラ、ブラジル、パラグアイ、エクアドル、ボリビア、ウルグアイの七ヵ国は、脱「ＩＭＦ／世界銀行支配」を目指して「南の銀行」（Banco del Sur）設立を決定した（二〇〇七〜）

一九九四　メキシコ南東部チアパス州での先住民族蜂起（サパティスタ）
発効する北米自由貿易協定（ＮＡＦＴＡ、ＴＬＣ）は「先住民族への死刑宣告だ」

と規定して、これに反対・抗議する意思を表明
二〇〇〇　ボリビア・コチャバンバ市で、水民営化阻止闘争が勝利
二〇〇三　ボリビアで天然ガスの外資売り渡し反対闘争が勝利
二〇〇五　アルゼンチンで開かれた第四回「米州サミット」で、ＦＴＡＡ（米州自由貿易地域）を目指した米国の企図が、各国の抵抗により挫折
そして二〇一九年のいま　逆流に晒される「左派」勢力→ブラジル労働党政権の挫折と敗北、ベネズエラ・マドゥーロ政権の独裁化と民衆の苦境、トランプによるキューバ孤立化策動及びキューバ自身が抱える諸問題
☞歴史の大きな流れの中での【希望と挫折／一進一退／過信と失敗／停滞と堕落／逆流】

「先進」諸国で
一九八〇年代初頭〜　サッチャー（英国）、レーガン（米国）、中曽根（日本）が新自由主義政策を実施
一九九八　多国間投資協定（ＭＡＩ）、頓挫
二〇〇〇　ジュビリー２０００＝第３世界債務帳消しキャンペーン
二〇〇一〜二〇〇六　小泉政権下での新自由主義政策
二〇〇六〜二〇〇七　安倍政権下での新自由主義政策の推進
二〇一二〜二〇一九　復活した安倍政権

二〇〇八　リーマン・ショック
二〇一七　米国大統領のドナルド・トランプが就任

3）「ローカルな」グローバリゼーションの実例から考えるべきこと

（☞ここは大急ぎで通り過ぎます）

アメリカ合州国

一七七六「アメリカ」独立宣言
一八一〇～一八二〇　ラテンアメリカ各国がスペインからの独立闘争に勝利し、次々と独立
☞三世紀前のスペイン式グローバリゼーションの挫折。次は何か
一八二三　モンロー教義＝「アメリカはアメリカ人の手に」＝欧州勢力の一掃
一八四六　メキシコ領テキサスの独立策動（↓一八一〇　メキシコ、スペインから独立）
一八四八　米国・メキシコ戦争
一八五三　ペリー艦隊、インド洋から琉球諸島を経て浦賀に来航
一八九〇　第七騎兵隊によるウーンデッド・ニーの虐殺
一八九八　フィリピン、キューバ民衆のスペインからの独立闘争を、米西戦争に転化
その結果、フィリピン、グァム、プエルトリコを獲得
ハワイ併合

一九〇三　運河条約に基づいて、パナマ「租借」

日本

一八五四　吉田松陰「幽囚録」の中の言葉――明治維新国家の進路を暗示
一八六八　「明治維新」
一八六九　蝦夷地を北海道に改称して編入
一八七九　琉球列島を「沖縄処分」によって編入
一八九四　日清戦争
一九〇四　日露戦争
一九一〇　韓国併合
一九一四　第一次世界大戦に参戦
一九一八　シベリア出兵（～二三、最長期間）
一九二三　関東大震災と日本の官民一体の朝鮮人虐殺
一九三一　関東軍、満洲占領を企図し、奉天郊外柳条湖の満鉄線路を爆破
一九三二　傀儡国家・満洲国建国
一九三七　盧溝橋で日中戦争始まる
一九四一　日本軍の真珠湾攻撃

４）グローバリゼーションの只中にあって

世界を支配する力を持つ「金融と証券」が、日夜分かたず、易々と国境を超えて、世界じゅうを駆けめぐる

同時に、労働力移動も恐るべき規模で起こり続けている

　貧しい国々から豊かな国々に向かう底辺労働力の補完形態

　ＩＴ産業などが、優秀な働き手を世界じゅうからかき集める

社会主義的原理に基づく資本主義批判勢力の弱体化で、弱肉強食の競争社会が露出

　労働の在り方・企業活動の在り方を規制する論理と倫理の崩壊＝新自由主義の跋扈

　　←

なぜ、広い意味での社会主義的理想が、かくまで魅力と吸引力を失ったのか？が大問題

「左翼」の徹底的な自己批判と総括の必要性

　　←　他方、社会一般では

理想や夢を持たずに、現状肯定で生きるという選択＝剥き出しの、現状への居直り

　美しい夢を下手に持つと、火傷する。美しい理想（例えば、異民族共生）を「夢物語」と嗤い・排外主義（ヘイト）に走る、民衆の心情的な基盤を成す

国家に安心立命の根拠を求める心に、国家を超えた地点で動き回るグローバリゼーションの現実は不安をもたらす

グローバリゼーションによって揺らぐアイデンティティの根拠（＝国家）を、排外主義・

ナショナリズム・国防・治安の扇動によって乗り切ろうとする為政者と、それに踊る民衆によって、辛うじて「国家」が救抜されている現状
加えて、インターネットの急速な普及（一九九五＝「ウィンドウズ95」の発売以降）が人びとに及ぼしつつある心理的影響→【未知の領域】■

米国での人種差別犯罪に対する抗議運動は、この間世界各地に広がっている。英国南西部の港町、ブリストルでは、地元で活動した一七世紀の奴隷商人、エドワード・コルストンの銅像がデモ参加者によって台座から引きずり降ろされ、踏みつけられ、街中で転がされた挙句、港に投げ込まれた。デモに参加していた黒人女性はＢＢＣの取材に対し「破壊行為と言われるだろうが、この銅像の存在は、すべての黒人にとって顔を殴られるようなものだ」と語っていた。コルストンは、布製品と砂糖などの物品貿易と八万人もの人びとをアフリカからアメリカ大陸に連行した奴隷貿易で富を築いたという。同地の教会や病院に対する寄付も多く、社会的弱者の施設整備や学校設立にも富を使ったので、その名を冠した道路や建物がある。銅像は一八九五年に建てられたが、最近はその存在の是非をめぐって論争が起きていたというから、突然に起こった出来事ではなく、ここに至る下地が作られていたということだろう。

米国でも、ボストンやリッチモンドで、コロンブス像を倒す動きが頻発し始めた。南北戦争で、奴隷制擁護の立場に立った南軍を象徴する建造物の撤去要求も目立つようになった。

ＮＨＫ・Ｅテレ「こころの時代」セレクション「己の遺影を抱きしめて」に登場したのは、翻訳

家・清水眞砂子さん。ル・グインの『ゲド戦記』の翻訳者として、女子大の教師として、児童文学紹介者としての清水さんの仕事には親しんできた。お会いしたことはないが、若干の「縁」がある。二〇一七年三月、元東アジア反日武装戦線メンバーだった浴田由紀子さんが一八年の刑期を終えて、出獄した。一九七五年一斉逮捕。一九七八年、日本赤軍の航空機ハイジャック作戦で釈放され、国外へ。一九九五年ルーマニアで逮捕され強制送還。驚くほかない半生だが、刑務所の中で、彼女は自分の子ども時代の思い出を物語として書き溜めていた。出獄に合わせて出版できないかという相談があり、現代企画室から刊行することを前提にして、準備が進んでいた。原稿をめぐって、獄中・獄外を何度も往復する通信と面会が終わり、完成した原稿が私のもとにきた。これでよいか、よいとすれば解説者を誰にお願いするか。私に与えられた課題はそれだった。読んで、唸った。とてもよい出来の読み物だ。優れた「児童文学」が常にそうであるように、子どもだけではなく大人も楽しめる。作者が生まれ育った山口県長門の、一九五〇年代の山間の村の様子、村びとたちの在り方が心に染み入るように、伝わってくる。これなら出版できる。解説者は清水さん以外に、ない。翻訳された作品以外にも、彼女のエッセイはよく読んでいた。そこから得た直観だ。未知の方だったが、依頼の手紙を書いた。読んでみるという返事をいただき、すぐ原稿をお送りした。電話をいただいた。久しぶりで、ほんとうによい作品に出会いました、と。清水さんに解説を書いていただき、それは、えきたゆきこ＝著『マコの宝物』（現代企画室、二〇一七年）として、彼女の四二年ぶりの「社会復帰」を記念して、出獄に合わせて刊行できた。

思い起こせば、清水さんは、大道寺将司君についても次のように書いている。明るすぎる東京・

渋谷の雑踏の中を清水さんが歩いていた時にふと思ったことだ。

――「街はただ明るいだけで、影がないのです。その影のなさが私を落ち着かなく、不安にさせました。その不安の中で私は必死になって、前日読み終えた『棺一基　大道寺将司全句集』（太田出版）を思い起こしていました。明るく、にぎやかなこの渋谷の雑踏より、独房に三七年暮らすこの死刑囚の句集のほうが、私にはずっと安らげたのです。

「あそこにはまっとうな人がいる」

私は人混みの孤独の中で思いました。そう思うことで、ようやく道を踏みしめていくことができました。」――（『大人になるっておもしろい？』、岩波ジュニア新書、二〇一五年）。

六月一二日（金）

きょうフェイスブックに書き入れたこと――一九九二年、いまから二八年前の一〇月、「五百年後のコロンブス裁判」と題する催し物を、東京で二日間にわたって開催した。いま手元に資料はないが、さまざまな社会運動に関わっている人びとに声をかけ、映画上映・講演・シンポジウム・コロンブスに対する模擬裁判など、盛りだくさんのことを行なった。両日ともに、数百人の来場者があったと記憶している。

一九九二年↓一四九二年。それは、かのコロンブスの「大航海」および「地理上の発見」から五百年目の年だった。世界近代以降の歴史過程を振り返るにはよい機会だと思えた。「地理上の発見」によって「世界がひとつになった」とするヨーロッパ中心史観を離れて、それは、欧州による異世界の植民地化の始まりとなったと捉え、植民地帝国と被植民地という形で「世界を分断」する端緒をなした、と考えた。

一九九二年には、期せずして、世界じゅうで同じような問題意識をもった人びと・集団が、それぞれの動きを展開した。集会・講演会・シンポジウム・出版・デモ――従来の「発見」礼賛ではなく、ふたつの世界の稀な「出会い」が、「支配と被支配の関係」をつくりだしという五百年前の歴史的過去をいかに捉えるかという関心において共通していた。ヨーロッパが語ってきた「偉大な探検家＝コロンブス」という一面的な人物観は、この時点で崩された。

日本でもそうだったが、世界のどこでも、その問題は、論理的に、かつ歴史的に、提起された。その意義は大きく、私は大きく言えば、多くの人びとにとって「精神的な転回」の契機になったと考えている。

米国における人種差別への抗議運動は、米国はもとより世界各地で思わぬ展開を遂げつつある。イギリスでは奴隷貿易で巨万の富を蓄積し、その一部を地域社会の教会・病院・学校などに「寄付」した一七世紀の「慈善家」＝奴隷商人の銅像が倒された。ベルギーでは、コンゴで恐るべき圧政を敷いた一九世紀の元国王像が相次いで「破損」されている。米国の各地でも、コロンブス像が引き倒されている。

歴史的・論理的な問題提起は重要だ。同時に、それが社会全体に浸透して、人びとの心の中で何らかの「変革」「革命」を生み出すには、数十年も、悲しいかな！　数百年もかかるという覚悟が必要だ。目に見える社会運動による問題提起は、その点が違う。

「何十年ものあいだ何事も起こらぬ時期もあれば、わずか数週間のうちに、何十年分もの出来事が起こる場合もある」と言ったのは、かのレーニンだったか。

世界各地でいま起こっていることは、そういうことだと思う。その意義を、「コロナ」騒ぎの中に埋没させずに、すくい取り、定着させることが大切だと思う。——

米国からは、次のニュースが届いている。書店では黒人差別に関する本の売れ行きが急増している（オークランド発、ロイター）。ウーバーは料理配達業ウーバーイーツの手数料を、黒人が経営するレストランに関しては年内無料にする、シェアオフィスのウィーワークは、黒人メンバーが経営する会社を支援するために約二億円の基金をつくった（六月一〇日付け毎日新聞「経済観測」パルアルトインサイトＣＥＯ　石角友愛）。ウーバーイーツ傘下で配達業として働く人びとに対する「仕打ち」についてはいろいろと聞いているが、「緊急事態宣言」下のこの数ヵ月間、東京のはずれのこの小さな街でも、散歩していると、ウーバーイーツのあの独特のバッグを背負って自転車を走らせる若者とすれ違うことが多くなった。コロナがつくり出した新しい風景だと思う。

大阪に「猪飼野セッパラム文庫」がある。「みんなのまちの人権図書館」創設を目標に「朝鮮・韓国・在日」に関わる資料・図書を揃えている。行ったことはないが、ここを主宰する藤井幸之助氏とは以前からの知り合いで、この間は大坂で講演する機会が多かったが、来てくれる。私は年齢を考えて「断捨離」を始めているが、朝鮮関係の雑誌の引き取りを打診したところ、喜んで受け入れるという。ここへ寄贈しようと整理開始。以前から朝鮮関係書籍はいろいろとあったが、二〇〇二年以降は、拉致問題についての発言をしなければと考えて、関連するさまざまな資料・図書を買ったので、山をなしている。李恢成氏が代表を務めてしていた『季刊在日文芸　民濤』第１期（一九八七〜九〇）は全一〇巻が揃っている。『海峡』『在日朝鮮人史研究』『三千里』『青丘』などはバラしかない。「北朝鮮民主化」のための「研究・情報誌」『ＲＥＮＫ』も一九九四年刊の第二号をはじめ十数号分ある。李英和氏、金英達氏らの手になる冊子だ。前者の晩年の仕事は共和国の体制についての批判的分析ではなく、ただの罵詈雑言でしかなかった。極右雑誌が発表媒体となったのも自然な成り行きで、つまらなかった。後者の仕事は『金英達著作集』全三巻（明石書店、二〇〇二年）にまとめられたが、まだまだやることがあったろうに、不幸な亡くなり方をした。この冊子がもう手元にはなくなると思うと、パラパラとでも各号を眺めてしまう。九七年四月刊の第一二号は面白い。この年の一月、朝鮮社会科学者協会代表団一行が来日した。団長は、朝鮮労働党書記・黄長燁で、ＲＥＮＫのメンバーは黄氏らが滞在するホテルに押しかけては「金正日独裁政権打倒！」などのポスターや幟を掲げて抗議行動を行なった。同誌一二号の冒頭には、「黄長燁書記に京都・東京　連続パンチ！！」との見出しで、抗議行動の様子がグラビア写真で紹介されている。ところが、後に続く本文には「黄長燁書記の亡命とチュチェ思想の破産」との文章がある。つまり、訪日後北京経由で平壌に帰国する予定であった黄長燁氏は、二月一二日、北京の韓国大使館を訪ねて亡命を申請した。本人の立場からするすべての経緯は、黄長燁回顧録『金正日への宣戦布告』（文春文庫、二〇〇一年）に記されることになる。

この回顧録を翻訳したのは萩原直氏で、氏が編集長として刊行していた『光射せ！』誌（二〇〇七〜

一五年、全一四号）も『拉致と真実』誌（二〇一四～一七年、全一二号）もすべてである。前者には「北朝鮮収容所国家からの解放を目指す理論誌」の副題、後者には「北朝鮮の軍事独裁体制＝朝鮮総連と闘う情報誌」の副題がある。氏には、一九九七年か九八年に一度会っている。人権問題に関わる書物を刊行した幾人かが呼ばれて話し合う小規模な集まりがあった。「過労死」弁護団の川人博氏、評論家の佐高信氏らが呼び掛けた。私は『「ペルー人質事件」を解読する21章』（現代企画室、一九九七年）で、フジモリ政権の人権弾圧政策を批判した。萩原氏は、北朝鮮の人権問題に関わる本を出版したばかりだったのだろう。萩原氏とは集まりでも話し、帰りの電車も同方向だったので、いろいろと話す時間があった。それから数年後わたしは『「拉致」異論』（太田出版、二〇〇三年）で、氏の粗雑な議論を批判することになったが、晩年の氏は、ますます「北朝鮮＝朝鮮総連憎し」の気持ちが勝るばかりで、文章が荒れ、論理性も歴史観も崩壊したと思うしかなかった。二誌の内容は排外主義的右翼誌と見紛う書き手に溢れ、喜んで読む雑誌ではなかったが、拉致問題／日朝問題を論じるには避けて通れぬ情報もあるので、一号ごとに送ってもらっていた。その萩原氏も二〇一七年に亡くなった。

六月一四日（日）

東京新聞「こちら特報部」は、コロナ禍で明らかになった地域医療が抱える問題点を取り上げた。外出自粛のために患者が受診を控えていることから経営難に陥っている地域病院が多いことは事実だが、背景には「長年にわたり医療費や医師数を抑制した政策の誤りは招いた結果だ」と本田宏医師（ＮＰＯ法人医療制度研究会副理事長）は指摘する。新自由主義政策の問題点を論じる際には、私たちは常に、一九八〇年代前半の中曽根政権と二〇〇〇年代前半の小泉政権のそれを取り上げてきたが、医療問題に関しても同じだ。前者では、「医療費亡国論」に基づいて医療費抑制の諸施策が講じられ、後者の「構造改革」では医師の技術料や薬価のマイナス改定が行われた。保健所の数が削減されてきたことは、この間の国会論議の中でも問題にされてきたが、すべてをコロナのせいにするのは、ここでも間違いだ。狭い時間幅でも、八〇年代前半の新自由主義的改革後の動向をひと続きとして捉えなければならない。

地域医療と言えば、木村健一医師（一九四四～二〇〇六）のことを思い出す。私がけっこう長いこと暮らしていた埼玉県新座市にある堀ノ内病院は、「赤レンガ闘争」に参加した人びとが関わって一九七九年に設立した新座堀ノ内診療所に始まる。木村医師は当初からこれに参画し、私が稀に患者として入院したり（この時は蜂窩織炎だった）、首の痛みで精密検査を受けたり（この時は、いつも同じ姿勢でデスクに向かう編集者病だった）することで知己を得たころは、副院長だった。その後二〇〇二年一一月に医療法人堀ノ内クリニックを設立する前後から親しくなり、年に一度の定期健診を受ける時には、氏は診療室で待ち構えるようにして、六〇年代後半の学生運動の話題で盛り上がった。木村氏は医学連の担い手。共通に知っている人もいて、検診のことはそっちのけにして、往時の話に興じた。他方、もちろん、医療のことにも熱心で、専門誌に書いた症例研究をまとめた『医療ノート』という自費出版物の刊行のお手伝いもした。堀ノ内クリニックとして独立してからは、いっそう「地域医療」はどうあるべきかという課題に、思想的・実践的に取り組むようになり、その一端は、同僚・工藤明人医師との共著『地域医療のつれづれ』（現代企画室、二〇〇二年）にまとめられた。

主として「高齢者、子ども、心身障害者」との関りの中で、「昔ながらのかかりつけ医」であろうとした氏は、病を得て急逝した。クリニックは続いているが、木村氏個人の思いが中途で断ち切られたことは悔しい。加えて、氏は『医学連闘争史』をいつかは書きたいとも言っていた。「資料はすべて揃えてある、問題は整理し、書く時間だけなんです。完成したらまた出版を手伝ってください」――これも未完に終わった。でも、堀ノ内病院、堀ノ内クリニックの周辺からは、障害者サポート、かかりつけ薬局、グループホームなどの活動に持続的に取り組む人びと（多くは女性）が生まれて、今日に至る。これらの活動には唐澤もある程度関わってきている。その後引っ越した私たちにとって、新座市は隣町になったが、いまもなお行政区を「越境」して、人びととの付き合いは続いている。それは、日常生活を支えてくれる大きな要素のひとつだ。

木村医師以前に私が勝手に「主治医」と思っていたのは、庭瀬康二医師（一九三九～二〇〇二）だった。千葉県流山市にクリニックを持ち、阿佐ヶ谷の河北病院に週一回通っていた。『ガン病棟のカルテ』（新潮文庫、一九八五年）の著書もある、著名な医師である。後年は医療・教育・理想郷を意味する英語から造語した「メデュトピア」を掲げて、ユニークな地域活動を展開した。高齢者医療のことをよく考えていて、「老稚園」だったかの命名で、老人が集まる場をクリニック内につくっていた。私が知り合ったのは、流山に住んでいた唐澤の兄夫婦の紹介だった。ウカマウの映画『第一の敵』を上映して、講演してほしい、早めに来れば、全面的な健康診断をしてあげるから、フィルム代と講演料は、その診断と相殺でどうか、という率直な申し出だった。異論があろうはずもない。そんな付き合いがしばらく続いた。身体に異変を感じたときに、電話相談にも乗ってもらった。六二歳での急逝を知って、葬儀に出かけた。従弟の谷川俊太郎氏、こぞって世話になっていたという路上観察会の赤瀬川原平氏、南伸坊氏、松田哲夫氏らが棺を担いでいた。

ふたりの「主治医」が、ともに地域医療の在り方を模索する人であったことの意味を、このコロナ状況の下で改めて考えている。

朝日新聞「コロナ危機と世界」は、各国が採用している出入国制限によって、外国からの出稼ぎ季節労働者に頼ってきた欧州農業が危機に立つことを伝える。イギリスは、東欧諸国が欧州連合(EU)に加盟した二〇〇四年以来は、ルーマニアやブルガリアから来る一〇万人の季節労働者がアスパラガス、イチゴ、ホウレン草の収穫労働を担ってきた。他にも、ドイツ、フランス、イタリア、そして翻って日本の状況を伝える。

他方、中国からは、北京の農水産市場でクラスターが発生したために、「数ヵ月目に戻ったような」厳戒態勢が敷かれているという。中国からはもう一つ、一九八九年六月四日、民主化を求める学生運動が弾圧された天安門事件に関する会議を、オンライン「ズーム」を使って開こうとしたところ、これを運営する「ズーム・ビデオ・コミュニケーションズ」(米国)が中国政府に要請に基づいてこれを阻止し、関連アカウントを停止したことが明るみに。ズームの創業者は、袁征(ユエン・ジェン)という、一九七〇年、山東省泰安市生まれの中国人だということにも驚く。何回もの挫折を乗り越えてビザを取得し、シリコンバレーで働いてのちの起業だという。

「サンデー毎日」連載「サンデー時評」の筆者、倉重篤郎氏のインタビューを受ける。二〇一八年初夏、ちょうど朝鮮南北首脳会談+朝米首脳会談で沸き立つ頃にも受けて、それは一八年七月二二日号に、『安倍政権「最大の弱点」　拉致問題「最終解決」ができない〝元凶〟ナショナリズムを煽るなかれ！』と題して掲載された。小泉首相訪朝の黒衣であった元外務省審議官・田中均氏もインタビューを受けていた。今回は、拉致被害者家族会の横田滋さんが亡くなったので、それに関して。来週号にも載る予定なので、現物を見てから、補足があれば、行ないたい。途中、蓮池透氏にもインタビューしたいと希望されたので、その場で電話し、了解を得て紹介した。この後は、和田春樹氏に会うとのこと。

松本健二氏から『世界文学へのいざない』（新曜社）が届く。小倉孝誠編著で、一一人の外国文学研究者が執筆。〈現在〉ならではの視点からの文学分析に目を開かれる。

李静和さんから『新編　つぶやきの政治思想』（岩波現代文庫）が届く。一九九八年、青土社から初版が刊行された時の、静かな衝撃。李さんはその後、韓国の作家・黄晳暎氏の還暦記念論文集が韓国で企画されたとき、日本からは私に書かせる橋渡し役をしてくれた。その文章「ベトナム体験の大きな落差――黄晳暎を読む」はその後、私の『【極私的】60年代追憶――精神のリレーのために』（インパクト出版会、二〇一四年）に収めた。

六月一五日（月）

寂しいことに朝刊休刊日。久しぶりに晴れたので、午前中に唐澤と一万歩近い散歩＋買い物。保谷駅近くに、イタリアン野菜に純化した無人スタンド発見。めずらしいものを数品買う。白ナスを油で焼くと、おいしかった。

夕刻、蓮池透氏から電話。氏からの電話のとき、互いに（主としては蓮池氏だが）思いの丈を話すから、だいたい一時間以上にはなる。きのうは毎日新聞の倉重氏に取り次ぐだけの電話に終わって失礼だと思ったからメールをするつもりだった。すると先方から先に電話が。きのうは太田さんと話せなかったので……と。横田滋さんの死をどう思うかをめぐって、互いにいろいろと話す。蓮池さんは、家族会が日本会議に乗っ取られることを阻止し得る最後の砦がなくなった、と語るが、同感。

横浜に住む息子から電話。そろそろ大丈夫と思うから、今週末、家族（夫婦＋一〇歳の娘）で熱海の保養所に行こうと思うが一緒に行かないか、と。同意。

兄姉や知人宛てに、長野県木曾・日義の里の生産者から直送してもらった「朴葉巻き」が届いたとのお礼メール・電話・手紙が届き始める。

六月一八日（木）

河合元法務相と妻・安里が公職選挙法違反容疑で東京地検に逮捕される。昨年九月、河合が法相に任命された直後、死刑廃止フォーラムのメンバーが、法相の選挙区＝広島へ行って、「死刑を執行するな！」のビラ撒き、集会、河合事務所へ申し入れ書を持参する予定だった。新しい法相が就任したときの、慣例的な「行事」である。その前夜、河合は辞任した。ビラ撒きと集会は取りやめになった。知らずして、東京から広島まで出かけたひともいた。ここまでの展開になるとは、当時は思ってもみなかった。

六月一九日(金)

きょうから、他の都府県との境を超えての旅行が可能になった。唐澤がきょう聞いた話――都内の居住者が、今月上旬、気分一新のために静岡県三島市に持つ別荘へ行った。国道一号線を走り、神奈川県と静岡県との県境に近づくと、沿道には「静岡県に来ないでください」の幟が見え始めた。それは次第に「来るな！」、とうとう「帰れ！」になっていく。「お帰りはこちら」と、踵を返すよう誘導する表示すら出てくる。国道から一般道に入る入り口のコンビニには「県外人には売りません」の看板。それでも別荘に入って間もなく、数人の地元民が来る。「静岡には感染者がいないから、帰ってほしい」の一点張りの主張を次々と繰り返す。「ただ休みに来ただけ。買い物にも出ないし、散歩もしない。数日間で帰る」と言って、ようやく納得してもらった。それでも夜中にだろうか、玄関ドアの下には「帰れ！」の紙が挟み込まれていた。

使いたくない言葉なので、この日記でも今まで使っていないが、「自粛警察」なる言葉がネット上に現われたのは、もうひと月以上も前か。千葉県八千代市の或る駄菓子店は、子どもが来店する店でもあり、コロナ騒ぎなってからは感染予防策をもろもろ講じて営業した時期もあったが、三月下旬休業した。それから一ヵ月後、門扉に「コドモ　アツメルナ　オミセシメロ　マスクノムダ」の文書が貼られた。赤く、直線的な文字で書かれていたという。

内藤正典氏のツイート――「茂木外相は、ベトナムとの往来復活で「ビジネス関係者」と言っているが、それに「技能実習生」や「特定技能の労働者」が含まれているのかは言わない。」

六月二〇日（土）

去る三月二九日、東京琉球館で行なった講演で感染症の流行問題を取り上げたとき、最後に「感染症研究のための特殊部隊」を陸軍軍医学校防疫研究室内に設立した「国家」に触れた。それは一九三〇年年代～四〇年代の日本国家に他ならないが、中国ハルビン郊外に根拠地を持ったその「７３１部隊」は、未知の病気の病原体を発見するための感染実験や、病原体の感染力増強のための感染実験を、現地に住む中国人を「実験台」にして行なった。戦時体制下の国家社会の指導者層（政治家・軍人・軍医ら）は、こんなことすら敢えてするものだということは、コロナウイルス蔓延下のいまも思い起こしておくに値する。

その７３１部隊に関する新資料が発見された。きのう記者会見した西山勝夫氏（滋賀医科大学）と原文夫氏（「15年戦争と日本の医学医療研究会」幹事）が明らかにしたのは以下の点だと、今日付けの「しんぶん赤旗」が書いている。両氏が今年三月、国立公文書館で入手したのは「関東軍防疫給水部隊概況」。両氏の判読・翻刻によれば、７３１部隊を本部とする関東軍防疫給水部（関防給）の各支部、隊員の詳細が記されていて、五つの支部ごとの所属隊員の氏名が、行動群別に階級、本籍、行動状況とともに記されているという。関防給の敗戦時の隊員数は三二六二人で、公文書でそれが明かされたのも初めて。原氏曰く「政府は７３１部隊を公式には認めていない。およそ全体像が明らかになってきたもとで、研究者が協力して、早く解明すべきだ」。

私もそう思う。コロナウイルスがほぼ唯一の話題になって三ヵ月有余、感染症の歴史を振り返る時にも、私が見聞きする限り、７３１部隊という、驚くべき「負の過去」を想起させる発言はなかった。どの人間もどの国家も例外なく、感染症と健気に「たたかってきた」わけではない。他国の土地で、他国の民衆を犠牲にして、感染症を蔓延させる「研究」に勤しんでいた機関があったのだ。そんな過去と向き合うことなく、ごまかし、隠蔽し、やり過ごしてきたのが、この国の「戦後史」だ。だから、戦争が終わって七五年を経たいまなお、日本の戦争責任と戦後責任を問うアジア太平洋の人びとの声が止むことはないのだ。

他方、コロナにまつわるニュースが新聞紙面を覆い尽くす日々がようやく終わりつつある。その感染力がそう簡単には収まらない、第二・第三の流行があり得ると予測されている以上、ニュースとしての重要性が消え去ることは、しばらくはないのだろうが、報道されるニュースが多様化することはよいことだ。重苦しいニュースが多いとはいえ。

まず、国連難民高等弁務官事務所（ＵＮＨＣＲ）の年次報告によると、二〇一九年末段階での世界の難民・避難民の数は七九六〇万人に達した。内訳は、国外へ逃れた人二九六〇万人、国内避難民四五七〇万人、難民申請中四二〇万人。その四〇％は一八歳未満の子どもだという。世界総人口の一％、つまり一〇〇人に一人が難民の時代だ。その三分の二は、シリア、ベネズエラ、アフガニスタン、南スーダン、ミャンマーの出身者が占める。新型コロナウイルスの蔓延が、難民をさらに苦境に追い込んでいることに疑いはない。

バチカン（ローマ教皇庁）は一八日、兵器産業や化石燃料産業への投資をやめ、鉱業などの産業分野の企業が環境を損なっていないか、つぶさに監視するよう信者に求めた。ローマ教皇は昨年一一月末に来日したが、そのとき発したメッセージでも、彼は兵器産業の問題に触れた。当時、私が『反天皇制運動 Alert』に書いた文章を再掲しておきたい。

太田昌国のみたび夢は夜ひらく第一一四回
フランシスコ教皇来日に思う

『反天皇制運動 Alert』第四二号（通巻四二四号、二〇一九年一二月三日発行）掲載

幼いころ、地方都市にあっても、お寺・神社・教会は程遠からぬ場所にあった。通夜や葬儀の時に意味も分からず出入りさせられたのはお寺で、それ以外には立ち入る機会も稀だったが、子ども心にもそれらは日常生活を離れた不思議な異空間で、興味を惹かれた。でも、そこからは過大な影響力を受けずに成長し、気づいたときには確信的な無神論者になっており、現在もそうである。

カトリック教が、けっこう真剣な追究の対象になったのは青年期だ。一九六四年、作家・堀田善衛のエッセイで、一五～一六世紀のカトリック僧、ラス・カサスの存在を知った。コロンブスの大航海とアメリカ大陸への到達を契機に始まったスペインの「新大陸征服事業」が、先住民族への虐待・強姦・虐殺・奴隷化に満ちていることを告発した、国王宛ての直訴文を書いた人物だ。当時、この著書の日本語訳はなく、原書を入手して読み、その内容に心底驚いた。同

じ時代、キューバから届く新聞・雑誌には、見事なデザインのポスターが入っていて、銃を手にするカトリック僧がよく描かれていた。キリスト者が、本来なら根源的に希求しているはずの社会的正義の実現を等閑にして、民衆に抑圧的な体制に与するばかりのカトリック教会の現状を批判して、反体制ゲリラに身を投じる僧や尼僧が生まれていた。

キリスト教の初源的な意図を実現するためには、マルクス主義の立場に立つ人びととの対話・交流を積極的に求めるカトリックの左派潮流は、当時「解放の神学」派と呼ばれていた。ラス・カサスや彼らの著作を読むことで、イエス・キリスト、十字軍、魔女裁判、宗教改革などのキーワードを通して生半可な知識しか持たない一〇代半ばころの状況に低迷していた私のキリスト教理解は、我ながら少しは深まったと思えた。

今回来日したフランシスコ教皇の立ち居振る舞いと言動に対する私の関心は、この延長上にしかない。通常の国家の形とは違うとはいえ、世界最少のこの国家＝バチカン市国は、世界じゅうに一三億人もの信者を擁していることで、無視できない影響力を世界の政治・社会・思想に及ぼしている。現教皇は、とりわけ、核・環境・気候変動・貧困・移民・死刑制度などの問題に関心が深く、率直な発言を厭わないことで知られる。そこで、日本のリベラル派の中からは、フランシスコ教皇と安倍政権の立場を対立的なものと捉え、前者の率直な物言いが後者を揺るがすような効果を期待する声も、事前には聞かれた。だが、バチカン市国といえども「国家」、その最高責任者に外交「儀礼」や「内政不干渉」原則を超越した役割を期待することは、国際政治のリアリズムに反すると私は考えていた。理想・夢・希望を語りかける政治家が世界から消滅したからといって、ひとりの「精神的な権威」がなし得るかもしれない発言に過大な期待を寄せることは、私たちの弱さの反映だ。しかもこの場合、期待が寄せられている人物は、一宗派の宣教を最大の課題とする者に他ならない。

今回のフランシスコ教皇の発言の中で私が注目したのは次のくだりだ。「武器の製造、改良、維持、商いに財が費やされ、築かれ」ること自体が「途方もない継続的なテロ行為」だとする長崎での発言である。「核廃絶」に焦点を合わせるメディア報道では、これは重要視されなかった。今回の教皇来日については、メディア挙げての大報道がなされた割には「泰山鳴動して鼠一匹」の感が深い。

教皇来日の意味を考えようとして幾冊もの本を読んでいて、収穫もあった。ジョルジョ・アガンベンの『いと高き貧しさ――修道院規則と生の形式』（みすず書房、二〇一四年）である。一三世紀にアッシジの聖フランチェスコが創設したフランシスコ会の修道院規則と、そこを共同生活の場とする修道士たちの日々の関係を考察対象とした本である。所有権を拒否すること、「いかなる権利ももたない権利」を掲げることの意味、法権利の外部で生きるとはどういうことか、「国家」という形を取らない政治の可能性――など、「解放の神学」派の宗教者たちが取り組んだ課題が、時空を超えてそこでも切実な形で浮かび上がっていて、示唆的だ。

（一二月一日記）■

ローマ教皇の来日に触れた機会に、私には珍しいテーマで昨年書いた文章も併せて紹介しておきたい。『福音と世界』誌（新教出版社）が二〇一九年一一月号で「天皇制を拒否するために」という特集を編んだ。その際に、日本の初期キリスト教社会主義者と植民地主義の関わりについて書いてほしいとの依頼を同誌編集部から受けた。図書館に通って『内村鑑三全集』を読みながら、以下を書いた。

植民地主義とキリスト教社会主義者群像

アジア太平洋戦争において日本帝国が敗北してから一〇数年を経た一九五〇年代末に、画期的な「転向」論が三つ現われた。一つ目は本多秋五の『転向文学論』（未來社、一九五七年）、二つ目は吉本隆明の『転向論』（初出『近代批評』1号、一九五八年。のち『藝術的抵抗と挫折』所収、未來社、一九六三年）、三つ目は、思想の科学研究会編の『共同研究転向』全三巻（平凡社、一九五九年～六三年）である。

「転向」とは、『共同研究転向』を主導した鶴見俊輔の規定によれば「権力によって強制されたために起こる思想の変化」（同書「序言」）である。もちろん、そのすぐそばには、「転向」とは、当事者本人からすれば「屈辱的な」思い出と共に意識される場合が多いだろうが、それは必ずしも常に忌み嫌われ否定されるべきものばかりではなく、主体の「自発性」に基づく「思想の転換」もあり得るという留保が付けられている。周到なこの規定に同意する立場に立って、日本近現代史の中で、転向の研究と分析が切実な課題となる時期を考えることから始めたい。大胆にスケッチするなら、長めの視野では明治維新によって日本に近代国家が成立して以降、そして短くは日本が全面戦争に突入していく一九三〇年代以降の過程と言えよう。上記三つの転向論は、ほぼ後者の時期に絞って、さまざまな立場に依拠して考え・行動してきた人びとの中に起こった「思想の変化」の過程を調査・研究・分析している。

ここで大急ぎで付け加えておかなければならないことがある。この長期と短期の視点に挟まれて、重要な時期が存在していることである。それは、日露戦争→韓国義兵闘争への弾圧→韓国併合→大逆事件→第一次世界大戦への参戦→シベリア出兵→三・一独立運動への弾圧→関東大震災と朝鮮人虐殺……と続く、二〇世紀初頭の二〇年間の出来事が凝縮して埋め込まれている時代である。冒頭と末尾に記した出来事の年号で示すなら、「一九〇四年→一九二三年」ということになる。それは、体制側が打ち出す政策に対する抵抗と批判の動きが際立って台頭した時期でもある。この体制批判の役割を担って登場したのが、キリスト者、社会主義者、アナキストなどであった。日本に初めて登場した社会主義者たちの多くがキリスト教徒であったことに注目したい。ここではこの時期にあらわれた、彼らの「抵抗と挫折と転向あるいは躓き」の様態を振り返っておくことにしたい。状況的にいって、そのことは、二一世紀初頭の現在を生きる私たちに語りかけるところがきわめて多いと思われるからである。

＊　　＊　　＊

インド洋を経た米国ペリー艦隊が浦賀に来航して、鎖国中の日本に開国を迫る砲艦外交を繰り広げたのは一八五三年であった。それから六年を経た一八五九年、プロテスタントの信仰が初めて日本に伝えられた。（明治の新体制は、プロテスタントの国＝米国との関係を軸に展開され始めるので、以下においては主としてプロテスタントの動きに触れる）。前年には日米修好通商条約が調印され、米国聖公会のジョン・リギンス、次いでチャニング・ウィリアムズが、いずれも清国からキリスト教宣教者として公に来日したからである。それから九年後「明治維新」を経て新時代を迎えた日本にあって、「進んだ欧米」からもたらされたキリスト教は「文明開化」の象徴だった。一八七三年、切支丹禁制の高札が除去された段階ですでに渡来していたプロテスタント宣教師とその妻の数は六〇人に達していた。キリスト教が原義的にもつ社会正義への志向性が救世主の存在によって実現されるとする理想主義は、「遅れたアジア」の一角＝日本に住む進取的な人びとの心を鷲掴みにした。内村鑑三、安部磯雄、木下尚江、賀川豊彦、石川三四郎、のち社会主義者となる片山潜、山川均、荒畑寒村、のちアナキストとなる大杉栄――彼らはすべて（幼年期の場合もあるからどこまで自覚的であったかはともかく、受洗経験をもつだけの者も含めて）キリスト教徒として出発した。社会の底辺に押し込められた人びとを解放して正義を実現するために、自らを救世主的立場に置こうとしたのである。

彼らが手にしたその政治観・社会観の真贋が試された最初の試金石は、一九〇四年に始まる日露戦争だった。主戦論に走る圧倒的な世論の動向に逆らうようにして、非戦論・反戦論を展開したのは内村鑑三および、キリスト者からは少し離れてもともと社会主義者の場所に立っていた幸徳秋水や堺利彦である。その両者を取り持つような場所に、キリスト教社会主義者がいたのだと言える。

幸徳はすでに一九〇一年に『廿世紀之怪物　帝国主義』を刊行し、そこで非戦論を展開していた。だが、幸徳の書に好意的な「序文」を寄せた内村の場合は少し違う。遡れば一〇年前の一八九四年、日清戦争開戦に際して内村は次のように述べた。「明治十五年以後支那の我邦に対する行為は如何なりしや、朝鮮に於て常に其内治に干渉し、我の之に対する平和的攻略を妨害し、対面的に吾人に凌辱を加へて止まざりき。」（「日清戦争の義」、『国民之友』一八九四年九月）。いわゆる「義戦論」を唱えたのである。内村の真意は、今次の戦争が「朝鮮の独立のための戦い」であることを強調した点にあり、福沢諭吉のように「脱亜入欧」と帝国主義国家への仲間入りを正当化した論理とは異なる場所にいたことは明らかだ。だが、歴史的・政治的に見るならば、黒船による砲艦外交の試練に晒された日本は、やがて同じ方法をもって朝鮮に迫り、そこを支配しようとする策謀を次々と張り巡らせていたことを見逃している点で、内村はあまりに「夢想的」であったと言えよう。

だが、内村はすぐに気づく。清国に戦勝した日本の政治家も新聞記者も全国民も「其主眼とせし隣邦の独立は措て問わざるが如く、新領土の開鑿、新市場の拡張は全国民の注意を奪ひ、偏に戦捷の利益を十二分に収めんとして汲々たり。」（「時勢の観察」、『国民之友』一八九六年八月）であるという現実に。義戦を信じるとはなんと「馬鹿者」であったかと悟った彼は、前言を恥じて、日露戦争時には絶対非戦論の立場に立った。キリスト者の中には『旧約聖書』の一節を引いて対露開戦を煽る者もいて、多くの信者が開戦を支持していた時に、日本国家は「軍備全廃」論に立つ道徳的優位性をもって対露交渉を平和裡に行なうべきだと内村は主張した。これは、軍備撤廃から戦争廃絶への道筋を、あの時代にあって見極めた先駆的な主張の一つとして、幸徳の非戦論同様、人類史上終わることのない生命力を持ち続けていることに留意したい。

内村や柏木義円などと共に非戦の論陣を張った左派の幸徳秋水と堺利彦は、開戦論に傾いた『萬朝報』を見限って『平民新聞』を創刊した。同紙は直ちに厳しい弾圧に晒される。キリスト教会主流は、弾圧された社会主義者や労働運動と関係を持つことを意識的に避けた。一九世紀半ば渡来し始めたキリスト教の信仰をこぞって受容したキリスト教社会主義者は、半世紀後にはごく少数派として取り残されていたと言えよう。

非戦論では共闘し得た両者の間に分岐が現れるのは、同時に進行した事態を見てのことである。一九〇二年には呉海軍工廠で、一九〇六年には大阪砲兵工廠で、それぞれ大規模な労働争議が起こった。明治国家の「富国強兵」「殖産興業」路線は、「維新」から三五年足らずのうちに、ストライキ権に活路を見出す多数の労働者を生み出していたが、彼らが職場としていたのは軍需工廠であったことに注目すべきだろう。一九〇七年には、銅山から排出される鉱毒被害に抗議する農民たちの戦いが続けられていた足尾銅山で鉱夫たちの暴動が起こった。これらの大衆のたたかいの現実性とそこに漲る戦闘性が、山川均、大杉栄、荒畑寒村らを目覚めさせ、どこか超越的な高みから「説教」を垂れるキリスト教的なるものからの離反を促したといえよう。

一九一〇年、でっち上げの「大逆事件」を口実に逮捕され、翌年処刑されるに至る幸徳秋水は獄中にあって『基督抹殺論』を著して、キリストの歴史的実在性を否定した。内村はそれでも、幸徳が刑死した後に、幸徳秋水は「確信ある無神論」の立場に立っていたとして、深い哀悼の気持ちを捧げた。立場を異にする者同士が、このようにお互いの立ち位置を認め合うという寛容さが、思想と実践の場にはあり得るのだという確信をここから得たい。「非寛容な」時代の渦中に生きていればこそ。

＊　＊　＊

一九一〇年の韓国植民地化（今までならよく知られていることだが、このことを知った石川啄木が「地図の上朝鮮国にくろぐろと墨をぬりつゝ秋風を聴く」と詠んだことを、これからも記憶しておきたい）、一九一一年の「大逆事件」関係者一二人の死刑執行――これをもって、日本の社会運動は「冬の時代」に入ったとは、従来の歴史書で読みなれた記述である。国内的に見て、この「解釈」が言い表そうとしていることを理解できなくはない。片山潜は米国へ去った。身内の哀しい不幸にも見舞われた内村鑑三は、キリスト者としては当然のことながら、『聖書之研究』に集中する。体制側にまるごと身を投げる者も相次いだ。確かに、寒風吹き晒す「冬」の光景には違いない。

だが、鎖国体制を解いて以降のこのおよそ半世紀、「富国強兵」「殖産興業」「脱亜入欧」路線をひたすら走り抜けてきた近代国家・日本はその過程を、否応なく、近隣諸地域・諸国との諸関係の中で生きてきた。欧米の植民地主義国に倣った日本の拡張主義は、どのように展開したのか。それを語らせるに相応しい人物がいる。日米和親条約締結のために一八五四年再来日したペリーの旗艦に乗って外国渡航を試みたものの失敗し、長州の獄中にあった吉田松陰である。彼は、密航の動機を書いた『幽囚録』で次のように言っている。「今急武備を修め、艦略具はり礮略足らば、則ち宜しく蝦夷を開拓して諸侯を封建し、間に乗じて加摸察加（カムチャッカ）・

隩都加（オホーツク）を奪ひ、琉球に諭し、朝覲会同すること内諸侯と比しからめ朝鮮を責めて質を納れ貢を奉じ、古の盛時の如く西、北は満洲の地を割き、南は台湾、呂宋（ルソン）諸島を収め、進取の勢を漸次すべし」（一八五四年）。

明治国家が「維新」の翌年には北方にあったアイヌ民族の大地＝蝦夷地を奪い、それから一〇年後には独立王国＝琉球を我が物にした事実を見よ。西欧列強の圧力を受けて「開国」は必至と見た松陰が、その列強に倣って企図した軍事力に基づく対外膨張路線は、それからわずか一五年後以降の日本国家によって実現されてゆく。一八六九年／蝦夷地を併合し、北海道と改称。一八七九年／琉球処分。一八九五年／台湾領有。一九一〇年／韓国併合……。日本帝国の「膨張史」を明かすこの年表は、一九四五年の敗戦時まで果てしなく続いていくのだ。

この年表を詳しいものとして完成させれば、近代日本国家が近隣諸地域に対して、強権を行使しての併合、軍事力の威嚇と行使、内政干渉を伴った軍事的弾圧、侵略戦争、政治的な詐術、他国からの政治・経済・貿易・軍事的権限の剝奪、植民地化などさまざまな手を尽くして、支配を確立させていったことがわかるだろう。それは支配層間の抗争で終わったのではない。戦争と植民地化の直接的な結果をもっとも過酷な形で引き受けざるを得なかったのは、常に人口の多数を占める民衆だった。日本の膨張主義による被害を受けた地域の民衆と抵抗者たちは、その意味で、明治国家出発時から一貫して「冬の時代」を生きることを強いられたのだと言える。もちろん、それは、被植民地の民衆にとっては反植民地闘争の「たたかいの日々」でもあったと捉える視点が同時になくてはならない。一九一〇年の韓国植民地化と大逆事件をもって日本の民衆運動が「冬の時代」を迎えたとするのは、あまりに視野の限られた「一国主義」であると言うべきだろう。

植民地を持った「本国」に生きるということは、宗教者の場合には、「植民地伝道」の問題に直面することを意味する。記憶に留めておくべきは、いち早くキリスト教に帰依し、一貫して主流の道を歩んだ植村正久が、日本基督教会の大会で「朝鮮ハ日本将来ノ植民地ナリ」という言葉遣いで朝鮮伝道決議案を提出したのは一九〇三年一〇月であったことだ。実に、実際に「韓国併合」が行なわれる七年前のことだ。その植民地化が成ると、政府は直ちに動いた。一九一二年二月、内務次官・床次林二郎は、神道、仏教、キリスト教の代表七一人を華族会館に招き「三教会同」を開いた。会同の決議は「我等は各其教義を発揮し、皇運を翼賛し国民道徳の振興を図らんことを期す」と宣言している。内村鑑三と柏木義円は「三教会同」を批判したが、そのような批判者が少数派にとどまる以上は、「植民地伝道」は「皇運を翼賛し国民道徳の振興を図らん」道をまっすぐに歩むことになるのである。

二〇世紀初頭の二〇年間を再び振り返るに当たって、この観点に依拠した場合に重要視すべきは、一九一九年の「三・一独立運動」と一九二三年の「関東大震災および朝鮮人虐殺」だと言える。前者が同年二月八日、在東京の朝鮮留学生が発した「独立宣言」を契機として本国にも波及したことに注目したい。東京でも韓国でも、キリスト者が大きな役割を果したことはよく知られている。問題は、これに日本人キリスト者がいかに応えたかだろう。一つには、韓国植民地化の直後、日本組合基督教会の渡瀬常吉はいち早く植民地伝道を始めていたが、彼は、三・一独立運動は韓国のキリスト者たちの偏狭な愛国心と未熟な信仰ゆえに引き起こされたと断罪して憚ることはなかった。宗教が国家を超えるどころか国家にまるごと包摂されていてよい、国家と一体化すべきものだと考えていたのだろう。柏木義円は一九二五年、実際に朝鮮の地を旅行して記した「朝鮮を見ざるの記」（『上毛教育月報』第三一八号、一九二五年五月二五日）において、名指しはしていないが、総督府に取り入って多額の補助金を得て宣教活動を行なった渡瀬を「御用宗教」者として厳しく批判している。

この柏木に加えて、吉野作造、矢内原忠雄などごく少数のキリスト者のように、朝鮮総督府が採用してきた朝鮮人差別の政策や不公平な扱いに独立運動発生の原因を求める者もいた。柏木も吉野も、「三・一独立運動」を目の前にしてなお、朝鮮民衆の「独立」への渇望を十分に理解しているとは言い難い。一九二〇年、東大「植民政策学」の講義を行なう職に就いた矢内原は「朝鮮統治の方針」（『中央公論』一九二六年六月号）において、従属主義的・同化主義的な植民政策を批判し、民族自治主義に基づく植民政策を主張した。具体的には、朝鮮議会を設置することで朝鮮人が朝鮮統治に参与する道を開こうというのである。急進的な独立運動の側から見ればこれとて「宗主国的発想」の範囲内にあるという批判を免れることはなかったが、今なお論議の対象となり得る質はもち続けている。

一九二三年の震災直後に行なわれた朝鮮人虐殺に関しても、大きな問題が残る。日本の歴史書では多くの場合、朝鮮人虐殺、南葛労働会に属する労働運動活動家と社会主義者の虐殺（亀戸事件）、大杉栄らの虐殺の三つの事態が、震災後に起きた悲劇として〈並列的に〉語られる。だが、姜徳相が『［新版］関東大震災・虐殺の記憶』（青丘文化社、二〇〇三年）で主張するように、朝鮮人虐殺は官民挙げて行なわれた日本の民族的犯罪であり、残る二件は自民族内部における権力犯罪であるという違いに目を瞑るわけにはいかない。事実、事件が起こった日付、事件の様態、そこへ至る経緯、犠牲者の数、問題「発覚」の経緯、報道の多寡、権力と民衆の反応の在り方、犯人処罰の有無——などの観点からすれば、決定的な違いが両者の間には存在している。亀戸事件で虐殺された一〇人の社会主義者のうち八人が、九月一日の深夜に始まる朝鮮人虐殺の先頭に立った自警団活動に二日夜から参加している。彼らも虐殺の下手人であったとは言えないが、「誤認」されて捕まった人について「其レハ鮮人ニアラズ」「ダカラ返シテクレト交渉シタ」と語ったという証言はある。大杉栄の虐殺に怒り、責任ある立場の官憲に対するいくつかの「復讐」を試みたギロチン社に集うアナキストの若者たちも、大杉虐殺の二週間前から行なわれていた朝鮮人虐殺に対する関心があったとは言えない。ヨリ穏健な立場の社会主義者や労働運動活動家の場合を見ても、朝鮮人虐殺に対する関心のなさが際立っている。

内村鑑三は、震災後の東京の街で、市民と一緒になって金剛杖をつき拍子木をたたきながら熱心に夜警の任に就き、当時新宿にあった今井館聖書講堂を軍隊の宿舎に提供したうえで、「民の平安を与ふる為の軍隊であると思えば敬せざるべからず愛せざるべからずである」と「震災日記」に記している。

日本の軍隊は一九二三年当時、先に記したように、日清戦争後の三〇年間、戦争に次ぐ戦争を経験してきた強力な国軍であった。その経験を積んで退役した「在郷軍人会」の元軍人たちも自警団に参加し、「経験を生かして」虐殺の先頭に立った。内村が日露戦争に際して非戦論どころか軍事全廃論を主張したことは、先に見た。震災当夜に始まる虐殺の事実が、新宿に住んでいた内村の耳目に届かなかったとは考えにくい。自らの住まい兼聖書講堂を軍人の宿舎に提供し、自らに納得を促すような文言を日記に記した内村の本意はどこにあるのか。疑問は尽きない。

百年前の過去を生きていた人びとの生き方と言動に対する関心が私たちの裡に生まれるのは、なぜか。その過ちや不十分さを一方的に論難するためにではない。植民地支配の歴史を反省するどころか、それに居直り、恐るべき排外主義が為政者ばかりかマスメディアを通して社会全体に浸透している現在を対象化するために、である。その観点に立つとき、ここに登場した人びとや運動から学ぶべきことは尽きることがない。

最後に。以上述べてきた一連の事態の直前には、一八八九年の「大日本帝国憲法」および一八九〇年の「教育勅語」の発布がある。近代日本は、天皇制に依拠した排外主義的な自国中心主義を支配構造の基軸に据えて、その後の植民地支配と侵略戦争の歴史をたどった。民衆の多くは教育勅語が謳うように「一身をささげて皇室国家のために尽くした」。同じ時期、東アジアに存在した王政は、清国では一九一一年辛亥革命によって、ロシアでは一九一七年ロシア革命によって打倒された。一九一〇年、韓国は王政支配の弱点を衝いた日本による植民地支配を強いられたが、韓国民衆は一九一九年「三・一独立運動」などの抗日闘争の過程で実質的に王制を廃絶して、一九四五年「日帝支配からの解放」を迎えた。

現在の東アジア地域では、天皇の名でアジアを侵略した過去を持つ日本においてのみ王制が持続している。こんな過去を持つ天皇制を、私たちはなぜ今なお廃絶できていないのか。この切実な問いが私たちの前にはある。■

六月二二日（月）

兵庫県西宮市武庫川にオフィスのある旅行会社「マイ・チケット」の山田和生氏から電話。状況が状況だから、どうしているか心配はしていた。案の定というべきか、会社をやめたという。一九九五年の神戸大震災および二〇一一年の東北大震災の直後に経験した不況を思えば、コロナ禍の後にどんな時代が来るかは想像がつく。早めに手を打つ、という。いわゆるオールタナティブ・ツアーを企画して三八年、実にユニークな旅行会社だった。私が「マイ・チケット」の企画したツアーにガイドとして参加したのは一度きりだった。一九八三年、サンディニスタ革命から四年目のニカラグアへの旅。参加者は多くはなかったが、思い出多い旅ができた。山田氏には、その豊かな経験談を一書にまとめてほしいと心から思う。この件、関西では「倒産」として、かなり大きく報道された。

六月二三日（火）

ベトナムが新型コロナウイルスによる死者は「ゼロ」であるとする報道を何度か見聞きした。中国との関係が一貫して緊張しているベトナムは、昨年末以降の武漢での感染症の発生情報をいち早く摑み、情報収集に万全を期する一方、国境封鎖などの具体的な諸措置を講じたからだとの説明に一応は納得しつつも、隔靴掻痒の感は免れなかった。今日の朝日新聞は、ベトナムの民主活動家、グエン　グアン　ア（一九四六～、同国初の民間シンクタンク「開発研究所」創設者）とのインタビューを「新型コロナ　一党独裁の国から」とのタイトルで伝えた。彼によれば、ベトナムがウイルスの封じ込めに成功したのは、医療システムが脆弱なために、その許容範囲内に感染者を抑え込むために、感染者・濃厚接触者・接触者を特定し、隔離するという方策を採用したからだ。共産党の一党独裁体制は、あらゆる組織を政府の統制で動かせる「動員社会」だから、それが可能だとする。コロナ問題に関する政府の方針に少しでも疑問を投げかけるものは、次々と逮捕されている、と語る。だが抑圧的でありながら、「人々の声に敏感に応える体制でもある」とする分析は冷静だ。「一党独裁に民主的要素を取り込んでいるとは言える」が、それは参加型民主主義ではないというのが、氏が行なっている体制批判の核心だろう。

ドイツのロベルト・コッホ研究所チーム、「麻疹ウイルスは、約二五〇〇年前に出現した」と発表。きっかけは、独ベルリン医学史博物館にホルマリン漬けで保管されていた一九一二年の麻疹患者の肺。ここからウイルスのゲノム（全遺伝情報）を解読し、「家系図」を作って、牛疫ウイルスとの共通の祖先から枝分かれした時期をたどり、約二五〇〇年前までたどり着いたというから、面白い。麻疹ウイルスは人にしか感染しないが、家畜伝染病の牛疫ウイルスと遺伝子の特徴がよく似ていて、もともとは人と牛などの「人獣共通感染症」だったと考えられることから、この推定が成り立つようだ。

今日発売の「サンデー毎日」七月五日号に、倉重篤郎氏の「ニュース最前線」掲載。題して「拉致問題　安倍首相はいったい何をしてくれたのか!」。サブに「蓮池透、太田昌国、和田春樹が政権の責任を緊急告発」とある。メインタイトルは蓮池氏の発言から採られている。長いインタビューを手際よくまとめてくれている。拉致被害者家族会は戦後最大の圧力団体として機能してきているとは、私が一貫して主張してきたことだ。お気の毒な「被害者」であることに疑いはないが、だからといって、その言動とふるまいにおいて何事でも許されるわけではない。私的感情においては当然沸き起こるであろう怒りや焦りが、政治・外交・歴史のレベルで考えなければならない局面においてもそのまま直線的に噴出するときに、発言の位相は異なってくる。それに気づいたのが蓮池透氏ひとりで、他の方たちは一貫して「絶対正義の場」に自らを置き続け、何を言っても許されると思い込んできた。政府とメディアと「世論」を牛耳り、膨大な署名簿や、想像するに億単位の多額のカンパ金も手にして、「不足のない」活動を続けてこられたはずなのに、なぜいつまでも具体的な成果を獲得できないのか。それを顧みる「余裕」か「内省」の気持ちをお持ちであったなら、待ち受けている結果には過酷な内容のものもありえただろうが、遥か以前に打開の道を探り当てたはずだ。他方、拉致問題がつくり出した、不穏で排外主義的な社会的雰囲気を利用して登場しただけの安倍政権を、今回の横田哲也氏の発言のように、支え続けた「罪」は重い。

唐澤が数年前まで広報誌の編集・制作の仕事を請け負っていた会社からサクランボが、西宮の姉夫婦からは水ナスが届いた。いずれも、この季節のよさをしみじみと思わせてくれる。

六月二四日（水）

夕食直前、行政が貸し出す畑で野菜栽培を始めたという近所のMさんが、採り立てのナスとキュウリを届けてくれる。柔らかく、おいしい。

六月二五日（木）

西日本新聞デジタル版「検証　コロナ第一波」の記事。それによると――

国立感染症研究所は去る四月二七日、新型コロナウイルスに関するこれまでの研究成果を発表した。感染研は国内の陽性患者から検出されたウイルスのゲノム（全遺伝情報）を解析した。分かったことは二つ。一つは初期のクラスター（感染者集団）は中国・武漢で検出されたウイルスの特徴を備えていたが、このタイプは抑え込みに成功し、ほぼ終息したとみられること。もう一つは、三月以降に検出されたウイルスの多くが、欧州を「起源」とする遺伝子の特徴を備えていたことだ。感染研のリポートには「三月中旬までに海外からの帰国者経由で〝第2波〟の流入を許し、全国各地に伝播したと推測される」と記されている。米国が欧州（英国を除く）からの入国を禁止したのは三月一三日。日本も早急に水際対策を講じる必要があったが、政府が欧州などからの入国制限に踏み切ったのはその八日後だった――。

なぜ遅れたのか。夏の東京オリンピック開催を前にして、ウイルス騒ぎを大ごとにしたくなかったからだとは、当時から推論・推測されていた。それを、関係者の具体的な言葉で確認している。例えば、――大会組織委員会幹部は「ＩＯＣメンバーで最も多いのが欧州出身者。無理に日本でやる必要はないという雰囲気が漂い始めていた」から、国際オリンピック委員会（ＩＯＣ）が大会中止に傾くことを警戒していた。首相は当時、面会した公明党幹部にこうささやいている。「聖火が到着しさえすれば、延期になっても日本開催は揺るがない。日本に聖火が着くことこそが重要なんだ」。聖火の採火式は一二日、ギリシャで行われた。出席した遠藤利明元五輪相は、次々と感染の火の手が上がる欧州の現実を目の当たりにした。現地の聖火リレーは初日こそ行われたが、二日目の一三日に中止された。「採火式が何日かずれていたら（聖火を日本に移すのは）難しかったかもしれない」。遠藤氏自身、フランスでの視察予定を取りやめ、急きょ帰国した。ぎりぎりのタイミングだった。二〇日、待望の聖火が日本に到着。翌二一日、政府は欧州を含む三八ヵ国からの入国者に自宅待機を要請する措置を始めた。イタリアの感染者は四万七〇〇〇人に達し、フランスは一万人を超えていた。そして二四日夜、日本の戦略が成就する。首相はＩＯＣのバッハ会長と電話会談し、東京五輪の一年程度の延期で合意した。「東京オリンピック・パラリンピックの中止はないということを確認した」。首相は記者団にあえて強調した。政府が欧州からの入国拒否に踏み切ったのはその三日後だった。既に欧州各国から帰国した旅行者らを通じてウイルスは都市から地方へ拡散、感染経路をたどれない状況が水面下で進行していた。欧州を刺激せず、聖火の到着を待ち、五輪の日本開催を守るために、私たちは何を失ったのか。どんな代償を払ったのか。詳しい検証はまだなされていない。――記事は、末尾でこう問いかけている。

そういえば、日本での聖火リレーの出発地点には、サンドウィッチマンの二人が「盛り上げ役」と立っていたが、日ごろの漫才の時の「冴え」もなく、強風吹き荒むなか、生気の失せた表情でいたことを思い出す。

米国での白人警官による黒人殺害事件の反響は、その後も深く、広く続いている。ニューヨークの米自然史博物館は、第二六代大統領セオドア・ルーズベルトが馬に乗り、その両脇を先住民と黒人が歩いている姿の像の撤去を申請した。「黒人や先住民が白人に従属し、人種的に劣ることを表現しているのが明白」だからという。博物館側が自ら「人種間の平等を求める運動のかつてない広がりに深く心を動かされた」と告白している点に注目したい。トランプ大統領は、もちろん、「ばかげている。やるな！」とツイッターで叫んでいる。

イギリスでも、オックスフォード大学オリオル・カレッジが、大英帝国の政治家、セシル・ローズ（一八五三〜一九〇二）の像を撤去する意向を示した。「植民地主義と人種差別の象徴だから」だ。私は、一九六〇〜七〇年代、アフリカにおける反植民地闘争の歴史と現実を学んでいた時、ローデシアの国名がセシル・ローズに因んでつけられたと知った。半世紀以上の時間を必要として、現実が少しずつ変わっていく。その間に、北ローデシアは一九六四年ザンビアとして独立し、南ローデシアは一九八〇年ジンバブエ共和国として独立した。

他方、欧州議会（七〇五議席）は、大西洋奴隷貿易について「人道に反する罪」だと指摘する決議を可決した。今回の抗議デモが「欧州による植民地の過去と大西洋奴隷貿易におけるその役割を再び想起させた」と内省する力が彼の地にはあるようだ。

加えて、カリブ共同体（カリコム。旧英領カリブ海諸国一四ヵ国一地域で構成）は、奴隷貿易で巨万の富を得たイングランド銀行や英保険組合が「奴隷貿易を行なった統治者と弁解できない関係にあり」、「恥ずべき役割を果たした」と謝罪したことに関して、「謝罪だけで済ませずに、開発計画への資金拠出や、略奪した富の一部を復興援助のような形で返還すべき」と迫った。カリブ海の一国、トリニダード・トバゴ出身の若き学徒であったエリック・ウィリアムズが、留学していたイギリスの大学に学位論文「資本主義と奴隷制」を提出したのは一九五四年。イギリスの史学界は、イギリス資本主義の繁栄を支えた根源には、当時のイギリスが十二分に活用した奴隷貿易があったことを立証したウィリアムズの論文を徹底して無視した。それから半世紀以上の年月をかけてようやく時代はここまで来ている。ウィリアムズの著書は、一九六八年に『資本主義と奴隷制――ニグロ経済史』として翻訳出版された（理論社、中山毅＝訳）。それが、昨年、ちくま学芸文庫に同じタイトルで収められたことはよかった。現在進行中の事態の本質が、過去からの照射を受けて、くっきりとその姿を現わすのだから。

津村喬氏が、去る一七日に亡くなっていたことが明らかになった。享年七一。六〇年代末から七〇年代初頭にかけて、レボルト社での付き合いがあった。学習会に講師として招き、中国文化大革命・72年のニクソン訪中・「林彪事件」などについての報告をお願いした。最後に会ったのは、八二年川崎で開かれた「アジア・アフリカ・ラテンアメリカ文化会議」。すでに気功師として活躍していた彼は、私の身体を診てあげると言って、肩から背にかけて揉んだり触診したりしながら、「太田さんは、思想はともかく、体はえらく固いですね。がちがちですよ」と言った。彼は京都住まいだし、関わる分野があまりに違うので、その後会うことはなかった――と書きかけて、五〜六年前か、松田政男氏の『風景の死滅』増補新版（航思社、二〇一三年）出版記念のシンポジウムで、三〇数年ぶりに会ったことを思い出す。

高橋武智氏の訃報も、数日前に届いた。享年八五。著作では、『私たちは、脱走アメリカ兵を越境させた……べ平連／ジャテック、最後の密出国作戦の回想』（作品社、二〇〇七年）、翻訳では、クルトワほか『共産主義黒書――コミンテルン、アジア篇』（恵雅堂出版、二〇〇六年。現在は収録部分を若干変えて、ちくま学芸文庫、二〇一六年）が忘れ難い。この全三巻シリーズは、未訳出部分を別書として刊行する計画があったと思うが、もし高橋氏が翻訳を担当されていたのなら、どうなるのだろう？　現代企画室では高橋氏に、シャルル・ベトレームの『ヨーロッパ中心主義』の翻訳を依頼し、快諾を得ていたが、編集者たる私は、とうとう氏の仕事を完成にまで導くことができなかった。かえすがえすも残念な思いが残る。

六月二六日（金）

米国ミネソタ州メニアポリスで、黒人ジョージ・フロイドさんが、白人警官の膝で首をねじふせられて殺害されてから一ヵ月が経った。

毎日新聞国際欄に、ベルギーでは、アフリカのコンゴに対する植民地支配をめぐって自省的に捉え返す機運が高まっていることを伝える記事。同地を私領地「コンゴ自由地」にして支配した元国王レオポルド二世（在位一八六五〜一九〇九）の像が「植民地主義と人種差別の象徴」として相次いで破損されているのだ。一九六〇年、コンゴは独立を遂げたが、その独立運動の指導者で首相に就任したパトリス・ルムンバは、旧宗主国ベルギーと、これに操られたコンゴ内勢力の共同謀議によって六一年に虐殺された。その死は、一六歳だった私の胸に痛く突き刺さった。長じてからは、物理学者・藤永茂の二つの仕事、ジョセフ・コンラッド『闇の奥』の翻訳（三交社、二〇〇六年）と著書『「闇の奥」の奥――コンラッド・植民地主義・アフリカの重荷』（同、二〇〇六年）に深く教えられるものがあった。『闇の奥』を最初に翻訳したのは中野好夫だった（岩波文庫、一九五八年）と思う。中野訳ゆえ達意の文章であったには違いないが、いまは手元から失われた。いまは藤永訳で読み返す。若いころ、何らかの歴史的なインスピレーションを与えられた地域が、六〇年経って、人種差別の現実をめぐって改めて注目を集めていることは感慨深い。

六月二八日（日）

ボリビアのホルヘ・サンヒネス監督から、新作〝Los Viejos Soldados〟（仮訳『古参兵たち』）の未完成版が届く。未完成とは、本体の編集は完成状態だが、音楽・クレジットなど最終段階の作業が、コロナ対応で中絶しているため。その作業を行なうためには、映画産業の基盤を欠くボリビアではできず国外へ出なければならないが、それがままならない数ヵ月間だったという。Vimeoで観る。最初に引用される「ボリビア人は自分たちが何者であるかを知るために、チャコ戦争に赴かなければならなかった」とは、同国の社会学者、レネ・サバレタ・メルカードの言葉。逆に言えば、チャコ戦争に赴くことで、ボリビア人は自分が何者であるかを知った、の意。国際石油資本の利益争奪を本質とするチャコ戦争に動員されたボリビア人（その点ではパラグアイ人も同じ）とは何なのかという問いかけだろう。冒頭、或る先住民の村で、若いカップルの結婚祝いの場に軍隊が来て、新郎を含めた若い男たちを兵士として拉致し、新婦らの女たちに暴行するという場面で、戦争と軍隊の本質を簡潔に描き出す。以下、ストーリーはまだ明らかにしないということで。来年二〇二一年に、再度のレトロスペクティブを展望したいものだ。来年も「密」を避けるために、劇場定員の半分しか入場できない日々がもし続いているなら、開催は無理だろうが。

六月三〇日（火）

朝日新聞トップは久しぶりに「コロナ」記事。「世界の死者五〇万人　感染者一〇〇〇万人」「コロナ　新興・途上国で猛威」とある。国連の規準に基づいて世界を先進国（三〇ヵ国）と新興・途上国に分類すると、感染者は前者が四二九万人、後者が五八五万人（米国ジョンズ・ホプキンス大学の調査）。ブラジルやペルーなど中南米諸国での増加が顕著という。各国の一〇〇万人当たりの死者数で見ると、四月下旬には、死者が最も多い一五ヵ国をすべて欧米先進国が占めていたが、六月下旬になると、死者がもっと多い一五ヵ国の内一二ヵ国が新興・途上国に入れ替わった。チリ、メキシコ、ペルーなどで感染が急拡大している。感染者を絶対数で見ると、米国二五一万人、ブラジル一三二万人、ロシア六三万人、インド五二万人、英国三一万人、ペルー二七万人、チリ二六万人、スペイン二四万人、イタリア二三万人……と続く。

他方、朝日紙には、「ブラジルから定住化30年」の記事もある。一九九〇年の出入国管理法の改定で、かつて開拓移民（「棄民」と言うべき実態だった）で南米に渡った人の子や孫は「定住者」という在留資格で来日し、就労制限なしに働くことができるようになった。一時期には三〇万人を超える人びとがブラジル、ペルー、ボリビアなどから来日したが、二〇〇八年のリーマン・ショック時には派遣切りが相次ぎ、今回もコロナ禍で職場も家も失う人が絶えない。「非正規労働の再生産」をするだけで、「雇用の調整弁」として使われていることが明らかだ。このような視点の報道がもっと増えるとよいのだが。

ＮＨＫラジオの語学講座は、きょうから四ヵ月目の新テキストに変わる。若い頃からいろいろな語学講座を聞いてきた。成果の上がったものは情けないほどに少ない。以前は、四月～翌年三月の一年間カリキュラムだった。いつの頃からか、四月～九月および一〇月～翌年三月の半年間コースになった。聞く側に「堪え性」がなくなってきたのだろう。いま聞いているスペイン語は、月～水が初級、木～金が中級だが、四ヵ月目に当たる今回の七月号テキストでは前者が四月号の繰り返し、後者のみ新しいテキストになっている。ハングルは月～金の一貫講座だが、四月号に同じ。唐澤が聞いているイタリア語も、スペイン語と同じ。番組で事前にひと言の「お断り」があったわけでもない。コロナ対策の「働き方改革」で、番組編成が無理になったのだろう。この番組のために働く人びとの現場はよく知らぬが、工夫の仕方はなかったものか。腑に落ちない。ハングルはようやくいい段階へ来ていたのに、「イロハ」に戻るとは！

第三章　秋

（二〇二〇年七月～九月）

7. 小康（二〇二〇年七月）

七月一日（水）

きのう六月三〇日は、コンゴ独立六〇周年記念日。それに因んだのか、ベルギーのフィリップ国王は、ベルギーが行なったコンゴに対する植民地支配に関して、王室として初めて「深い遺憾」を表明した。

また英国教会（世界組織は聖公会）のジャスティン・ウェブリー・カンタベリー大主教は、奴隷制に関わる像が「そこにあるべきかどうか」を「非常に慎重に」検討すると述べた。「総本山のカンタベリー大聖堂や（戴冠式が行われる）ウェストミンスター大聖堂には、至るところに記念碑がある。いくつかは撤去し、いくつかの名前は変えなければならない」。

コロナ状況下で、世の中には「根源に立ち返って」考えるべきことがあることに気づいた人びとの群れがつくり出している、この時代ならではの光景なのかもしれぬ。

七月二日（木）

キム・ミレ監督の『東アジア反日武装戦線』の韓国での公開は来る八月予定で進んでいる。作成する冊子に文章を寄せてほしいという先方の依頼に応えて、以下の文章を送った。

映画『東アジア反日武装戦線』の時代的な背景

キム・ミレ監督の映画のタイトル『東アジア反日武装戦線』とは、一九七〇年代前半の日本に実在した政治闘争組織の名称そのものである。この名称には、時代的特性がくっきりと刻印されている。

「東アジア」とは、日本も属している地理的概念である。日本社会は、本来ならば、この地域に住む人びとを「友」として生きなければならなかった。しかし、二世紀有余に及んだ鎖国体制を解いた一九世紀半ば以降、近代国家への道を歩み始めた日本は、正反対の方向に進んだ。欧米列強がアジア全域に進出している状況を知って、支配層は、「弱いアジアを離れて」、「強い欧米を真似る」ことにした。殖産興業と富国強兵の道である。「強い欧米」はいずれも植民地帝国である。植民地の資源と労働力を活用して、経済力をつけた。自国の利益を拡大するためには戦争も辞さない歴史を積み重ねてきたから、軍事力も強力だ。その欧米諸国と同じ道を近代日本は歩んだ。植民地支配と侵略戦争を通じて、東アジアおよび広く太平洋地域の人びとに多大な被害を与えた。命名者たちは、このような日本社会の在り方に「恥」を感じ、「東アジア」と共に生きる道を求めて、この地理的な名称を使った。

「反日」とは、理念的には、自国民族中心主義を批判する言葉である。その傾向は、日本がアジア・太平洋戦争で敗北した一九四五年で断ち切られたわけではなかった。敗戦後の日本は、米国の圧倒的な軍事力の前に負けたことを利用して、原爆を投下された「広島と長崎の悲劇」を前面に押し出して、あたかも戦争の「被害国」であったかのように振る舞った。東アジアへの加害国であったという自覚は消え失せた。そして、東アジアの諸地域では、一九四五年以降も長い間、内戦・軍事独裁・国外の戦争への派兵などで民衆の苦難が続いていた。対照的に、日本は、新しい憲法の下で「戦争放棄・軍備不保持」を定めたので、東アジアの苦難をよそに、一国のみの「平和主義」を謳歌した。そこに欺瞞的なものを見抜いた命名者たちは、そのような日本を対象化するために、敢えて自ら「反日」と名乗った。

「武装戦線」とは、第二次世界大戦が終わって以降の世界史の過程と深く関わっている。一九五〇年代から七〇年代にかけて、欧米植民地主義の支配からの解放を目指すアジア・アフリカ・ラテンアメリカなどいわゆる「第三世界」の解放闘争は、多くの場合、武力闘争の形態を採った。それが、当時の世界史的な現実だった。旧宗主国に生まれて、植民地主義批判に力点を置いていた命名者たちは、自らが「第三世界」の闘争に合流することを目指して、このように名づけた。

「東アジア反日武装戦線」が登場した一九七〇年前半とは、日本が敗戦を迎えてから四半世紀強が過ぎた頃である。敗戦で焦土と化した日本は、わずかなこの期間の間に「奇跡の経済的な復興」を遂げていた。敗戦後米国の占領統治下に置かれた日本は、全国各地に米軍基地の設置を許した。米軍は、朝鮮戦争とベトナム戦争で在日基地を思う存分利用した。日本は戦争に必要な物資を生産し、これを売って、富を蓄積した。戦争特需である。いわば、他国の民衆の血によって、自らの経済力を高めたのである。しかし、日本の「平和主義」を信じ込んだ社会の多数派は、日本が抱えるこのような欺瞞性に気づかなかった。

日本の敗戦の年＝一九四五年は、韓国にとっては「光復」の年である。日本社会はこの一九四五年を節目にして変化しなければならなかったに、何事も変わっていない、無責任な社会のままだ――「東アジア反日武装戦線」の人びとはこう考えて、行動した。その先駆性も、残念なことに生み出してしまった過ちも、すべてを明らかにして、国境を超えた対話を可能にするための「素材」にしてほしい――出演者はそう考えて、キム・ミレ監督と協働した。■

広島のカフェ・テアトロ・アビエルトは、創業二〇周年を迎える。来る五日は、それを記念しての「フラメンコ」舞いの日。いつもは一日行事なので、ここ数年は私も、フラメンコの踊り手の皆さんと同じ舞台でロルカ詩の朗読をしていた。その打ち上げの場で評判のよい、唐澤の自家製燻製（アジ、サバ、ホッケなど）を送る。

七月三日（金）

所沢に住む兄から、ＳＡＩＢＯＫＵ　ハムが届く。埼玉で敗戦の翌年一九四六年に創業したというここのハムはおいしい。丸々と太った豚を、ここで働く人びとが囲んだ記念写真がいつもパンフレットに載っているのが、なんだかおかしい。「豚のテーマパーク」もあるというが、ひとつのこと（仕事）にかける熱意が伝わってきて、それが味をいっそう引き立てている感じさえしてくる。

七月四日（土）

『反天皇制運動 Alert』七月号に以下の文章を書いた。第一二一回目。

太田昌国のみたび夢は夜ひらく
香港での民衆鎮圧に思うこと

中国の立法機関である全国人民代表大会（全人代）常務委員会が六月三〇日、香港での反体制的な言動を取り締まること目的とした「香港国家安全維持法」（国安法）を成立させ（一六二人全員が賛成）、即日施行された。国安法で裁かれる犯罪は四種類で、「国家分裂」「政権転覆」「テロ行為」「外国または域外勢力との結託による国家安全危害」が、それである。いずれも主犯や重大な罪については最高無期懲役か一〇年以上の懲役、軽くても三年以下の懲役か刑事拘留が課せられる。「国家の廃絶」こそは、共産主義の窮極の理念だったのではないかという原理的な突っ込みも、もはや虚しい。香港独立論の台頭、昨秋の区議会選挙での民主派の圧勝、来るべき立法会選挙での敗北への怖れ——習近平指導部は、自らの権力基盤を脅かす目先の諸情勢に一喜一憂するだけで、「百年の計」を設計する歴史哲学を欠くのだろう。

いまから二三年前の一九九七年、一五〇年有余ものあいだ英国の植民地であった香港が中国に返還されたことには、深い感慨をおぼえた。一九世紀半ば英国のアヘン戦争に始まる欧米列強による中国蚕食の歴史を、否応なく振り返らざるを得なかったからである。その歴史過程には、時代的にいって、欧米列強の路線を踏襲することでアジアに敵対しそこを侵略した、開国→明治維新以降の近代日本の歩みも重ね合わせてみることになるから、その思いは内省的かつ幾重にも重層的なものとなった。翻って鄧小平下の北京政府も、返還後五〇年間は香港に一定の自治権を付与し、本土（中国大陸）と異なる行政、法律、経済制度の維持を認める「一国二制度」を国際公約にするだけの〈余裕〉を見せた。もちろん、そこには、世界でも有数の貿易・金融センターとして香港が栄え、欧米と日本からヒト・カネ・モノが行き交うことで経済発展が保障され、もって本土の社会主義体制の維持が可能になるという〈計算〉もはたらいたことだろう。

国安法が制定されたと同じ日に、中国をめぐるもうひとつ重要な報道が流された。国際調査報道ジャーナリスト連合（ＩＣＩＪ）が入手し公表した、中国・新疆ウイグル自治区におけるウイグル人に対する弾圧政策をめぐって、である。それによると、当局はウイグル人など少数民族の女性に対し、既定の人数を超えた妊娠の中絶を促し、それを拒否した場合には罰則として再教育施設への強制収容を科すと警告したり、子宮内避妊具の装着を強制したり、不妊手術を強要したりしているという。独立運動派のウイグル人強制収容施設に関する情報も絶えることはない。

自称社会主義諸国（この場合はソ連）における強制収容所問題は、一九五〇年代初頭のフランスでも、サルトル、カミュ、メルロー・ポンティらを捲き込んでの論争となった。収容所の存在を認めるか、認めるとしても植民地問題を抱える自国のことを棚上げにしたまま、ソ連を非難してよいのか――論点はいくつかあった。後世の私たちにとって、答えはもはや自明のことだ。

長年にわたって続く日本の現極右政権は、社会全体に根を張った情緒的な右翼的心情に支えられている。「自己破産」したはずの社会主義の旗を未だに掲げて、しかも強制収容所を持つ中国と北朝鮮は、彼らにとって格好の攻撃目標である。かつての植民地支配と侵略戦争の事実を

「いつまでも」持ち出す両国への憎悪にも掻き立てられて、その暴力的な言動は留まるところを知らない。

植民地支配と侵略戦争に関わる未清算の責任を問い続ける者にとって、主体的で的確な中国論・香港論・北朝鮮論（加えて言えば、枠組みが異なるが、韓国論）を持つことの重要性は、ここでも明らかになる。拉致問題が社会的に浮上したときに、私たちの側からの拉致論・北朝鮮論・植民地論が質量ともに決定的に不足していたことが、その後の夜郎自大な排外主義的言論の台頭と極右政権の誕生を許した。この〈負〉の経験を、香港論で繰り返してはならない。〈嫌中〉意識に溢れた香港論に言論空間を独占させてはならない。

（七月四日記）■

追記：機関誌に掲載されるのは、スペースの関係上、以上です。でも、ここには、どうしても書き加えておかねばならぬことがあります。以下に、補足します。

ウイグル人女性に対して強制的な不妊手術が施されているというニュースを知ると、どうしても思い起こすことがある。ラテンアメリカ情報の収集にとりわけ力を入れていた一九七〇年か七一年ころだったと思うが、各紙に共同通信配信の小さな記事が載った。もちろん、その記事は手元にないので、うろ覚えの記憶で書く。米国の平和部隊が、アンデスの先住民女性に合意なき不妊手術を行っていたことが明らかになったので、ペルーとボリビアの政府が平和部隊を国外追放処分にした、というものだった。それだけしか、記事からはわからなかった。

当時は、ペルーもボリビアも軍事政権下にあったが、その性格は、たまたま、民族主義「左派」と言えなくはなかった。平和部隊とは、一九五九年キューバ革命の勝利を重大事と捉えた米国ケネディ大統領が一九六一年に採用した「後進国援助プログラム」である。「後進国」をこのまま貧困のうちに放置すれば、第二、第三のキューバ革命が起きかねない。それを未然に阻止するために、「後進国」の貧困・教育・医療の水準を改善する施策が必要だ。それを、Peace Corps＝平和部隊と名づけて、ケネディは、「貧しい」国々に派遣し始めたのである。それが実施されて五年有余、六〇年代アンデスの先住民村に派遣された医療チームの一部が、先住民族の女性に、同意を得ないままの不妊手術を施した。米国の一部の科学者が、今後起こり得る食糧危機は、「後進国での人口爆発」によって加速されるが、これを防ぐためには、産児制限を知らず「貧乏人の子だくさん」状態にある「後進国」での産児制限が必要だ。だが、彼女らはその方法も知らない。ゆえに、強制的に不妊手術を施すしかない——という「理論」を編み出し、それを信じた平和部隊医療チームの一部がこれを実践したというわけである。

その後私はラテンアメリカを旅し、働き、見聞する数年間を送ることになる。エクアドルで偶然見た映画が、ボリビア・ウカマウ集団（ホルヘ・サンヒネス監督）制作の『コンドルの血』（一九六九年）だった。まさに、平和部隊による、アンデス先住民女性に対する強制的な不妊手術をテーマとする作品だった。内容的には、もちろん、数年前に日本で読んだ新聞記事を思い出したが、映画技法的にも衝撃的な映画だった。映画を見た翌日には、たまたまキトにいた（軍政下のボリビアを逃れて亡命していたのだが）ホルヘとプロデューサーのベアトリス・パラシオスに会うことができた。一九七五年のこの出会いが、現在にまで続くウカマウ映画自主上映＋共同制作の出発点である。ホルヘの著作『革命映画の創造――ラテンアメリカ人民と共に』（三一書房、一九八一年）や、その改定新版『アンデスで先住民の映画を撮る――ウカマウの実践40年と日本からの協働20年』（現代企画室、二〇〇〇年、太田昌国＝編）には、現地で公開された『コンドルの血』があまりに大きな反響を得たので、政府としても平和部隊を追放せざるを得なかった事情が詳しく語られている。なお、ウカマウの映画については、二〇一四年、東京・新宿のケイズ・シネマで開催した「レトロスペクティブ」のもようが、以下のサイトで詳しく報告されている。

https://www.facebook.com/ukamautokyo（←最終アクセス　2021/04/27）

ここで書き留めておきたいことは、以下のことだ。若いころ、中国革命の息吹きを伝えるルポルタージュや回想記を読んで、心騒ぐものを感じた。同時に『三光作戦』など日本軍が中国で行なった軍事行動の実態も知って、起こるべくして起こった革命だと思っていた。だが、六〇年代後半の「文化大革命」を経て、従来は知らなかった革命の「実態」が徐々に見えてきた感じがした。以後半世紀の時間が経った。

半世紀以上も前に、米国は遠くアンデスの地で行なっていた先住民女性たちへの強制的な不妊手術を行ない、いまは（いつから始まったのか）中国政府が、人民共和国の周縁部＝新疆ウイグル自治区でウイグル人の女性たちに同じことを行なっていることを知って、思うことは――シモーヌ・ヴェーユが一九三〇年代半ばに、すでにして初心を離れて制度化・軍事化・官僚化する、ボリシェヴィキ支配下のロシア革命の前途に危惧をおぼえたように、ハンナ・アーレントが一九五一年に、二〇世紀前半の世界で力を振るったナチズムとボリシェヴィズムには、出自の決定的な違いにもかかわらず、両者による支配様式と諸制度の驚くべき類似性があると指摘したように――。

各国の政治権力のあいだにはイデオロギーの差異があって、きわどく対立的に見えるものだが、権力者自身が〈国家権力の抑制〉〈行使する権力そのものへの懐疑〉という問題意識を持たず（初心にはあったのに、それを失い）、民衆による権力者のリコール権限が制度的に保障されていない、あるいは民衆側にそれを行使する主体性がない――などの諸要素が合体するとき、どんな社会が実体化するものか、ということだ。■

七月六日（月）

大雨が九州南部を襲っている。球磨川が随所で氾濫して、大変な事態に。霧島→熊本→長崎と、二〇一六年春に旅行した地域が濁流に埋まっている。もはや毎年繰り返されるこの光景。国や地方自治体は、どんな対処をしてきたのだろう。テレビやラジオは、「ともかく命を第一に考えて行動してください」と言うばかりだ。

地元の「反戦・平和」の住民運動が来る一一月に開催する講演会をめぐって、メンバー同士でメールのやり取り。講師は７３１部隊に詳しい松村高夫氏。コロナウイルスの話題一色になって以降、私は何度か、７３１部隊に触れずして感染症の問題は語るべからずという趣旨のことを言ってきたが、松村氏はその意味でも適任者。演題は「コロナとペスト――７３１細菌戦部隊の今日的意味」となりそう。

カリブ海の島国で英連邦の一員であるジャマイカノパトリック・アレン総督は、英王室から与えられ公務中に着用していた勲章は、デザインが人種差別的だとして使用を中止と発表。この「聖マイケル・聖ジョージ勲章」の中心には、白い肌の天使が右手に剣を持ち、サタンとされる鎖に繋がれた黒い肌のひとの首を踏みつけにしている様子が描かれているという。ジャマイカでは、以前からこのデザインへの批判がなされていたが、米国の今回の事態を受けて、一気に表面化した。

七月七日（火）

朝日新聞夕刊の、美術史家・高階秀爾氏「美の季想」は「色彩の饗宴　奴隷貿易への怒り」と題して、英国の画家・ターナーの「奴隷船」に触れている。一八四〇年、ロイヤル・アカデミー展出品作。元のタイトルは「死者や重症患者を海中投棄する奴隷商人――台風の襲来」だったという。知らなかった。カタログには自作の七行詩も掲載した。「総員甲板へ、中檣を倒して固定せよ／怒りに燃えるあの太陽と脅かすように広がる雲とが／台風の襲来を告げる。／台風に襲われる前に、死んだ者も構わず／皆海に投げ捨てよ、鎖もつけたまま／希望、希望、偽りの希望よ！／お前の市場は今やどこにあるのか？」

米国の事件をきっかけにいま世界中で問われている奴隷制にはひと言も触れることはなくても、読む者は、問題の根深さを知る。

今月中旬、三軒茶屋のシアタートラムで、栗山民也演出で三好十郎の「殺意　ストリップショウ」

（一九五〇年作）公演。鈴木杏のひとり芝居。チケット申し込むも、すでに完売。残念・無念。この三〇年来、三好の芝居は、気づいた限りすべて観ている。「胎内」「その人を知らず」「炎の人」「浮標」「獅子」――思い出すのはそのくらいか。「胎内」と「炎の人」は栗山の演出だった。「殺意」は記憶になく、手元の三好本をすべて見たが、載っておらず。未読の戯曲なのだ。でも、インターネットを検索すると、「青空文庫」がすでに入力し公開しているので、読むことができた。初出は『群像』一九五〇年七月号とある。朝鮮戦争が起きた頃の掲載だ。左翼知識人が戦時下で国家主義者に転向する。そして敗戦直後には左翼へ再転向――いやというほど見た人間の「生態」をテーマにした、この時期の三好らしい戯曲だ。フィクションとしてのこの戯曲を書いて二年半後に、三好は同じ『群像』誌（五三年一月号）に、朝鮮戦争の発端問題をめぐって社会学者・清水幾太郎の言い分に公開質問を発する。この件について私は「高揚の後の沈滞、敗北の後の混迷と頽廃――清水幾太郎と三好十郎」で書いたことがある（『【極私的】60年代追憶――精神のリレーのために』、インパクト出版会、二〇一四年、所収）。「殺意」を書いた時、三好の頭ではすでにモデルとして、清水のイメージを思い浮かべていたのかもしれぬ。

それにしても、このひとり芝居を演じる鈴木杏は大変だろうな。

「殺意」は以下で。https://www.aozora.gr.jp/cards/001311/files/47945_33998.html（←最終アクセス2021/04/27）

七月八日（水）

朝日新聞夕刊に奈良女子大・河上麻由子さん（日本史）の「倭国の若者守った唐の存在感」なる一

文。隋の時代に留学僧や留学生として彼の地に渡った若者たちは、時の隋帝が殺害され、群雄割拠の時代を経て唐の時代になっても、その安全は保障され、無事帰国できるよう手配してくれる恩恵に与った。それに引き換え、現代日本は留学生を積極的に受け入れておきながら、今回のようなコロナ危機になると、「学生支援緊急給付金」の交付をめぐって、露骨な外国人学生差別を行なっている。そのことへの静かな抗議に貫かれた一文である。

七月一〇日（金）

テント芝居「野戦の月」の桜井大造氏、最近はすっかり冊子などの組版でお世話になってきたが、もともとは、テント芝居「風の旅団」の役者だった水野慶子さんのふたりが来宅。今月末、広島のカフェ・テアトロ「アビエルト」で公演する芝居『蝶の呪い』（ガルシア・ロルカ＝原作、桜井大造＝翻案）の打ち合わせと稽古。出演者・スタッフの過半は現地・広島の人びとだが、この三人だけが東京から参加。台本は三分の二ほど出来上がっている。劇中で私が朗読するのは「スペイン警備隊のロマンセ」。『ジプシー歌集』（一九二八年）所収のすぐれた長編詩。フランコの独裁体制を支えることになる治安警備隊 Guardia Civil の前身は、イサベル女王が「レコンキスタ」以前の一四六七年に創設した聖同胞会 Santa Hermandad だというから、スペインの近現代史を貫いて、王権・資本家・独裁者など体制側の擁護者としての性格を明確に持っている。弾圧されてなお抵抗するジプシー側に加担して、警備隊の本質を暴いた、読み応えのある詩だ。それにしても、ロルカのイメージの飛翔ぶり、表現の奔放さを前に、凡人の目は眩む。

沖縄の友よりマンゴー届く。柿の季節になったら、彼女の好物である柿を送らねば。

釧路の友からは、写真集『くしろ写真帳』が届く（北海道新聞社、二〇二〇年）。江戸時代の絵図から現在に至るまでの写真、絵葉書、地図など四七〇枚で構成。この町に生まれ育って一八歳まで暮らした私にとっては、懐かしさが極まる。五歳、一〇歳ころの自分と、現在の自分とが、ひと続きの人生として連なっているとは、にわかには信じ難い気がしてくる。

レイバーネット・ウェブマガジン上のコラム「サザンクロス」第四五回（二〇二〇年七月一〇日）に以下の文章を書いた。

倒されゆく、空疎な指導者の銅像の背後に何を読み取るか

銅像に心ひかれたり、ましてや大事なものとして拝んだりしたことは、幼いころから、ほぼなかったと思う。郷里・釧路の高台には、松浦武四郎の銅像があった。なんでも、江戸時代の「探検家」「大旅行家」だったという。長じてその人物をよく知れば、当時、蝦夷地に押し寄せた和人に、アイヌの人びとが虐待されている現実に心を痛め、さまざまな記録を残したひとだった。そんな人道主義的な人物像を小学校でも中学校でも教えられなかったなあ、知らなかったなあと、悔やんだ。今では日本で、民族間の関係性を考える時、彼は無視できない存在になっている。銅像がなくても、彼の実像に近づく方法はいろいろとある。

現存する銅像で驚くのは、朝鮮民主主義人民共和国（以下、ＤＰＲＫ）の首都、ピョンヤンの

万寿台に立つ金日成と金正日のそれだ。行ったことがないから、現物を見たわけではない。写真や動画で見ただけだが、その大きさに圧倒される。像の前に立つ者、何かといえば花束を捧げる民衆との間に、これほどまでに「水平感」（＝平等性）のない銅像は、どんな意図で作られるのか？　それを思って、白けるばかりだ。DPRKは外貨稼ぎの一つとして、銅像の設計・建立を請け負っているという報道をいくつも見聞きしてきた。注文主は、アフリカ諸国が多い、とも。

私は、主要には一九六〇年に始まるアフリカ諸国の独立の息吹に触れて、世界史像の形成を心掛けてきた人間だから、「独立」「解放」「革命」の果てに行き着くのが、その運動の指導者の巨大な銅像の建設だと知ると、侘しい。もちろん、民衆レベルで獲得された重要なものもあるだろうから「解放」を全否定はしない。だが、上に立つ「指導部」と、下に居並ぶ「民衆」との関係性を変革できない、むしろ固定化する、指導者の巨大な銅像の建立に終わるなら、何のための「解放」や「革命」なのかという問いを手放すわけにはいかない。

五月二五日米国ミネアポリスで起こった、白人警官による黒人の虐殺事件は、思わぬ世界的な反響を得つつある。路上にねじ伏せた黒人の首を膝で八分間も押し続けるという警官の残虐な行為が、繰り返し映像で流されたことがきっかけだ。問いは、人種差別、その典型的な表われである奴隷制や奴隷貿易、植民地支配などの歴史的な「過去」が、実は過ぎ去ったものではなく、現在にまで繋がっているという形でなされている。西欧列強が世界各地を植民地分割するきっかけとなった「大航海と地理上の発見」を行なった一五〜一六世紀のコロンブス、ニュージーランドのマオリ民族からの土地略奪戦争を指揮した一九世紀の英国司令官ハミルトン、英国の南部アフリカ征服事業を行なった一九世紀のセシル・ローズ、コンゴを「私的領地」として支配し住民に対する残酷な支配を行なった一九世紀末のベルギー国王レオポルド二世、黒人差別を公言していた二〇世紀の米国大統領セオドア・ルーズベルト（このリストは、まだまだ続く）――などの銅像が世界各地で次々と倒されたり、行政や大学が自主的に撤去を決めたりしているのは、それらが分断と差別の「制度的な象徴」として機能してきたことに人びとが気づいたからだ。歴史認識上の地殻変動が、ミネアポリスの悲劇を契機に起こっているのだ。

この機を捉えて、重要な本が復刊される。トリニダード・トバゴの首相を務めた歴史家、エリック・ウィリアムズの『資本主義と奴隷制――ニグロ史とイギリス経済史』だ。原書は一九四四年に発行されたが、日本語訳が出たのは一九六八年だ（中山毅訳、理論社）。英国産業革命期の資金需要が奴隷制および奴隷貿易を主要な源泉としていた史実を明るみに出した画期的な書だ。例えば、ジェームス・ワットと蒸気機関の発明に融資された金はどこから？　などが、一八世紀の資料に即して分析されてゆく。原書発行当時、英国の「栄光の」歴史の背後に潜む闇を暴くこの書は、白人史家から徹底して無視された。風雪に耐えて生きながらえてきたこの書は、いま読まれるに相応しい。その後他社から新訳版も出たが、私は中山訳で読まれることをお勧めする（ちくま学芸文庫で復刊）。付け加えるなら、ウィリアムズの『コロンブスからカストロまで――カリブ海域史、１４９２－１９６９』全二巻（岩波現代文庫）も、世界と歴史の捉え方に変革を迫る。

指導者の空疎な銅像を引き倒す行為に「暴力」の表象のみを読み取って眉を顰めるのは〈反動的な〉態度だ。それを裏打ちする史実と理論を知れば、世界の変革はどんなふうに実現されてゆくかが見えてくる。■

七月一一日(土)

沖縄県の玉城デニー知事、米軍普天間基地（宜野湾市）とキャンプ・ハンセン（金武町など）で、数十人規模の米兵が新型コロナウイルスに感染しているとして、両基地の閉鎖を求めると述べる。米軍は人数開示要求に応じていない。また同県北谷町の町長は、在沖縄米海兵隊が、コロナ対策と称して、海外からの人事異動者などを借り上げた同町のホテルで「隔離措置」を取っていることに関して、しかるべき期間の隔離措置は米軍基地内で行なうべきであると申し入れた。

七月一二日(日)

昨夜、歌人・岡井隆氏の死の報に接したので、今朝フェイスブックに以下の文章を書き、岡井氏に触れた二六年前、一九九四年の私の文章をアップした。私なりの「追悼の方法」である。

——七月一〇日、歌人・岡井隆が亡くなった。

その名を知ったのは、青春期、吉本隆明の初期評論集で岡井隆を罵倒する文章を読んだ時だ。ここまで罵倒される人物とは、どんなひとだろう？　以後、岡井の歌も評論もけっこう読んでいた。マルクスがプルードンを罵倒すればするほど、プルードンに対する関心が湧くように、レーニンがカウツキーを「背教者」と名づけて非難すればするほど、カウツキーへの興味が増すように。
岡井隆の表現への関心を持ち続けていた果てに、私を待ち受けていた一九九三年の「出来事」について書いた文章をアップしておきたい。一九九四年四月一五日発行の「派兵チェック」という機関誌での連載コラムに書いたもの。私の『〈異世界・同時代〉乱反射——日本イデオロギー批判のために』（現代企画室、一九九六年）に収録されている。

「鏡のダイアローグ」第六回
桜の樹の下には……——Mのモノローグ
「派兵チェック」第一九号（一九九四年四月一五日）

M——桜の枝全体が色づいて、今にも咲きそうだな。君は闘牛の牛の心境なんじゃないかい？　桜と聞くと興奮して、すぐにも角を突き立てて、とびかかりたくなるような。何しろ一年前、岡井隆の「雨の谿間の小学校の桜ばな／昭和一けた涙ぐましも」という歌をダシにつまらぬことを書いた男がいた。確かに「昭和一けた涙ぐましも」と言う岡井の表現自体も、驚くほど陳腐な日本的抒情に溺れているが、歌人の小池光がそれを指して「桜は日本文化のシンボル」だの「すぐれた記号性」だの「国風文化」だの「敷島の大和ごころ」だのという、ありふれた日本文化特殊論の文脈で持ち上げたコラム（産経新聞一九九三年四月三日付）を読んで以来、君は、たかが桜にムキになるんだよな。桜の花には何の罪もないというのに！　おまけに岡井本人もその後に次のように書いた。「雨の渓間の小学校に咲くさくら花に涙ぐむ自分なんていうのは、いい日本人だと思うのだ」と（朝日新聞九三年六月二一日付）。

君にだって、桜を見て何事かを思う気持ちがないわけではない。梶井を気取って、「桜の樹の下には屍体が埋まっている」などと、妖しくか狂おしくか思っていたであろう青年時代もあったかもしれない。冬と春の間に明快な一線を引く桜の、季節的な鋭さを思わぬでもない。でも、桜を日本文化論の文脈において特殊化する言論がこうまであると、君は偏屈になる。無理もないか。あの岡井隆が宮中歌会始の選者になり、自ら「歌会始選者の難も申し上ぐ／しずかに笑う勤皇者かれは」などと言う無惨な歌を詠み、緊張感を欠いた評論を書き始めて間もない頃だもな、小池のコラムを読んだのは。「軍略のふかぶかとして到らざるなき／アジア東北に生きて来にけり」「アメリカに対う思うのかくまでに／おだやかにして真夜中のジャズ」「病み痴れし老いを遺せる射殺死を／かれら端的に〈犠牲死〉と呼ぶ」「にんにく・牛の胃《せんまい》をうる灯が見えて／ここから俺は身構える、何故？」などと鋭く詠んでいた岡井の過去とのあまりの切断・変貌ぶりと、その変貌さえもがこともなげに現在の社会・文化・思想状況の中にすんなりとおさまってしまって、小池の小賢しくも日本情緒いっぱいの位置づけの中にはまり込むのを見て、君はプッツンしてしまったんだよな。

（朗誦する）かつて岡井隆の詠める、「天皇《すめら》の居ぬ日本を唾《つばき》ためて想う、朝刊読みちらしつつ」（『土地よ、痛みを負え』）。また詠める「皇《すめら》また皇《すめらぎ》といふ暗黒が復《ま》た杉の間に低くわらへる」（『人生の視える場所』）。

こんな時代もあったさ。岡井の心の底に潜む非妥協的な「殺意」をすら感じる、凄味のある歌だった。60年安保の年には、文学以前の行事でしかない歌会始に関わる歌人を厳しく批判する文章さえ彼は書いていた。あの皇室関係者の歌を一つ一つ自己の文学観に照らして価値づけよ、とまで言って。それから幾星霜。時代は移ろい、人の心は変わる。岡井に言わせれば、自分は各時代の政治的事件や社会的事象をよく歌ってきたが、それは「時代とともに推移する一人の男の思想の陰であり、計画的であったり、妙な責任感でしたことでもない」（「短歌往来」九三年二月号）と居直る。確かに「責任感」などと表現することはないだろうが、岡井は彼が青春に詠んだ上のいくつもの歌の切実さと真実を、そう簡単に捨て去るべきではないと思う。「妙な」とでもいうような形容詞を付けさえすれば、かつて自分が行なった表現と、三〇年後か三五年後の現在の表現との関係性を問われる「責任」すら解除されて、過去も現在も並列的に〈時の流れ〉としてすべてが許される、という日本の思想・文学の風土に滑り込むことができると思い込むべきではないと思う。ここに書き写すことさえ憚られるような、九三年歌会始の際の皇太子の拙劣な歌に「天皇家の歌会始で歌われたうたのなかで、自分の個的な喜び（婚約のこと）をこの一年に経験した自然的事象（釧路湿原で丹頂鶴の舞いを見たこと）の中に重ね合わせて歌うのは、新しい傾向で非常におもしろい」（産経新聞九三年一月一九日付）などという「文学的」評言をくわえた根拠を、自己の文学観に照らして検証する責任は残っていると思う。

だが虚しいな、今さらこんなことを言っても。茂吉や文明の後で歌会始の選者になって「大きいイベントの選者に加えていただけたというのは、諸先輩のあとを自分が継いだわけですから、そういう点では大変光栄だと思っています」（『三田評論』九二年一一月号）という言葉と「無名（アノニム）の盾へにじり寄って行きたい」（歌集『宮殿』あとがき）という言葉とを、同時代に共存させておいて恥じない男なのだからな。ああ、こうして少しでも過去に遡りながら現在を見ていくと、君の憤怒が分からぬでもなくなってくるな。〈過去〉を言うな。〈責任〉を問うな。過去からも、責任意識からも切断された現在だけが大事だ——なしくずし的な思想〈転向〉が、こうしてすすむ。その先には、岡井の場合のように、日本の歴史・文化の特殊論への自己封鎖が待ち受けていることがたまらないな。

世界レベルでは湾岸戦争とソ連の崩壊以降、日本レベルでは「昭和」天皇の死亡から国際貢献論の台頭を契機として、明確に進行しつつあるこの〈転向〉現象と、まともに取り組み、これを批判する作業が必要だと、俺もあらためて思うよ。それをやれば、どんな開明的なことをかつて言っていても、結局は「花は桜木、人は武士」「きさまと俺とは同期の桜」「散華の思想」の世界に逃げ込んだ連中の思想的な「屍体」が「桜の樹の下には埋まっている」ことが明らかになるさ。■

七月一三日（月）

各紙朝刊は休刊日。

七月一四日（火）

死刑廃止フォーラム定例会議。

七月一五日(水)

在日米軍関係者の中でのコロナウイルス感染者数は増えているもようだが、公表する／しないは米側次第なので、正確な数は不明だ。一二日に羽田空港に着き、ＰＣＲ検査で陽性が確認された米軍関係者三人は、検疫結果を待たずに岩国基地（山口県岩国市）に移動したようだ（しんぶん赤旗）。日米地位協定で米軍は出入り自由なために、米国からの入国が原則禁止されている現在も、日本側には入国拒否や隔離措置を取る権限もない。

玉城デニー沖縄県知事は以下のようにツイートした——「日本政府が米軍に対して国民の命を守るためにとるべき協議や措置などを事務方任せにしているのではと憂慮しています。どれだけの数の外国からの人が、どこから国境を越えて日本へ入り、どのようにして、どこへ移動しているのか。まったく情報がないなんて異常としかいいようがありません」。日米地位協定九条は、米軍関係者への検疫を免除しているから、こんなことが罷り通る。

他方、きょうの琉球新報によれば、在沖米海兵隊が新型コロナウイルス対策として北谷町のホテルを借り上げて人事異動者らを隔離している問題で、県と町、外務省、防衛省は一四日、同ホテルを訪れ海兵隊から説明を受けた。海兵隊は来週から入国者の隔離をやめ、出国者の滞在にホテルを使う考えを示した。一方、出国者が別のホテルに一般客と混在して宿泊していることも分かった。

『情況』二〇二〇年夏号、編集部から届く。「CORONA COLONIAL ——コロナに侵犯された世界の現在と未来を生きるために」特集。元『現代思想』編集長・池上善彦氏の「コロナ日記」が掲載されている。紙誌に掲載した文章以外は公表しないで書き継いでいる私のこの日記と、つい比べながら、読み進める。白井聡氏が横田滋さんの死について書いていて、私の『「拉致」異論』の意味に触れている。

京都精華大学のレベッカ・ジェニスンさんから、ＤＶＤの富山妙子・高橋悠治作品選集『記憶の海　祈り・記憶・黙示』（火種工房、VOYAGER）と、カタログ『記憶の海へ――富山妙子の世界』（東京大学東洋文化研究所東洋学研究情報センター「富山妙子の芸術と思想」研究会＝発行、二〇二〇年）が届く。カタログは、日本語・英語・朝鮮語のトゥリリンガルで、今年九月〜一一月、韓国の延世大学校で開かれる富山妙子展のために制作された。よい出来栄え。富山さんにはこの一年くらいお会いしていないが、ことし白寿を迎えられるという。

七月一六日（木）

昼、唐澤と六本木のサントリーホールへ。小島弥寧子「サントリーホール　オルガン　プロムナード　コンサート」を聴くために。近所付き合いで子どもの頃から知っているので、つい、弥寧子とか弥寧子ちゃんと言ってしまうが、いつの間にかオルガニストになっている。最近はスペインのオルガン音楽に惹かれ、コロナ以前はよくスペインへ出かけては、古い修道院などに頼み込み、さまざまなタイプのオルガンに触れていると聞いた。ロルカの詩句とデッサンをあしらったＴシャツを買ってきてくれたことがある。つい先日、初めてのＣＤ「星月夜　La nuit étoilée」を出した（レグルス Regulus, RGCD-1050）。

朝日新聞夕刊に、満席で見に行けない三好十郎原作の芝居『殺意』評。大笹吉雄執筆。「鈴木杏、入魂の演技」という。延期されていた高橋悠治コンサート評もある。事前に知らなかったので、行けなかった。高橋氏と言えば、一九八〇年代半ばだったか、今はなき、池袋西武の「スタジオ２００」で氏の電子音楽のコンサートが行なわれたとき、まだ六、七歳かで小さかった息子を連れて、そこへ行った。開幕前に高橋氏と顔を合わせると、彼は「あら、来たの」と素っ気なく言った。如才ない挨拶を氏に期待してはならない。この素っ気なさが、氏のスタイルなのだ。七、八年前だったか、メキシコのサパティスタが発する言葉を合唱曲に使いたいとか、そのあとでも、ペルーの詩人、セサル・バジェホの詩句を曲に使いたいということで連絡をもらい、できる範囲の協力か情報提供をした。合唱曲の発表のコンサートにも行った。バッハのピアノ曲を弾けば他に並ぶ者のいないピアニストは、そんな自分の「安定した」位置を壊すために（？）、常に果敢な試みをする。その姿勢がおもしろい。氏が書く文章も、また。

こうして、いろいろな活動が再開されているが、東京を中心にコロナ感染者数の増加が見られ、不安な先行き。

七月二一日（火）

韓国のキム・ミレ監督の映画『東アジア反日武装戦線』を日本で配給する太秦の小林三四郎氏に会う。コロナ状況に鑑みて、予定を若干ズラし、来年二〇二一年三月〜四月の公開を目指すことに。劇場は、渋谷のイメージフォーラム。日本公開時のタイトル、公開時のゲストトーク、制作する冊子、試写会、推薦のメッセージを依頼する人の人選……など、諸々話し合う。

数年ぶりに代々木へ行ったので、主として共産党関係図書を扱う美和書店をのぞく。友寄英隆の『「資本論」を読むための年表―世界と日本の資本主義発達史』（学習の友社）がお目当てだったが、店頭在庫なし。講談社学芸文庫に、マルクスの『ルイ・ボナパルトのブリュメール18日』が入ったばかりで（二〇二〇年四月刊）、平凡社ライブラリーの植村邦彦訳など数冊を持っていることは自覚しつつ、何度でも読むに値する本であることと翻訳者の「意外性」に惹かれて購入。丘沢静也訳だった。エンデの諸作品、エンツェンスベルガーの『数の悪魔』、カフカ、ブレヒト、ベンヤミン、ニーチェ、ヴィトゲンシュタイン……などの翻訳を手掛けている異数のひとだ。互盛央氏の依頼で引き受けた仕事だというから、むべなるかな。帰りの電車の中で、快調に読めた。

七月二二日（水）

長年使ってきたauの携帯電話（いわゆるガラ携）サービスが数年内に終了するので、スマホへの移行手続き。余生も残り少なくなってきたので、生きている間に、あの「小型器械」を使ってみたいとも思っていた。小さな玩具を手にして、何やら、子どものころ長年欲しい欲しいと思っていたものをようやく手に入れた感じで、うれしいような、面映ゆいような……。

北海道の友人から、佐藤保治著『厚岸のアイヌ』復刻版が届く。釧路アイヌ文化懇話会の発行。厚岸は、私の小学校時代の「遠足」の目的地のひとつ。釧路から根室線に乗って一時間くらいだったか。寛永年間に松前藩によってアッケシ場所（商場）が開かれたり、一八〇四年には国泰寺が建立されたりと、「中央権力」との結びつきが異例に濃い、地方の町である。おまけだろうか、五所平之助監督『挽歌』（一九五七年）のＤＶＤも添えられていた。郷里の作家・原田康子の原作は、当時たいへんなベストセラーになった。間もなく映画化の話が始まり、久我美子、森雅之、高峰三枝子らの俳優がロケのために釧路にやってきた。母親が久我美子のファンだったので、小学校の低学年の頃から彼女が出演する映画は、母親に連れられて、大体見ていた。『また逢う日まで』や『女の園』など、幼心にも忘れ難かった。いつしか私もファンになり、翌日のロケ地情報を仕入れては、中学校の授業が終わると、一目散でロケ地に駆け付けた。坂道で、久我美子が石濱朗を平手打ちするシーンなどは、ほとんどかぶりつきで見ていた。映画では「ダフネ」の名で登場する喫茶店も、大学生の兄やその友人たちに連れられて何度も行っていた実在の店で撮影された。森雅之・高峰三枝子夫妻の家として、近所の家が使われた。スクリーンでしか知らない映画の世界が、急に身近になった気がした。ＤＶＤの送り主は、私が久我美子のファンであることを覚えていたのだろうか？　もう二〇年以上も前か、池袋・新文芸坐で『また逢う日まで』が上映されたとき、久我さんがゲストで出演した。前の席も空いていたが、恥ずかしいので、ずっと後ろの席で話を聞いた。鼻にかかった独特の発声が、いまも耳に聞こえるようだ。

毎日新聞は七月二〇日付けで、朝日新聞は同二二日付けで、米国との国交回復から五年が経ったキューバの経済的な苦境を伝える。国交回復にこぎつけたオバマ大統領の跡を継いだトランプ政権の下で対キューバ経済封鎖が強化された。米国人のキューバ渡航制限も厳格になり、そこへコロナの蔓延による観光客の激減が追い打ちをかけた。経済危機は、一九九一年のソ連崩壊後に匹敵するものになると危惧されていることを伝えている。ハバナに住む反体制ブロガー、ヨアニ・サンチェスのツイートを私はよく読んでいるが、そこでも、日常必需品の品不足・買い物のための長い行列などが言われている。私は、スタディ・ツアーのグループを引率して、一九九二年末に初めてキューバを訪れた。ソ連崩壊から一年、その破壊的な影響は随所に見られた。ガソリン不足から、ハバナでもバスがほとんど走っていなかった。歩くしかなく、お陰でハバナの街を短期間で知り尽くした。この時の「キューバ紀行」記は、『千の日と夜の記憶』（現代企画室、一九九四年）に収録されている。

七月二四日（金）

広島着。新幹線・広島駅からまっすぐ可部線に乗り、上八木駅で降りて、徒歩一分のカフェ・テアトロ「アビエルト」へ向かう。「アビエルト」開設二〇周年記念＋ロルカ生誕一二二周年記念、ガルシア・ロルカ＝原作、桜井大造＝翻案『蝶の呪い』公演のために。演出の桜井大造氏含め、役者・スタッフはほぼ全員そろっている。午後、場面ごとの稽古。最後に通し稽古。

新幹線の客は少ない。二人席、三人席にそれぞれひとりが座っている程度か。私も支線の可部線に乗るし、遠方から来る旅人には見えないように、荷物も少なくしたのだが……。

七月二六日（日）

きのう、きょうと二日連続公演。初日、私は大失敗してしまったが、芝居自体はよくできていて、演劇出演の経験がほぼない俄か役者の皆さんはとてもよく演じていた。『菊とギロチン』へのささやかな関わりの時にも感じたが、日ごろから孤独な作業に慣れている身としては、年齢・民族・性・

社会の中での位置などの「差」「違い」を超えて集まり、表現する総合芸術としての映画や演劇の場は、魅力的だ。

七月二七日（月）

広島から戻り、家に向かって近所の「厨房」K屋まで来ると、店頭で接客していた店長が、「あれ、ちょっと待って」と言って、店の奥に引っ込んだ。間もなく品を持って出てくると、カツオのアラとコハダの酢漬けをくれる。先日、唐澤が梅酢をひと瓶あげたと言っていたが、コハダにはその梅酢を少し使った由。杉田梅の梅酢なんかをよく持っていたね、と感心される。ありがたくいただき、切り分けで売っていたスイカを買う。小売店の魚屋は街からすっかり姿を消し、スーパーの魚コーナーではアラの姿をほとんど見かけなくなった。久しぶりにカツオのアラ煮を堪能した。

七月三〇日（木）

週末の八月一日には再び広島へ行かねばならぬ。死刑囚絵画展初日夜の講演のために。昨年も行っているし、同じ話にするわけにはいかないので、プロットを考えて、レジュメにまとめる。

七月三一日（金）

夜、駒込の東京琉球館で「太田昌国の世界」その第六二回目。「軍隊・戦争と感染症」という題で語る。この題は、先日『ピープルズ・プラン』誌に書いた文章と同じだが、語り口や挙げる例はいろいろと変える。このテーマの大事さが自分の中に根を下ろしてきた感じがする。

8. 転回（二〇二〇年八月）

八月一日（土）

反天皇制運動機関誌の連載コラムは第一二二回目。以下の文章を送る。昨夜琉球館で語ったと同じテーマだが、繰り返し考え、語り、書きながら、深まっていくものの手応えを感じる。

太田昌国のみたび夢は夜ひらく　第一二二回

軍隊の移動と感染症の拡大

新型コロナウイルスが私たちに問いかけてくる数多い課題のなかには、目先の対応策に追われている時には見逃しやすいが、けっこう本質的なものだと思わせられるものがある。私がこのかん関心を持っているのは、「軍隊・戦争と感染症」の関係についてである。ご多聞に漏れぬ俄か勉強で、第一次世界大戦末期の一九一八年に流行が始まったインフルエンザがこの戦争に及ぼした「影響力」の強さを遅ればせながら思い知った。

日々の軍隊生活の密室性、航空機が初めて戦闘に参加したとはいえ当時の戦争では当たり前だった塹壕戦での「密」、戦況に準じて移動・転戦する兵士に付き添って移動する感染症、国を挙げての総力戦であればあるほど、戦場・兵士が移動する地域空間・兵士が蝟集する基地・師団の位置と民間人の生活圏との近接性――さまざまな角度から見て、その関係は、敢えて使えば「親密圏」なるものを形成しているとみることができる。ウイルスは、人間同士の間にある「親密圏」を媒介にしてこそ、生き延びる。非武装の民間人からすれば、「国家社会のために武装」

し、「死を賭している」兵士は、その時代の価値観の中では、「仰ぎ見る」存在であり、自らを存在論的に下位だと思い込まされるに至る。だから「親密圏」とはいっても、本来ならその関係性は、「挙国一致体制」の確立を目指す為政者によって政策的かつ意図的に形づくられるという意味で「一方的」なものでしかない。

ウイルスの、古の時代における出現も新たなる出現も、過去から現在に至る人間の自然征服史を前提としている。この本質を見なければ、今回のコロナ禍を戦争に譬える物言いや、内戦下の地域での「コロナ停戦」という知恵に、思わず納得したりすることになる。だが、私なら一足飛びに、かくまで人間社会を攪乱するに長けたウイルスによる感染症に賢く向き合うためにも、遅きに失した恨みは残るが人間による自然征服史の見直しや、戦争の廃絶の道に向けた予見的な道を探りたい、というのが本音である。

山野を焦土と化す愚か極まりない戦争もまた「自然征服」の一環と捉えて、ここでは「軍隊と感染症」の問題に絞るとして、私たちの足元で考えようとしてすぐ思い浮かぶのは、在日米軍基地における新型コロナウイルスの感染拡大である。すでに神奈川県の横須賀、厚木、キャンプ座間、京都府の京丹後、山口県の岩国などの各米軍基地での感染者の発生が報告されている。岩国基地の三人の感染者の場合は、米国から七月一二日に羽田空港で入国し、ＰＣＲ検査を受けながら結果の判明を待つことなく民間機で岩国錦帯橋空港へ移動（レンタカーで移動すると虚偽申告していた）し、岩国基地へ入ったとされている。これというのも、日本は四月三日以降米国からの入国拒否措置を講じながら、「合州国軍隊の構成員は旅券及び査証に関する日本国の法令の適用から除外される」とする日米地位協定第九条が存在するからである。米国は、対日「戦勝」後七五年目を迎えている現在もなお、さながら「日本は保護領」意識のままでいることを、私たちは改めて自覚すべきだろう。

この矛盾が最も明白に現れているのは、もちろん、沖縄においてである。在日米軍司令部が七月二四日に公表せざるを得なくなった基地ごとの感染者数から見ると、一八九人の感染者のうち八六・八％を沖縄駐留の米海兵隊員が占めている。従来の統計に基づけば、毎年半年ごと（多くは六月と一二月に）大規模な部隊交代が行なわれている。その数は平均五五〇〇人近いから、在沖海兵隊員の三分の一に上る。配属部隊はそれぞれ、他基地部隊との共同訓練、陸上自衛隊との合同演習、二国間・多国間演習など、日本国内のみならず広くアジア太平洋地域を舞台に軍事作戦を展開しているのである。日本を「治外法権」地域として何らの規制も受けずに、自由に移動できる米軍兵士たち。しかも、軍事機密だとの理由から、その動きは公表されない──そこに見えるのは、感染症拡大の一因だけではない。日米軍事同盟が、東アジア、ひいては世界全体の平和に対する脅威となっているという、否定しがたい姿なのだ。

（七月三一日記）■

送稿後、午前一一時ころの新幹線のぞみに乗る。一週間前と同じだが、自由席には、二人席にも三人席にも、ほぼひとりが乗っている。ちらほらだが、家族連れやカップルもいる。今朝の朝刊では、コロナウイルス感染の拡大が大きく報道されており、例の「不要不急の」外出や他県への旅を「自粛」

するよう呼びかけられている。

一六時過ぎ、会場の「アビエルト」に着く。前回からわずか五日後の舞い戻り。小屋芝居の痕跡はすっかり片づけられており、二〇一九年度応募の「死刑囚の絵」が整然と並べられている。見事な舞台転換だ。一八時、十数人の来場者が揃ったあたりで、話し始める。差し当たって「コロナの時代に死刑について語る」と題して。きょうが八月一日だと思えば、思い出すのは一九九七年のこの日。東京拘置所で「連続射殺魔」永山則夫さんが死刑を執行された。その夜の通夜の席にも行ったが、まさか、刑務官に言い残した永山氏の遺言に関わる活動にその後参加することになるとは、思ってもみなかった。

八月三日（月）

九州に住む友人から、自分で焼いたパンと、おいしいというトウモロコシが届く。唐澤が先日「コロナ見舞い」で送った燻製への返礼のようだ。

八月四日（火）

きょうはソウルのロッテ劇場で、キム・ミレ監督の『東アジア反日武装戦線』のメディア向け試写会の日。コロナの流行とその結果としての出入国制限さえなければ、私に韓国へ来てほしいというのが、キム監督らの希望だった。上映後、ＦＡＣＥＢＯＯＫのメッセンジャー機能を使い、会場の取材記者との質疑応答を行なう。配給会社太秦の事務所で。初めてのことで緊張した。彼らが活動した一九七〇年段前半の時代から早や半世紀近く、韓国社会も日本社会も大きく変わった。その変化の質を見極めつつ、ふたつの時代を繋ぐ視野が必要だと痛感した。

八月五日（水）

スペインの前国王、フアン・カルロスが亡命したという。独裁者、フランコの死後の一九七五年に即位したこの人物の顔は、当時のスペインの切手といえば「フアン・カルロス」一色（色違いはあるが）だったので、そのつまらなさと共によく覚えている。子ども時代にはある程度の切手マニアだったが、イギリスと香港（香港の歴史を知る由もない年齢だったので、不思議だった）の切手といえば「エリザベス女王」（これも色違いはあったが）の肖像しかなく、「イギリスはおいしい」の林望を先取りして言えば「イギリスはつまらない」と思っていた。それはともかく、サウジアラビアの高速鉄道建設に関わる金銭授受疑惑などに追い詰められたようだ。他人のことだから言うが（ここは、ふつう、他人のことは言えないが、となる）写真で見るその相貌には「老醜」がにじみ出ている。

八月六日（木）

夜、今秋の第一六回死刑囚表現展の応募作品（文章）をすべてコピーして選考委員へ送る作業。Ｆさんが先行してコピーしてくれていたので、作業量は少ない。長編作品がなく、例年よりはるかに少ないコピーの山だが、果たして内容はどうか？　九月の選考会議／一〇月の死刑廃止集会時の公開シンポジウムの時点で、コロナの蔓延状況がどうなっているか見通しが利かないので、これらをどう行なうかについてはギリギリの段階で判断し、相談することにした。
長野に住む唐澤の甥夫婦から、自分の畑で採れたジャガイモがどっさり届く。アンデスレッド、キタアカリ、メークイーン、とうやの四種類。去年の千曲川の氾濫の時には自宅が床下浸水に見舞われた。唐澤が兄姉たちと相談しながら、支援カンパを送ったりしていた。長野市近郊のあのあたりの家々には自前の畑があって、米も含めて自家消費の野菜作りは当たり前だという。父親は昨年亡くなり、母親も年老いた。両親は、元気な時には、私が長野へ講演に行くと、必ず聞きに来てくれた。私の本もよく買ってくれた。そういう時代がどんどん遠ざかっていき、懐かしさだけが残っていくようだ。

八月六日（木）

去る七月二五日、モーリシャス沖で座礁した長鋪汽船（岡山県）所有、三井商船がチャーターした貨物船から重油が流出し始めた。珊瑚礁、マングローブに恵まれた豊かな海、生物多様性にも富んでいて、観光業で成り立つ島国。環境を破壊する深刻な事態になりそうだ。

八月七日（金）

俳人・望月至高氏から「奔」誌第五号が届く。二〇一六年に、氏の句文集『俳句のアジール』を編集した（現代企画室）。俳句同人誌「六曜」が、故・大道寺将司君を同人として迎え入れ、その句を掲載していた頃、望月氏も同人だったので、それが知り合うきっかけとなった。今号は、去る二月一一日に開かれた「70年高校全共闘シンポジウム」を特集している。読み応えがありそうだ。

夜は、新宿梁山泊公演『風まかせ　人まかせ』（下北沢、ザ・スズナリ）の途中で、ゲストとして登場し何かするよう、原作者にして出演者のパギやんこと趙博さんから依頼されていたので、久しぶりに下北沢へ。この劇場では、二〇〇〇年ころだったか、ウカマウの全作品上映を行なったことがある。シモキタの駅前はすっかり変わった。長いこと来ていなかったのだなあ。劇場で簡単なリハーサル。私は観客席で芝居を見ていて、呼ばれてから舞台へ、という設定。前作『百年　風の仲間たち』を高円寺の小劇場で見たのは七、八年も前か。きのうの初日の舞台は見ておらず、大まかなストーリーと、歌われる歌の曲名、趙博作の新曲「新・百年節」の歌詞を事前にもらっただけだが、それらを頭に入れながら、前もって概要の原稿を作り、即興の言葉も加えながら大要次のように話した。

音楽劇『風まかせ　人まかせ』介入の言葉

この「風まかせ人まかせ」というお芝居のサブタイトルには「百年　風の仲間たち」とあります。この後の舞台では、「新・百年節」という歌が歌われますが、先取りして言うと、その一節には「百年経てば山河も変わる　国も滅べば　人も死ぬ」とあります。無芸の私は、この音楽劇に、歌をもって、あるいは踊りをもって乱入することはできないので、この百年という時間の幅についてお話しします。

「百年」を使う歴史用語や慣用表現はいろいろあります。一四世紀から一五世紀にかけてほとんど一世紀を費やした、フランスとイギリスの間の戦争、これが「百年戦争」です。これには最後に、フランス側にジャンヌ・ダルクが突如現れたことでさらに有名になります。本質的には、これは、フランスの王位継承戦争と、イギリス王朝がフランスに所有する土地をめぐって、諸勢力が複雑に絡み合った戦争です。ですから、或る人物が特権的な位置に就くことを制度的に保証する王室制度、日本でいえば天皇制ですが、これと、断続的にせよ百年も続いた戦争という、ふたつの事柄の馬鹿らしさをとことん焙り出す出来事なのです。これを、オルレアンの乙女、ジャンヌ・ダルクの英雄譚あるいは悲劇譚に終わらせては、この戦争から学ぶことがひとつも残らないほど、もったいないことなのです。その後も長く続く戦争は絶えることはありません。愚かしくも二〇〇一年に始められた「対テロ戦争」なるものは、アフガニスタンやイラクや周辺諸国に多大な被害を与えつつ、二〇年間ほども続いています。日本は一週間後に敗戦記念日を迎えますが、一九四五年の敗戦に至った戦争は、短く見積もっても一八九四年の日清戦争に起点を持つと私は考えます。すると、近代国家・日本は断続的にではあっても「五〇年戦争」を戦っていたということになります。人間は、その程度に、愚かなのです。

「百年河清」という表現もあります。これは「百年河清を俟つ」が全体の表現ですが、中国黄河が黄砂を含んでいるために水が黄色く濁っており、黄河の広大さを思えばこれでは永久に水が澄むことはない。翻って、期待できないことをいつまでも待ち続ける人間の在り方を示す言葉です。これは、元来は、ある意味では、人知の及ぶところではない、自然が持つ力に対する恐れの気持ち、ひいては自然に対する畏敬の念にまで行き着く感情の表現です。でも、これは、人間がなしたる行為にも使える言葉であって、さながら、現在の日本の政治の在り方にこれを使うなら、「百年河清を俟つ」といった思いがします。濁りに濁り、腐敗し堕落を極めた現在の政権が第二次政権として成立してからほぼ八年経ちます。これを一二倍すると、ほぼ百年です。こんな政治を許していたら、百年経っても政治の水が清むことはないという気持ちの表現です。八年というのも、けっこうな歳月です。仮に六歳で小学校へ入学した子どもが、小学校を終えて中学二年も終える歳月に相当します。日本の政治に当て嵌めたら、これはカイダンです。「怪しい」のカイの字を書く「怪談」です。というのも、この子どもたちにとって、政治とか政治家といえば、安倍、麻生、菅などをしか意味しないのです。これは、怪しいでしょう？　現在、同一年齢人口はほぼ百万人を少し超えるくらいですが――ほらここでも「百」の字が出たでしょう――この八年間の時代を幼児や子どもとして過ごしたおよそ一千万人の子どもたちは、この軽蔑にしか値しない政治や政治家を見続けてきたのです。いや、これが国のリーダーとしての政治家だと信じて尊敬しているかもしれない。こんな奴らを許しておいて、大人っていい加減だな、と政治家以前に大人一般に絶望しているかもしれない。いずれにせよ、大人として、この子たちに、ほんとうに済まない、申し訳ないという気持ちで、私はいっぱいです。

「百年（の）大計」という言葉もあります。「国家百年の計」などという使われ方もします。私は国家というものが嫌いで、信じていないので、自分が使う言葉としてはありませんが、客観的には存在します。ただ「百年大計」という言葉も使いようで、例えば、ここ数年来の集中的な豪雨や台風による河川の氾濫、山崩れ、鉄砲水などの惨状を見るに、「国家百年の計」の中で【治

山治水】の大切さを説いた古人の言の正しさを思うのです。先日、山形県の最上川が各所で氾濫しましたが、だれもがすぐ、

五月雨をあつめて早し最上川

という芭蕉の句を思い浮かべたことでしょう。芭蕉が奥の細道を旅したのは一六八九年ですから、今から三三〇年前のことです。芭蕉は実際に最上川を船で下った体験をこの句で詠んだと言われています。今回氾濫した大石田町のあたりです。芭蕉が生きた時代から二〇〇年ほど後に、日本は明治維新を迎えます。「富国強兵」「殖産興業」の二大スローガンを掲げて、日本は急速に、近代化と帝国主義化の道を突っ走り始めました。この「国家百年の計」が、総体として、【治山治水】とは無縁な、山野の切り崩し・自然破壊・食の基本である農業の軽視などの路線であったことはだれの目にも明らかでしょう。「国家百年の計」を考える者は、また、世界各国、とりわけ近隣諸地域との対等・平和な関係を作るために心を砕かなければなりません。近代日本は、その点でも、近隣諸地域を植民地化し、侵略戦争を仕掛けるなど、国家悪を剝き出しにして振る舞いました。政治家になりたがる者たちには、真の意味での「百年大計」を持つ者は少なく、あるいはまったくいなく、いずれもが「洪水はわが亡きあとに来たれ」とばかりに、自らの代での利害にのみ心患わせているのです。

これとの対比で言えば、「百年杉」という言葉も思い出しておきたい。これは「人生百年」などという寿命が考えられもしなかった時代の昔の人びとが、未来の孫子の時代のために、杉の木を最適の場所に、最適の配置で植えることによってはじめて可能になるものです。もちろん、

現代人にはスギ花粉による苦しみを受けている人びともいるのですが。

さて、角度を変えて、再び歴史に戻ります。「百年ぶりの事態」とか「百年ぶりの出来事」という表現があります。いま世界中の人間社会を大混乱に陥れているコロナウイルスをめぐっては、百年前の一九一八年から一九二〇年ころ流行ったいわゆる西班牙風邪、当時のインフルエンザの様子が思い起こされています。でも、記録や証言は少ない。当たり前です。第一次世界大戦、ロシア社会主義革命、この革命を潰すための日本を含めた列強の干渉戦争など、世界は激動のただ中にあって、人びとの身近に「死」はゴロゴロあったのです。インフルエンザによる死を「誇大視」することを、当時の人びとが躊躇ったのです。乏しい当時の文献を読むと、マスク、「密」を避ける、他人との間に距離を取るなど、人びとがやることは同じです。これも、百年の時を超えた、新たな発見です。

これとほぼ同じ時代の出来事に一九二三年の関東大震災があります。あと三年で「百年」目を迎えます。震災の悲惨さもさることながら、ここで思い出しておきたいのは、震災に乗じて日本人が行なった朝鮮人虐殺という事態です。およそ六〇〇〇人の朝鮮人が殺されたと言われています。でも、日本は国家社会として、この官民挙げての民族犯罪にどう向き合ってきたでしょうか。民間レベルでは、虐殺の真相を明かす作業も、虐殺された人びとの追悼行事も行なわれてきていますが、それはついに、社会を挙げての内省・反省へとは行き着いていないのです。そのような反省と最も縁遠いところにいる者たちが、長いこと政権の座に就いているのですから、あの悲劇的な事態から百年経っても、この社会の本質は何も変わっていないのです。

最後に触れたい百年は『百年の孤独』です。宮崎県の酒造会社が製造・販売している『百年の孤独』という麦焼酎も、高価なので滅多には飲めませんが、おいしいです。でもここで触れたいのは、この命名の出典となった、南米コロンビアの作家、ガブリエル・ガルシア＝マルケスの長篇小説『百年の孤独』のことです。多種多様な人物が織りなす無数の小さな物語を縦横に交錯させながら、或る一族の運命をたどったこの長篇物語は、要約を拒否しています。でも、この物語が長い歳月を辿るようにして結末に行き着いたとき、実はこの物語は、百年の昔、ジプシーの長老がサンスクリット語で羊皮紙に記したものであることが明かされるのです。マルケスの原題をそのまま翻訳すると『孤独の百年』となるのですが、翻訳者の鼓直さんはこれを敢えて『百年の孤独』と翻訳しました。どちらが作品の神髄を伝えているのか。難しいところです。いずれにせよ、人間存在が抱える〈孤独の感情〉は、百年もの歳月をすら超えて続くものなのだと示唆することで、この小悦は永遠の生命力をもって、現在のみならずこれからの幾世代もの読者と相まみえることになるのです。

最後に。

「ここで会ったが百年目」という言い方があります。時代劇で、親の仇、兄弟姉妹の仇にようやく出会った人物が、探していたニックキ相手に向かって吐く言葉です。先ほど触れましたが、安倍政権しか知らない現代の子どもたちに、こんな時代を作ってしまった大人として、「ここで会ったが百年目」と刃を突き付けられることがないように、会場の大人の皆さん、大いに、大いに、努力を続けましょう。

最後の最後に。もっと恐ろしい言葉があります。

「百年の恋も一時に冷める」

これについては、もはや恐ろしくて、解説を加える気持ちになりません。私は私で、皆さんは皆さんで、それぞれ胸に手を当てて、ひとり孤独の裡に振りかえるしかないのです。

以上、「百年」をめぐるさまざまな物語に思いを馳せてみました。私たちの過去の「百年」と未来の「百年」を、舞台上の役者の皆さんならびに会場の皆さんと共に、さらに豊かなものにしていきたいとの思いをお伝えして、私の出番の終わりといたします。ありがとうございました。■

八月八日（土）

去る八月三日付の毎日新聞に、きょうは朝日新聞に、アフリカがコロナで苦境に立たされているとの趣旨の記事が載っている。以前、アフリカは近年の感染症対策で経験を積んできているので、危惧されたほどには蔓延していないという報道を、ほっとした気持ちでここに記したことがある。だが、やはり、社会基盤と医療体制の脆弱性がマイナス要因としてはたらいているようだ。南アフリカ、エジプト、ナイジェリア、ガーナ、アルジェリア……感染者数の多い順に国名を書き連ねながら、アフリカ諸国独立の機運に刺激を受けていた一九六〇年以降、この地に展開されてきた六〇年間の歴史過程を思う。

七月末の広島ロルカ祭以降、若干強行スケジュールが続いていて、めずらしく疲れが出た。一日ゆったりと過ごした。

八月九日（日）

全国知事会は、きのう、新型コロナウイルス対策会議をオンラインで開き、発熱のある人や感染リスクが高い場所へ行った人は、お盆の帰省を控えるようにとの呼びかけを発した。

文科省科学技術・学術政策研究所の発表によると、国の研究開発力を表す指標の一つである自然科学の論文数で、中国が米国を抜き、初めて世界一位になった（九日付朝日新聞）。論文数のシェアは、中国一九・九％、米国一八・三％、ドイツ四・四％、日本四・二％。特に、材料科学、化学、工学では三割前後を中国が占めた。研究費の伸びも八年前と比較して一〇倍、米国に留学し、最先端の研究を学ぶ者も三二万人と、すべてにおいて桁外れだ。この分析が始まったのは一九八一年。米国はすでに、中国通信機器大手、華為技術（ファーウェイ）の規制を「国際緊急経済権利法」を使って発動しているが、中国発の動画アプリ「ＴｉｋＴｏｋ（ティックトック）」や対話アプリ「微信（ウィーチャット）」を制限する意向を示し、二〇二二年一月から中国企業の会計監査を強化する予定でいるのも、すべて科学技術分野で熾烈を極める米中両国間のこの「競争」のゆえだろう。

八月一〇日（月）

レイバーネット・ウェブ上の連載コラムは第四六回目。

太田昌国のコラム　サザンクロス第四六回　二〇二〇年八月一〇日

戦時体制下の軍事用語と私たち

「敵基地攻撃」などという言葉が公然と罷り通るようになった昨今の日本の社会状況の中にあって、思い出すことがある。いまから一九年前二〇〇一年九月一一日、米国で民間航空機を乗っ取った者たちが、同国の経済・軍事の中枢施設に対して複数の自爆攻撃を仕掛けた。米国政府【ブッシュ（子）大統領の時代】はこれがアフガニスタンに活動基地を持つ集団の犯行と断定し、同国に対する一方的な爆撃を開始した。いまなお続く、いわゆる「対テロ戦争」が始まったのである。いち早くこれを支持した日本国首相・小泉純一郎の愚かさも忘れてはいけないが、米国に同調して報復戦争に一貫して協力したのは、ブレア政権（労働党！）下のイギリスだった。ブレアは戦時下であることを理由に、報道規制を検討した。

これに対する重要な動きがメディア側からあった。公共放送局であるＢＢＣ（英国放送協会）がブレア政権の機先を制して、自らガイドラインを公表したのである。

（１）敵意を煽るような報道をしない。
（２）政府の情報が信頼し得るかを常に確認する。
（３）軍事専門家に将来の軍事行動を予測させる発言をさせない。
（４）感情がこもるテロリズムという言葉は使わず「攻撃」という表現を用いる。
（５）「わが軍」ではなく「英国軍」を使う。

ジャーナリスト労組には「戦争反対メディア労働者」という組織もできたと伝えられたが、「戦争で最初に犠牲になるのは真実だ」という教訓を弁えた一連の動きであると言える。ＮＨ

K・BSの「ワールド・ニュース」で流される限りでのBBCのニュース番組はできるだけ見ているとはいえ、私はBBCのニュース報道の全体像を捉えているとは言えないから、BBCがこのガイドラインをその後の一九年間いかに生かしてきたかを検証することはできない。だが、ブレアが戦争に前のめりになっていたあの時点での決断として、これは「戦争とメディア」を考える上で重要な一里塚には違いない。

翻って、「敵基地攻撃」の文言がメディアに溢れ出ている日本の状況を振り返ってみる。日本政府が、陸上配備型迎撃ミサイルシステム「イージス・アショア」二基の導入を決定したのは、二〇一七年一二月の閣議決定においてだった。主として北朝鮮によるミサイル攻撃を想定して、秋田、山口両県への配備を決定したのだった。地元民からの抵抗に加えて、何よりも計画の杜撰さが次々と明らかになり、去る六月、河野防衛相は計画の停止を発表した。今さらだが、首相も「コスト、期間を考えれば合理的でない」と発言して、これを了承した。イージス・アショアの配備を断念した首相は、しかし、六月一八日の記者会見で「敵基地攻撃能力を含む安全保障戦略の見直し」に言及して、自民党内に検討チームを設けた。

同検討チームは、去る八月四日、「国民を守るための抑止力向上に関する提言」を政府に提出した。「敵基地攻撃能力」の表現は、さすがに批判を招いたので使われなかった。だが「イージス・アショア代替機能の確保」が謳われていることはもちろん、「相手領域内でも弾道ミサイル等を阻止する能力」を保有することの必要性を強調している。

あれほど必要性を強調していた「イージス・アショア計画」を断念した事実の検証も行わずに、

新たな「代替案」に乗り換える〈身軽さ〉は、いかにも、この政権の〈軽さ〉に見合っている。だが、皮肉が通じるような、恥を知る政権でもなければ首相でもない。徒労との思いは深いが、今回の提言、九月に示すという政府の方向性、その方向性が反映されるという二〇二一年度予算案などへの原則的な批判を続けなければならない。ここでは、「敵基地攻撃能力」という表現への批判を回避するために、政府・与党が「自衛反撃能力」「積極的自衛能力」など代替表現を模索した挙句、今回の提言の曖昧な表現に落ち着いた経緯を心に留めておきたい。「対テロ戦争」戦時下のイギリスが直面した問題に、私たちはすでに向き合っているのだという自覚が必要だ。「敵基地攻撃」などという言葉を、当たり前の用語として流通させてはならない。そのとき、二〇〇一年にBBCが定めたガイドラインは、一定の導きの糸になることに触れておきたかった。■

長野は木曾の友人から、トウモロコシ、胡瓜、ミニトマト、キャベツ、ピーマンなどの高原野菜が届く。

夜、永山子ども基金の会議をオンラインで。きのう、IさんからZｏｏｍの手ほどきを受けていたので、一応すんなりと入室。ただ、私は残っている仕事がヤマをなしていたので、出席者五人の段階で若干の打ち合わせをして退室。あとで、もっと大勢のひとが参加しただろう。九月二七日（日）午後、Ｚｏｏｍ＋ＹｏｕＴｕｂｅによる中継で配信する形で、延期した八月一日の集会＋コンサートを開催することになった。私は、二〇分間で「コロナの時代の世界の子どもたち」という話をしなければならない。在ペルーの写真家、義井豊氏の報告によると、去る六月、永山子ども基金が急遽ペルーへ送った食糧資金一二〇万円は、コロナ禍に苦しむ全国二九一家庭一一六四人の人たちに渡ったようだ。九月の集会では、ヨリ詳しい報告がなされるだろう。

八月一一日（火）

午前中から八王子方面は三七度か。部屋の中にいても、熱輪で頭を覆われているような感じがする。

八月一二日（水）

今日も猛暑。

死刑廃止フォーラム定例会議。そこで配布された真宗大谷派北海道教区教化委員会の冊子「死刑制度と私たち――事件をとりまく人たちの声を聞いて」（二〇二〇年六月三〇日発行）は、A４判12頁の小さなものだが、犯罪被害者遺族の思いが「ひとつ」ではないことを伝えて、貴重。『僕の父は母を殺した』（朝日新聞出版、二〇一七年）の著者、大山寛人さんの述懐、死刑囚表現展に絵画作品を応募してくる奥本章寛さんの弁護人、黒原智宏弁護士の話は、「犯罪」の背景にあるものに想像力を及ばすよう、誘う。

きょうの東京新聞社説は『「解放の日」へ決意込め――ドイツの終戦』。一九四五年五月八日に連合国側に降伏したドイツは、七五年後のこの日に開かれた終戦七五周年記念式典でシュタインマイヤー大統領が演説し、「五月八日は解放の日だった」と述べた。「心の底からこうした確信が得られるまで、三世代の歳月がかかりました。」とも付け加えた。

八月一三日（木）

猛暑が続く。

元だめ連（今も?）のぺぺ長谷川君からメール。東久留米、落合川沿いの喫茶店で友人に会うという。以前はよく散歩へ行った辺り、午後自転車をとばし、小一時間歓談。

友人Yさん来宅。郷里・山口県から届いた蒲鉾を持ってきてくれる。ここも魚がうまいのだろう、よい蒲鉾がある。

北海道の友人から、地元紙の、アイヌ関連記事の切り抜きが届く。ちょうど、ウポポイ開設の時期に重なっているので、読みでのある記事多し。新大久保のアイヌ料理店、宇佐照代さんの断固たる言葉がよい。「近年、アイヌ文化への関心が高まっていると感じます。でもウポポイは、ただの観光地になってはいけません。アウシュヴィッツなど海外の博物館では、悲惨な歴史も伝えています。アイヌ民族が差別を受け、祖母が（つらい思いがあったために）アイヌ語を教えようとしなかった歴史を正しく伝えるのが（ウポポイ中核施設の）国立アイヌ民族博物館の役割です。」（八月八日付北海道新聞）。

八月一四日（金）

朝日新聞・岡田玄記者（サンパウロ）の記事「感染拡大　アマゾン先住民の不安」。国立先住民保護財団（ＦＵＮＡＩ）によれば、現在ブラジルには、三〇五の先住民族集団、八一万人が住むが、コロナウイルスの蔓延で高齢者である長老の死が相次いでいる。先住民は人が多く集まる儀式を取りやめ、集落間や町との移動を制限しているが、違法伐採や採掘を目当てにアマゾンへ来る人びとがいる。警備に出ると、外部の者との接触が起こる。加えて、ボルソナーロ政権は、「コロナで混乱している今こそ、アマゾン開発を推進すべきだ」と環境相が公言するような本質をもっている。国会がコロナ禍に苦しむ先住民を保護する法律を定めても、大統領は財政負担を嫌って、飲料水や衛生用品の確保を連邦政府に求めた条文に拒否権を発動した。

長野の実家に帰省した近隣の友がスイカを持ってきてくれる。毎夏の定期便。一〇キロ近くはあるだろう大玉。半分に切ると、見事に赤い。近所の二軒におすそ分け。

夕方散歩していると、消防車が次々と私たちの家の方角へと向かう。黒煙が立ち上る。夕焼けが燃える西の空とは対照的。かなり大きな火災になっているようだが、もちろん、近づけなかった。近くの三角公園のそばだ。「この先、行き止まり」だから、通り抜けたことはない。住宅の密集地だ。だが思い返せば、類焼したらしい家々が面する小さな道は何度も通り抜けている。小商いもあって、下町風情漂う、味わい深い通りだ。六棟焼けたという。この酷暑の中、被災者は気の毒この上ない。

八月一五日(土)

うち続く猛暑。午後、国家による「慰霊・追悼」を許すな！　8・15反「靖国」行動に参加。映画『菊とギロチン』の宣伝用日本手拭に保冷剤を二個捲いて、首に掛けた。これは効いた。凍らせた水と麦茶のペットボトル持参。これもよかった。夕方とはいえ炎天下のデモ行進だったので、まだ半分凍っているボトルを額や頬、頭に当てて冷やした。一五〇名参加。沿道の随所に街頭右翼が待ち伏せていたが、彼らも「密」を避けたのか、少ない。靖国神社近くの九段下交差点に例年なら林立する日の丸・旭日旗もちらほらだった。一九八六年に始まる「反靖国」デモには、これで「皆勤」か。初期のころ、「反靖国」デモから帰宅して、近くの公園で開かれているはずの焼肉パーティの場所へ行った。親しい近所の数軒の家族が揃っていた。Sさんの娘（高校生だったろうか）が、私の顔を見るなり言った。「あら、ヤスクニちゃん、お帰り！」。三五年近く前の、なんだか可笑しいエピソード。きのう横須賀へ行った息子家族から、冷凍タコが届く。

季刊「ピープルズ・プラン」第八九号が届く。「コロナショックと気候変動・災害」特集。私は「軍備全廃論」を書く予定だったが、いざ書き出してみると、コロナ状況に規定されて、次のような原稿になった。

戦争・軍隊と感染症

起

ふと目にした、詩人・高橋睦郎の句ふたつ。

ヰ《ウィ》ルスとはお前か俺か怖《おぞ》や春

老耄《おいぼれ》は死ねとヰルスののぺらぼう

（『俳句α』二〇二〇年夏号）

二〇一九年末以降、世界中を捲き込んで蔓延中の「新型コロナウイルス」は、今までのどんな社会革命もなし得なかったほどの社会的・政治的・経済的な激震を世界中に与えつつある。しかも、わずか六ヵ月、半年間のあいだに、である。この先、余波がさらにどこまで行くものか、まだ予断を許さない。思いがけない事態を前に、私の裡には、過去を顧みる思いや悔いも生まれれば、新たな思いもいずる。いま私にできるのは、それらのいくつかを簡潔に書き留めておくこと、これである。その際、ほんとうに怖いのはウイルスなのか、それとも人間なのか、という思いが私の脳裏から消えることはなかったという意味で、睦郎の第一句に親しみを感じる。ましてや、ラテン語 Virus の原義は「毒」だと知れば、思いはいっそう深い地点にまで沈む。また、ウイルスは確かに顔もなく姿も見せぬ、つかみどころのないもの、つまりは「のっぺらぼう」だが、社会にはウイルスにかこつけて、「老耄は死ね」をはじめとするさまざまな暴言が大手を振って罷り通ってはいまいか、しかもそれを発語する者の多くは匿名性の陰に隠れてはいまいかという思いが、この間の事態を見聞きしていた胸中には溢れてきて、睦郎の第二句にも共感を覚える。この二句を引いたうえで、以下を述べることとする。

承

ここ数年、私は縁あって、一九二〇年前後の世界・東アジア・日本の状況に触れる発言を幾度も行なった。文章・講演・講座などいくつもの形で。この時期には、第一次世界大戦、ロシア革命、シベリア出兵、米騒動、三・一独立運動、五・四運動、関東大震災と朝鮮人虐殺……など政治・社会・歴史上の大事件が次々と起こっている。これを総体的に把握すること、個別の出来事を歴史的に関連づけて捉えること。そのことの重要性を私はどこでも強調した。

例えば、この時期の度重なる日本軍の国外における軍事行動、および「歴戦」を重ねてきた退役軍人（在郷軍人会）が震災時の朝鮮人虐殺において果たした役割を、明治維新以降の「富国強兵」路線の延長上で把握すること。すると、短く見積もっても、一八九四年の日清戦争から一九四五年の敗戦時までを、日本帝国が行なった「五〇年戦争」と捉える視点を、史実の裏付けをもって提起できる。

例えば、震災時の朝鮮人虐殺をめぐって、在日朝鮮人歴史家・姜徳相が控えめに提起している捉え方（『新版　関東大震災・虐殺の記憶』、青丘文化社、二〇〇三年）に耳を傾けること。すなわち、在日朝鮮人、日本人社会主義者、大杉栄などに対する仕打ちを、「虐殺」という共通項に注目して並列して記述する、大方の日本人史家が採用してきた平板な方法に代えて、日本の官民が一体をなした民族的犯罪としての朝鮮人虐殺と、自民族内の権力犯罪として実行された日本人社会主義者・労働運動活動家と大杉栄などの虐殺を、区別して捉えること。すると、虐殺の規模、犯罪がなされた日時、犯罪者の構成、報道の有無、裁判と処罰の在り方、日本社会での受け止め方、記憶の仕方……などをめぐって、前者と後者の間には無視できない重要な差異があることに私たちは気づくことになる。

この例示に見られるような歴史把握の方法は、姜徳相の名を挙げたように、従来なかったわけではない。だが、私自身もそうであったが、その方法が確固として内在化していたとは言えない。「主流」は、戦争史に関しても虐殺の史実に関しても、多くの者が自国の責任を問わない、あるいはそれを軽視する民族主義的な偏向の下にあったと言わなければならないだろう。

ところで、二〇二〇年初頭、コロナウイルスの世界的な蔓延の事態を前に、人類はこれほどの経験をいつ、どこでしているだろうか、とふと思った。誰もが共通に持った思いだったのではないか。その時、部分的・地域的な流行に終わることで、今回の新型コロナウイルスの場合と違って、全世界的な関心を呼ぶには至らなかったエイズ、エボラ出血熱、デング熱、サーズなどの最近の実例を押しのけて、一九一八年～二〇年に世界的な流行となった「西班牙風邪」の史実が立ち現れたのである。この名づけも、流行したのが第一次世界大戦終結期だったという時期も、かなり大勢の人びとが死んだという史実も、頭のどこかに残ってはいた。だが、社会史的な観点からすれば大変な出来事であるそれに、私は、一九二〇年前後の世界・東アジア・日本の情勢論の中で触れることはなかった。思いもつかなかった、と言ってよい。歴史記述が政治史、外交史、あるいは戦争史に偏してなされているという批判は従来のある段階でそれぞれ時宜を得て提起された。日本でも、専攻分野はそれぞれ異なるが、阿部謹也、良知力、佐原真、藤木久志、網野善彦などのように社会史的な記述を充実させることで、歴史解釈をヨリ豊かにした歴史家もいたのだから、西班牙風邪の蔓延を織り込んだ〈一九二〇年論〉が生まれていてもよかった。少し先行する世代だが、ねず・まさしのように、『日本現代史』全7巻(三一新書、一九六六～七〇年)なるすぐれた現代史を著した著者の視野にも、西班牙風邪の流行は入っていない。岩波『近代日本総合年表』第二版(一九八四年)でも、一九一八年「春―世界的インフルエンザとなったスペイン風邪、わが国に伝わり、翌年にかけて大流行(死者一五万人におよぶ)」と記されているだけだ。だが、他者をあれこれ言うよりも、己の認識の欠如をこそ痛感しつつ、私は書いている。

〈革命〉と〈反革命〉のあいだでの激しい攻防が続いていたロシア内戦でも西班牙風邪の流行は大問題だったのではないか。医療従事者を前にしたレーニンの演説のひとつかふたつも残っているのではないか(実際に、ある)。米騒動や三・一独立運動に「密な」状態で参画した群衆に西班牙風邪はどんな影響をもたらしたのか――このような問題意識を持てば、あの時代は、従来とも異なる相貌を見せる。時代が〈重層的に〉見えてくる、と言ってもよい。ロシア革命の初期過程を『世界を揺るがした10日間』(光文社古典新訳文庫など多数あり)で生き生きと描いた米国人ジャーナリスト、ジョン・リードが、内戦下のロシアに蔓延していた発疹チフスで、一九二〇年にモスクワで死亡したことを思い起こすことも意味を持ちえよう。

それにしても、世界規模では第一次世界大戦の死者の四倍に相当する四〇〇〇万人、日本では関東大震災の死者の五倍近い四五万人もの死者(いずれも、数には異説があるが)を出した西班牙風邪は、なぜ、ここまで忘れ去られたのだろうか？　このテーマに関しては、米国にはアルフレッド・W・クロスビーの大著『史上最悪のインフルエンザ――忘れられたパンデミック』

（原著発行は一九七六年。翻訳版は、みすず書房、二〇〇四年）があり、日本には速水融『日本を襲ったスペイン・インフルエンザ――人類とウイルスの第一次世界戦争』（藤原書店、二〇〇六年）がある。それぞれ、米国ないしは日本の個別事情を詳述しつつも、世界的な視点をもってインフルエンザの蔓延という歴史事象に取り組んだ力作である。この二書を参考にしながら、問題の在りかを考えてみたい。

当時の西班牙風邪の流行が、米国民の大きな関心を引かなかった、否むしろ「ああまで徹底的にあのパンデミックを忘れてしまった」理由について、クロスビーは第一次世界大戦を挙げている。インフルエンザによる死者の大半は、戦闘で命を失った者たちと同じ年齢層の若者たちで、前者の死は戦死者リストの陰に隠されたというのである。しかも、米本土に残って住まう人びとにしてみれば、ドイツ軍と戦うためにフランスに派兵されている米兵士は、戦死とインフルエンザによる死の二重苦に直面しており、戦時下の社会的な雰囲気の中にあっては、インフルエンザ死をことさらに際立たせることなく、戦争死の一部分として受け入れる態度が生まれたのだとも分析している。

クロスビーによるこの分析が十分な説得力を持つと考える立場に立てば、国を挙げての戦争というものが人びとの心理に及ぼす破壊的な影響力を見て取ることができよう。クロスビーによれば、西班牙風邪の最初の感染者、すなわち「ゼロ号患者」が生まれたのは、一九一八年三月四日、カンザス州ファンストン基地においてだった。発熱と頭痛を訴える兵士が診療所に殺到し、一〇〇〇人以上が発症し四八人が「通常の肺炎で」死亡した。越冬期にこの地に飛来するガンが豚にウイルスを移し、それが豚の体内で変異して人に感染したと考えられているが、感染した兵士は兵舎内の豚舎の清掃を担当する者たちだった。次いで、米国の各基地でも集団感染が始まったが、感染者も交えた兵士集団がヨーロッパ戦線各地に派兵され、五月〜六月には感染は欧州全域に広がった。欧州列強は一九世紀末以降の「アフリカ分割」を終えたばかりだった。欧州の感染者を乗せた軍艦は、石炭の補給のために西アフリカ航路を利用し、寄港する先々で感染を拡大させた。河川と鉄道網を通して、感染はアフリカ大陸内陸部へと伝わった。先に革命のただ中のロシアに触れたが、米軍は英軍と共に、ノルウェーを超えて北ロシアのアルハンゲリスクに侵攻し、革命の壊滅を図った。兵士たちが持ち込んだインフルエンザに、極寒の地の民衆は苦しんだ。米軍はシベリアの地にも侵攻したが、被害の程度について米軍が遺した記録はない。ソヴェト・ロシア側とて、外国勢力の干渉軍を含めた〈反革命〉との戦いのさなかで、加えて発疹チフスやインフルエンザとの格闘を続けながら、疫学者や医療関係者が記録をつける〈余裕〉など持つことはできなかったと推定し得る。

結局、被害の全貌を地域ごとに正確に知ることは、難しい。専門家が推定する犠牲者の数に幅があるのは、当然と言える。確認し得ることはただひとつ、船で欧州戦線に運ばれた米兵を通してインフルエンザが世界中に伝播したという史実である。移動し転戦する戦時下の兵士と感染症流行との不可分な関係性が、ここに浮かび上がる。

一九一八年中葉、西部戦線では、ドイツ軍と米英仏の連合国軍が塹壕戦で膠着状態に入って三年半目を迎えていた。そこへ兵士が運んだインフルエンザ・ウイルスが入り込んだ。これをきっかけにしてこそ、ドイツにとって「西部戦線に異状」は起きたのだ。遅かりしとはいえ百年後にこの史実を知るに至った私たちがここから得るべき教訓は、あまりに明らかだと言うべきだろう。戦争の廃絶に向けた弛みない努力を重ねること、これである。

クロスビーの著書は、他にも重要な二書が翻訳・紹介されている。『ヨーロッパ帝国主義の謎——エコロジーから見た10～20世紀』（岩波書店、一九九八年）と『ヨーロッパの帝国主義——生態学的視点から歴史を見る』（ちくま学芸文庫、二〇一七年）である。ヒトが移動し、「未開地」を開拓するという行為が、植物や動物、ひいては疫病の移動をも促してきた歴史的関連性が、そこでは明快に分析されている。地球温暖化によるシベリアの永久凍土地帯の融解や、進行中のアマゾン地域の乱開発がもたらし得る未来——すなわち、世界を単一の原理＝市場原理によって支配している現代資本主義が行き着く先を予見的に想像するよう、読む者を誘ってやまない。

転

速水融の書もまた、「〝忘れられた〟史上最悪のインフルエンザ」と題する章に始まる。速水が二〇〇六年にこの書を刊行した時点で、西班牙風邪をタイトルとした本は日本では一書とてなく、論文数も数えるほどだったという。クロスビーは、米国で西班牙風邪が忘れられてきたのは、第一次世界大戦というヨリ大きな「物語」に包摂されてしまったからだと述べたように、速水もまた、同時代の日本を包み込んだ政治的・社会的な、いくつもの激動的な事態が、感染症のもたらした驚くべき結果を覆い隠したとの見解を述べている。西班牙風邪の流行から百年を経たいま、速水の仕事から現在に資する教訓を得ようとすれば、私には「第7章　インフルエンザと軍隊」および「第9章　外地における流行」の二章がもっとも重要だと思える。

前者の章が扱うのは、次の事例における兵士間でのインフルエンザの発症例である。（1）一九一七年二月に呉港を出港し、南太平洋から東南アジア海域を主として「親善使節」として航海し、一九年一月に呉に帰投した軍艦「矢矧」。（2）英軍など連合国側は、地中海域でドイツ軍Uボートの攻撃に苦しんでいたが、英国は一九〇二年締結の日英同盟に基づいて日本に地中海への艦隊派遣を要請した。これに応じて一九一七年に派遣され、一年半に及ぶ作戦に従事した旗艦と駆逐艦八隻。（3）ロシア革命に「干渉」して、一九一八年八月から二二年までシベリアに出兵させられた兵士たち。――残されている資料の多寡により明かされる事実には限界があるが、ここでも、移動し転戦する兵士たちと感染症の流行との因果関係がはっきりする。今回のコロナウイルス蔓延の事態の中でも、リビアやイエメンなど内戦状態にある地域での「コロナ停戦」のニュースが流れたりした。戦火を交えている当事者たちとは無縁の地点でこのニュースに接することのできる者の立場からすれば、「戦死か、コロナ死か」の二者択一ではなく、コロナ死の可能性を増大させもする戦争そのものの停止と廃絶のために知恵を絞ってほしいと言うしかない。この物言いは、第一次世界大戦において日本軍が取った作戦行動という、今さら変えることのできない過去の出来事から、戦争廃絶に向けたいかなる教訓を導き出すかという形で、自分自身に帰ってくる。

この章ではさらに「国内におけるインフルエンザと軍隊」の実態も分析される。著者の視角は明快である。「軍隊は兵の行動を強制的に制約し、多少体調が悪くても規律・練習・演習を逃れることはできない。一方、兵営は、ウイルスにとっては繁殖に好都合な若者の集団であり、免疫抗体を持たない兵は、文字通り好餌であった。このウイルスに最も適した二つの条件が揃ったのが軍隊」である。師団が置かれている各地域の地方紙は、報道管制の枠内にありながらも、軍隊内部の感染状況をつぶさに報道しようと懸命だったことが知れる。これは、逆に言えば、それぞれの地域社会に根づいた形で軍隊の存在があったことを意味しており、やがて形成される「総力戦体制」の萌芽状態を見る思いがする。一九二〇年前後と言えば、明治維新からおよそ五〇年後――その半世紀の間に「富国強兵」路線が可能にしたものを、「軍隊と感染症」という問題意識の背後に透視したい。

さて、その「富国強兵」路線の過程で、日本は近隣地域に植民地を「獲得」した。すでに見たように、第一次世界大戦に参戦した欧米諸国は「植民地帝国」であった。戦域の拡大と兵士の移動は、アフリカ各地にも戦争と感染症拡大の悲劇をもたらした。その意味で、「樺太、朝鮮、関東州、台湾」など「外地」での感染症流行を跡付けた速水書の第9章も重要だ。

私は「サハリン」と記すが、「樺太」の項目で最も注目すべきは、アイヌ、オロッコ、ギリヤークなどおよそ二〇〇〇人の先住民族を襲った運命だろう。一九一六年と一九二〇年を比較すると、その人口は約四〇〇人、つまり二〇パーセント近く減少している。世界史のどの局面を見ても、欧米の諸民族がアジア、アフリカ、ラテンアメリカの諸地域に進出すると、その地にもともと住まう先住民族は感染症に罹り、ひどい人口減に見舞われる。一五世紀末に始まる「大航海と地理上の発見」によって、ヨーロッパ人は未知の大陸に到達した。のちにアメリカと呼ばれるその大陸には、大勢の多様な先住民族が住んでいた。彼ら／彼女らは、スペイン人が持ち込んだ天然痘の犠牲になった。アステカとインカの強大な帝国が滅亡した間接的な原因として、戦闘でスペイン兵と接触した先住民族兵が天然痘に罹り、組織的な抵抗力を失ったことが挙げられるほどである。植民が増加するにつれて、麻疹、チフス、インフルエンザ、肺炎、おたふく風邪などがヨーロッパ人に伴って持ち込まれた。先住民族からはさらに膨大な犠牲者が生まれた。記憶すべきは、感染症の絶大な「効果」を知ったヨーロッパ人が、先住民族を意図的に感染させ、根絶やしにすることで土地を奪った例もあったことである。これは直ちに、一九三〇年代から四五年にかけて、日本帝国陸軍が中国・ハルビン郊外に設置した「７３１部隊」の所業を想起させる。軍医たちはここで、中国人を「実験台」にして、未知の病気の病原体の発見のための感染実験や、感染力増強の実験などを行なった。コロナウイルスをめぐる大量の情報があふれる現在、かつてウイルスをばらまくような「国策」を他民族の領土で行ない、しかもその行為はあらゆる意味で未清算であるという恥ずべき現実に触れる言論がないことには、はて面妖な、と言うしかない。

朝鮮における感染状況に関しては、乏しい資料を通してでも、「流行期が寒冷であり、貧困な者はオンドルの燃料にも事欠いていたほどで」、「治療・入院などの措置は、朝鮮人には十分ではなかっただろうから」、朝鮮人の西班牙風邪による死亡率はかなり高かった、としている。台湾では、先住民族の居住地域での蔓延、軍隊を起点にしての流行、本地人と内地人（日本人）の間の被害の差などに関して、無視できない指摘がなされている。

結

コロナウイルス以前の世界・社会にも、分断と差別はあった。見て見ぬふりをする者が多かっただけだ。だが、コロナウイルスに世界が〈ひとしく〉席捲されたこの半年間のあいだに、分断と差別の構造はヨリ鮮明に、だれの目にも見えるようになった。一国内部の社会構造において、多国間で形成されている国際秩序の在り方において、この分断と差別を生み出している根源を見極めること――そこで見えてきたのは、軍隊・戦争・乱開発とエコロジー・貧富の差を生み出す起点としての、欧米日による植民地支配などの問題群であった。

私たちが、コロナの時代に目撃している支配的政治の姿は、言葉を失うほどに貧しく、無惨だ。同時に、この未曾有の体験を通して、社会の基底では、物事の根源を問う動きが沸々と沸き立っている。それは、ささやかであれ希望の証しだ。そう考えて、一〇〇年前の史実を我がこととして振り返ってみた。■

八月一六日(日)

昨日の敗戦記念日をめぐる報道は、相変わらずだ。自国をしか見ていない。この国は、植民地帝国にして、侵略国だった。自国の「被害」しか言わないのは、歴史的現実に合わない。とりわけ靖国神社と戦没者追悼式に焦点を当てると、「戦没者」の遺族がいかに平和への揺るぎない意志を語ろうと、過去の戦争の意味を問わない分、帝国軍人とその係累者中心の戦争観に行き着くのは当然だ。今日の朝日紙と毎日紙には、「空襲・沖縄戦・外国籍・抑留者」などの被害者のことは無視してきた戦後史を顧みる記事はある。惜しむらくは、あまりに小さい。

きのう、萩生田文科相、小泉環境相、高市総務相、衛藤沖縄北方相の四閣僚が靖国神社に参拝した。首相は自民党総裁名で玉串料を納めた。

今朝のフェイスブックには次のように書き込んだ。

――ＮＨＫの番組「忘れられた戦後補償」が再放映される。八月二〇日（木）午前一時から二時。つまり深夜。私は未見なので、このときぜひ見たい。二〇一四年一〇月、京都で開かれた死刑映画週間で、深作欣二監督『軍旗はためく下に』（一九七二年）が上映されたが（東京の死刑映画週間でも、これまでに二回上映してきている）、そのあとで私が長めの講演を行なった。「国家の強いる死と戦没者遺族援護法」というタイトルで。この講演のときの私の問題意識が、冒頭に触れたＮＨＫの番組のそれと、おそらく、重なり合っていると思う。戦後過程で、国外の被害国（者）に対しても、国内の民間人被害者に対しても、まっとうな戦争責任を取ることのなかった日本の国家社会は、「帝国軍人」本人ならびにその係累者に対しては、特段の「配慮」を講じてきた。遺族会が、自民党の大票田であり続けた根拠はそこにある。この講演では、そのからくりを分析した。これはネット上では読むことができない。『死刑映画・乱反射』（インパクト出版会、二〇一六年）に、

――他の映画についてのほかの方々の講演ともども収録されている。「戦没者追悼式」をめぐる空虚な報道が溢れ出ているいま、ぜひ、お読みいただきたい。■

きのうの各紙朝刊には、厚労省の大きな新聞広告が載った。『戦没者等のご遺族の皆さま――「第十一回特別弔慰金」のご案内』だ。今年四月一日の段階で、「恩給法による公務扶助料」や「戦傷病者戦没者遺族等援護法による遺族年金」を受ける者（戦没者等の妻や父母）がいない場合、順番を付けて、先順位の遺族一人に二五万円を支給するというものだ。「子」「父母」「孫」「祖父母」「兄弟姉妹」「三親等内の親族（甥、姪）」という順位付けがなされている。毎年八月一五日の朝刊には、この「ご案内」が載る。七五年前に戦争責任の追及を免れた厚生省官僚は、GHQ占領下では禁止された軍人恩給制度をめぐって、一九五二年三月「戦傷病者戦没者遺族等援護法」を国会成立させることで復活の礎を築き、同年四月二八日のサンフランシスコ講和条約締結の二日後に公布した。以後七〇年近くの間、厚生省（現厚労省）・自民党・日本遺族会の三者は入念な協議を重ね、戦傷病者や戦没者、それに近しい人々が次第に亡くなっていく過程で、ヨリ「下位の」者にも「援護」の手を差し伸べて、孫子はおろか甥や姪までも受給対象者にして、今日に至っているのである。軍人・軍属関係者への恩給総額は、この七〇年近くで六〇兆円を超えている。「平和と民主主義」に貫かれていたはずの〈戦後史〉は、私たちが長いこと自覚できなかったことには、〈過去の〉軍国主義を何ら反省することなく、旧軍人とその家族に過剰なまでの経済的な報酬をもって報いるという裏面を持っていた。この苦いを事実を、「八月のナショナリズム」の日々に改めて噛み締める。

きのうの毎日紙、きょうの朝日紙記事に基づく数字——全国の遺族会会員一二五万世帯（一九六七年）→五七万世帯（二〇一九年）。一九六〇年代の活動の中心だった戦没者の妻の平均年齢は現在九六歳。一九九〇年代の中心だった遺児は現在七九歳。遺族会は二〇一七年に、戦没者の孫やひ孫世代でつくる青年部を結成し、現在三六支部。軍人恩給受給者（本人＋遺族）二六一万六〇〇〇人（ピーク時の一九六九年）→五〇万人（二〇一五年）→二二万八〇〇〇人（二〇二〇年）。現在の平均受給額は年額七二万四〇〇〇円。

しんぶん赤旗が、八月一四日から一六日まで、「戦後75年―日本の香港占領」という連載記事を載せた。日本のアジア侵略史研究家・和仁廉夫氏の話に基づいている。一九四一年一二月八日、日本軍は真珠湾攻撃と同時に、英国の植民地だった香港への侵攻を開始した。九龍半島北部の新界地区から攻めて、一八日後の一二月二五日に英国軍が降伏、日本軍による香港占領は、敗戦時までの三年八ヵ月間続いた。日本軍による略奪・強姦などの事実は、和仁氏の著書に詳しい。北京政府が行なっている香港民衆への抑圧政策に日本でも批判の声が起こるのは当然だが、同時に知っておきたいのは、このような史実だ。

ガルシア＝マルケスの妻、メルセデス・バルチャのきのうの死を告げるスペイン、エル・パイース紙。享年87。『百年の孤独』の原稿があがり、当時二人が住んでいたメキシコからアルゼンチンの出版社に送ろうとするも、手持ち不如意につき郵送料が不足し、原稿の半分しか送ることができなかった。帰宅したメルセデスが、ヒーター、ミキサー、ヘアドライヤーなどを質入れして金策し、残りの原稿を送ったという有名なエピソードが残っている。マルケスが一九七六年に受けた初めてのテレビ・インタビューで語った逸話だ。

お隣から、郷里・山形から届いたという枝豆をいただく。枝豆の殻、ナスのヘタなどを、そろそろ、一二月の沢庵漬けに備えて、乾燥保存する季節になった。秋になれば、リンゴや柿の皮も。「歳時記」感覚を揺るがす〈異常〉気象が〈ふつうの〉状態になったが、やるべき基本は変わらない「生活の設計」。

猛暑を避けて夕方散歩。帰り道、厨房「Ｋ屋」を覗く。二点ほどの惣菜を買い、ビールを一本飲んで帰ろうとすると、みそ汁・餅などをくれる。みそ汁の具には何が入っているか当てろ、と言う。餅は急に食べたくなって、先日ついたそうだ。年末には、付近に住む外国人も集めて餅つきをやっているが、この暑い時期にやったとは！　かかっていたＣＤの女性歌手は、ちょうど、最近唐澤が練習している曲も歌っている。メインストリームをゆく歌手ではないが、ほんとうに音楽の「よさ」が分かるひとだ、Ｋ屋の店長のレコードやＣＤの選び方は！——と唐澤の店長評価は高まるばかりだ。店先や内部にさりげなく置かれた季節の草花のアレンジの仕方、自ら手掛ける絵や装飾・工芸品、店内にあるレコードやＣＤからわかる音楽的嗜好性、料理のセンス——何から何まで、異能のひとだ。

八月一七日（月）

新聞（朝刊）休刊日。ＮＨＫ・ＢＳの「ワールド・ニュース」も、野球とゴルフにとばされる。スポーツ中継を楽しむ人が多いのはわかるが、そのためにニュース番組をとばすという感覚が理解できない。

八月一八日（火）

きのう内閣府が発表したところによれば、二〇年四月〜六月期の国内総生産（ＧＤＰ）は、前期比七・八％減、年率換算二七・八％減となった。コロナショック。

八月一九日（水）

米中貿易摩擦に加えて、「世界の工場」と呼ばれた中国に対する過度な依存の危険性が明らかになり、生産拠点を他のアジア諸国に移す動きを、ベトナムを例に報じるきょうの朝日紙。ベトナムは「コロナの感染をいち早く封じ込めた」との評価を得て、投資家の安心材料となっており、とりわけ追い風が吹いていると分析。

朝日新聞「むさしの」版には「戦後75年」のインタビュー記事があるが、きょうは法政大の愼蒼宇氏。朝鮮と日本の関係に関して、抵抗と弾圧の反復に視点を据えて「植民地戦争」という認識を持つべきだとする。氏はこのことを、昨年五月に開かれた歴史学研究会大会での報告でも強調しており、私はそれを『歴史学研究』増刊号（績文堂出版、二〇一九年一〇月）で読んでいた。この間の私の問題意識と交錯するので、刺激を受けた。愼氏のみならず、この記事の聞き手＝佐藤純記者のこれからの仕事にも注目したい。

八月二〇日（木）

東京新聞に、「感染米兵ら沖縄に」一時計画、の記事。三月下旬、米海軍原子力空母セオドア・ルーズベルトで乗組員一〇〇〇人以上が新型コロナウイルスに感染するクラスターが発生したが、陽性者を含む三〇〇〇人以上を沖縄県と神奈川県厚木市の米具基地に移送する計画が浮上したものの、「対日関係を配慮」して撤回したことが、米海軍の報告書から判明した。

きのうは各国企業が、中国からベトナムへ生産拠点を移動している動きに注目したが、きょうは渋谷のイメージフォーラムで、ベトナムに関わるフランス映画『この世の果て――数多の終焉』を観た。ギョーム・ニクルー監督。ギャスパー・ウリエル、ジェラール・ドパルデュー主演。二〇一八年作品。この映画については、近々どこかで触れよう。

きょうのしんぶん赤旗に、アフリカのブルンジが旧宗主国のベルギーとドイツに総額三六〇億ユーロ（四兆五〇〇〇億円）の賠償請求との記事。一八八五年～「独領東アフリカ」の一部として植民地化↓一九二二年～第一次世界大戦でドイツが敗北後にベルギーの支配下に↓一九六二年独立。ベルギー植民地当局は、ブルンジの住民を三つに分類する布告を発布したが、それが独立後の民族対立、とりわけ一九九三年以降のツチとフツの対立の要因となったとする専門家の見解が紹介されている。ブルンジは賠償のほかに、盗まれた文書資料や文化財の返還も求めていくとしている。さらに植民地の歴史についての学校教科書を共同で作り、それをベルギーの学校でも使用することも提案している。これには先例があって、一九八九年のナミビア独立に向けて、ナミビア人と旧宗主国のドイツ人の合同チームがナミビアの歴史・地理・人びとの生活を語り伝える社会化テキストをつくり、出版したのだ。（日本語訳は、ナミビア独立支援キャンペーン・京都＝訳『わたしたちのナミビア――ナミビア・プロジェクトによる社会科テキスト』（現代企画室、一九九〇年）。それにしても、奴隷制・植民地主義・人種差別の歴史を過去にまで遡って見直す気運は世界的に高まるばかりだ。

きょうの同紙には、また、細菌戦の「７３１部隊」に関する「ないはず」だった政府文書を発掘した西山勝夫氏（滋賀医科大学）へのインタビュー記事も掲載。同氏が運営するサイト「戦争と医学」に資料が掲載されている。→ https://war-medicine.jimdofree.com/（←最終アクセス　2021/04/27）

八月二二日（土）

野口整体の当番日。猛暑の中、私たちを入れて七人が受ける。Tさんはいつも自家製のパンを持ってきてくれるが、きょうはキャラウェイ入りのパンだとか。毎回新たな工夫をされるので、楽しみだ。永山子ども基金のコンサートに何度か来られ、楽しみにもしているひとなので、八月一日の会をコロナで延期した今年は、来る九月二七日午後にオンラインで行なうというメモを渡す。チラシができたら送ることにして。

唐澤は数日前から、熱中症の初期症状のようで、ここ数日安静に。きょうも客人の相手はしないが、整体は受けて、いくらかスッキリしたようだ。今回のために、生理食塩水なるものを初めて買ってみた。夏に欠かせぬ麦茶では、塩分がないので、この症状には物足りぬという。最近は、小袋に収めた由緒ありげな塩が観光地の土産物屋においてある。思い出すだけでも、シベリア、モンゴル、ボリビア、ペルー、グアテマラ、そして日本各地の塩をお土産にもらった。日常的にはさり気なく使っているものだが、人類と塩の「縁」は深くて、広い。

八月二五日（火）

三ヵ月ぶりに歯医者へ。この間、左上の奥歯が抜けた。ほかは異状なし。日頃のブラッシングはよくできているようだ。

午後三時から夜九時まで、この数年間お世話になっているデジサポの人に来てもらう。パソコンはほぼ五年の寿命というが、今までのは六年間使ってきた。新しいものとの交換し、データを移行してもらった。六年間で一万九〇〇〇時間使ったようだ。一日平均一〇時間になるが、まあ、そんなものか。

午後、三鷹での講演へ行く前に、反天連機関誌の原稿を送稿。きのう書き始めたときには、「安倍辞任」のニュースが流れたが、いまさら、この人物のことを書き立てることもあるまい。予定通りのテーマで書いた。

太田昌国のみたび夢は夜ひらく　第一二三回
「八月のジャーナリズム」から遠く離れて

「広島・長崎の悲劇」と「対米戦争の終わり」という観点を基調とする「八月のジャーナリズム」の日々が終わる。「八月のジャーナリズム」とは、在日朝鮮人の友が、苦い思いを込めて一〇年ほど前に私に語った言葉だ。これが嫌いだ、と。日本国の戦争はアジア侵略に始まったという事実を忘れ果て、アジア各地の民衆の抵抗闘争を前に敗北したことからも目を背けてきたのが、戦後日本社会の在り方だ。これに対する徹底不信の声だ、これは。そんな日々に「この世の果て、数多の終焉」という映画を観た（ギョーム・ニクルー監督、フランス／仏語・ベトナム語、二〇一八年）。舞台はベトナム。描かれている時期は、一九四五年三月から一二月まで。物語の発端では、同年三月九日に日本軍がハノイ、サイゴンなどの主要都市で行なった仏軍を武装解除し仏統治を終わらせた明号作戦が出てくる。惨たらしい死体の中から這いずり出る一フランス兵（彼がその後の物語の主人公となる）の姿をカメラが執拗に捉えるのが冒頭シーンだから、具体的には、ベトナム北部で対中国国境に近いランソンで捕虜にしたフランス軍兵三〇〇人以上を日本軍が殺害した事件を暗示していよう。日本は、一九四〇年六月ナチス・ドイツがフランスを敗北に追い込み、これを容認するヴィシー政権が成立したとき、これと協議して、フランス領インドシナに軍隊を駐留させた。北部では、抗日戦争中の中国へ米仏からの支援物資の流れを断ち切ること、南部では、来るべき英蘭との戦争に備えて港湾・飛行場を確保すること――いわゆるＡＢＣＤ包囲陣に対する対抗戦略の一環であり、ヴィシー政権側にも、日独同盟を結ぶ日本に利用価値を見出したのだろう。

四四年八月、ノルマンディー上陸作戦後にパリはナチスから解放され、ドゴール政権が成立した。フランスはもはや「わが味方にあらず」と日本側は考えたのだろう。それが四五年三月に対ベトナム駐留仏軍奇襲作戦となったのである。だが、この映画の日本への関心はここで終わる。映画はもっぱらフランス兵の動向と、それに取り入ってか、または植民地からの解放闘争のために敢えて「敵」側に潜入するスパイとしてか、あるいはまったくの市井のひととしてか、それらの違いを持ちつつフランス兵およびフランス民間人の間に介在するベトナム人の在り方を描く。ベトナムの若い女性が待ち受ける「買春窟」を背後にもつ酒場で、酔ったフランス兵たちが「ラ・マルセイエーズ」を大声で歌うシーンに、フランス人である監督は、両者の本質的な関係性を、自己批評的に、刻みつけたようだ。

この時代インドシナ半島で日本が何をなしたかを知るためには、この映画を離れて、別な方法が必要だ。ホー・チ・ミンによる一九四五年九月二日のベトナム独立宣言には、四四年一〇月から四五年五月にかけて、フランス・インドシナ植民地政府および日本軍による食糧徴発に見られるような「フランス人と日本人の二重の支配」のもとで「我々の同胞のうちの二〇〇万人が餓死した」との記述があることは有名な話だ。だが、日本でこの事実を知る者は極端に少ない。ベトナム人の目から見れば、四〇年九月から四五年八月までの五年間は「フランスと日本の二重支配」の下にあったという歴史的事実を忘れないようにすることが、「八月のジャーナリズム」を相対化する一方法なのだ。

香港についても同じだ。北京政府の強権的な対香港政策に対する批判は当然だ。同時に、イギリスが清国にアヘン戦争を仕掛けて、不当にも植民地化した香港を日本が占領した一九四一年一二月から四五年八月までの三年八ヵ月の日々の歴史も記憶に刻み込まなければならない。日本軍は真珠湾攻撃と同時に英軍支配下の香港に攻め入った。三週間足らずで英軍を降伏させて以降、日本軍が行なった略奪・性的暴行・強制移住などに関する証言は数多ある。だから、こんな時代に、松浦寿輝が「香港陥落」という作品を書いたことの意味は小さくない（『群像』二〇二〇年九月号）。

「八月のジャーナリズム」に浸っていると、アジアは遠ざかるばかりだ。表層を流れてゆく政治的な話題に足を掬われることなく、映画、文学、音楽、美術、演劇……さまざまなジャンルを交錯させながら、遠のくアジアの中にわが身を置きたい。

（八月二九日記）■

9. わが身の異変（二〇二〇年九月）

九月一日（火）

八月二九日（土）朝、前掲の反天連原稿を書き終えて、担当者に送った。相変わらず暑い午後、三鷹市へ出かけて、「コロナの時代のただ中で」と題する講演を行なった。そのあとの記憶がとんだ。気がついたら、病院のベッドの上だった。気がついたのは翌三〇日（日）の早朝だ。明け方見回りの看護師さんが来て、少し話す。講演されていたんですね、その後少し具合が悪そうなので、主催者の方の機転で救急車で運ばれたそうですよ。記憶は少し戻りましたか。昨夜は講演されていたことも覚えていらっしゃらなかったようですよ。そうでしたか、今は講演したことは思い出せます。果たして無事すべてを終えることができたのかな、不安だな。そこまではうかがっていませんが、でも少し記憶が戻ったようですね。今日は日曜日なので先生はいませんが、明日脳波検査をして診断なさる予定です。脳波検査ではジェルを頭に塗るので、明日のシャワーの時間を予約しておきますね。……シャワーの時間は五時三〇分から五五分までの二五分間です。場所をご案内しておきますね。と言って、彼女は私をシャワー室まで連れて行ってくれた。二五分間ですから、次の方がお待ちなので、五分くらい前に切り上げてください。わかりました。

朝、そんな会話を交わした。唐澤は昨夜病院に来ていたようにも思うが、定かではない。なぜここにいるのかわからないが、ともかく起きたとメールする。少し記憶が戻ってきたようだとも。また講演会の主催者のひとり、Oさんにも、講演を無事終えたかどうか不安だとメールする。何回かのやり取りで、講演は終えたらしいことがわかる。その後、だんだんとわかってきたこと。

（１）「コロナの時代のただ中で」と題した講演は無事終えたようだ。質疑応答の三問目の質問に対して、私が長いこと沈黙してのちに「ぼく、そんなことを言ったかな」といったまま、答えなかったらしい。司会者＋主催者は、何かおかしいと思い、取り繕って、その場を収め、集会を終えた。懇親会の場に移り、何を注文するかと聞かれても、私が返事をしない。そこで「異状」に気づき、救急車を呼ぶことになった。

（２）二九日（土）夕方の救急車での搬送には、講演会の主催者のひとり、Ｏさんと、昨年来私の講演会によく来ているＡさんが付き添ってくれたらしいこと、Ａさんに私が自宅の電話番号を伝え、急を聞いた唐澤が駆けつけてきたこと――すべては、薄明の彼方の出来事のように、うすぼんやりとした印象としてしか残っていない。私は唐澤に「どうして君がここにいるの？」「誰から聞いたの？」、ベッドの下の床面を指し「今夜、君もここに寝るの？」などと、同じ質問を繰り返し繰り返し、したという。スマホを指して、これは何？　とも訊いたようだ。唐澤はその段階で、担当医から「一過性全健忘」との病名を聞かされ、一両日中に退院できるだろうと言われたようだ。

（３）三〇日（日）朝、スマホを見ると、反天連の担当者のＭさんから、原稿を受け取ったとの連絡。「八月の終わりに受け取るにふさわしい原稿」と書いてくれているが、はて、何を書いたものかまったく思い出すことができない。一所懸命に記憶をたどるが、だめだ。少しばかり不安になる。冒頭に書いた看護師さんとの会話は、この三〇日の朝のものだ。

（４）三〇日（日）昼、唐澤と横浜から息子が見舞いに来てくれたが、コロナ禍で面会はできない。私がいる五階のナースセンターそばで、一〇数メートル先の病室前の廊下をうろつく私に向かって、手を振ったらしいが、私は気づかなかった。差し入れものを看護婦さんに託していった。

(5)三〇日(日)の三食は完食。血圧が高い(搬送直後には上が二〇〇、この日の朝は一五〇だったという)とかで、夕食から減塩食になった。病院食と言えば、「まずい」の代名詞のように言われるが、おいしい。量は少なめだが、動かないのだから空腹感も湧かない。差し入れてもらった新聞各紙、崎山多美の『月や、あらん』(インパクト出版会)を読んで、終日過ごす。

(6)三一日(月)朝、担当医が来る。緊急入院の時以来の引継ぎ事項を弁えたうえで、「一過性全健忘」あるいは、可能性は低いが「てんかん(痙攣)」という病名を知らされる。午後、脳波検査を終えたら、退院可、ただし、近々にも外来へ来てその後の経緯を診てもらうこと、と言われる。この日の退院希望を伝えると、その手続きをとるという。外来へは九月三日に来ることにする。

(7)その後、自宅の唐澤に担当医から電話があり、経緯を伝えてくれたようだ。

(8)脳波検査はその日の午後なので、昼食は病室で。その前後から、反天連機関誌に書き「事件」当日の朝に送った原稿の内容を思い出し始めた。ふだんなら覚えてくる細かな表現までは思い出せないが、テーマ、展開の仕方と内容をほぼ思い出し、いくらか安心する。同時に、なかなかよく書けているという「自画自賛」の心もたげてくる。これなら、大丈夫か、と思う。だが、講演中から病院へ搬送され、いろいろな検査を受けていたころのことはまったく思い出すことができない。

(9)脳波検査を初めて受けた。門外漢だけに、これで何がわかるのだろうと訝しく思いつつも、こんな装置を作り出した人びとの知恵に感動していた。

(10)三一日夕、唐澤の出迎えを受けて、帰宅。二九日夜の様子を訊く。なるほど、すでに書いたように、ほとんど記憶にないことばかりだ。病院まで付き添い、しばらくの間居合わせてくれたOさんとAさん、そして唐澤の驚き、狼狽ぶりを思い、切ない。

(11) 退院翌日の九月一日（月）、休暇を取った横浜の息子夫婦が見舞いに来てくれる。持ってきてくれたマグロ、アジの刺身と馬刺しで昼食。おいしく、楽しい。いちばん親しい者とのこのような時間の大切さをしみじみと思う。コロナの時代、これを奪われている人びとが多いだけに。同時に、「官僚の悪」の地軸は何か。所謂「官僚的」という気風の風洞は何か、と考え続けて、「家庭のエゴイズム」という「陰鬱な観念」に行き着いて、「曰く、家庭の幸福は諸悪の本」と書いてしまった一九四八年の太宰の掌篇「家庭の幸福」の、この末尾が頭に浮かぶ。

(12) 病気は、ひとを謙虚にする。私がいたのは四人相部屋の病室だった。看護師が他の患者と交わす言葉のほとんどが聞こえた。廊下を隔てた部屋は、懇談室とでもいうのか、ふだんはがら空きなので、私は軽い体操をしたりスマホで話したりするときに使っていた。だが、食事時になると、車椅子に乗った患者でいっぱいになる。そこで一斉に食事するのだ。私のベッドは窓ぎわで、廊下に面していないし、仕切りカーテンもかかっているから、光景は見えない。看護師さんたちのさまざまな言葉が聞こえてくる。耳が遠い、自分が何をすべきかよく理解していない――意思の疎通がそう簡単ではない入院患者を相手にしていることは伝わってくる。ベッドでは一人で食事を摂ることができないひとが集まっているのだろう。看護師たちが、あくまでもていねいな言葉遣いで、辛抱強く言葉がけをしても、相手の反応ははかばかしくない様子が感じられる。看護師たちのこの働きぶりを含めて、病院で見たこと、感じたこと、すべてが私を謙虚にさせる。つまりは、ここで労働している人びと全員の在り方が……。

食事の量も少なく、加えて当然にもアルコールもつかないが、それでも私は毎回満足して食事を終えた。「謙虚であれ」「小さきひとであれ」――私は俗衆のひとりゆえ、退院したら元の木阿弥になろうが、病院では心底そう思った。

九月二日（火）

日本では「国連」の名が定着している「連合国」（United Nations）のグテレス事務局長が去る八月三一日に行なわれた「国連女性の地位委員会」の対話集会で、新型コロナウイルス感染症の世界的流行が明らかにしたのは「家父長制が男性支配の世界をもたらしたこと」だと指摘し、「今こそ、より平等で、誰も排除せず、回復力のある社会を再構築すべき時だ」と語った（九月二日付け「しんぶん赤旗」による）。「ジェンダー平等や女性の権利は、数十年にわたり限定的で危ういながらも前進してきたが、コロナウイルスの流行のために、それが逆行しつつある」。「女性は医療従事者の七〇〜九〇％を占めながら、医療分野で意思決定の役割を担っているのは三〇％にも満たない」。「世界の女性の多数は非正規雇用で、パンデミックで財政的な危機に追い込まれている」。女性に対する暴力行為も増えており、「女性と少女の権利を守ることは国連の最優先課題だ」。

夜は死刑廃止フォーラム会議。まだ外出するのが怖い。少なくとも明日の外来検診を受けるまでは――そう伝えるメールを、フォーラム・メンバーでインパクト出版会の深田氏に送る。九月一四日には死刑囚表現展の選考会も控えており、いろいろと決めるべき課題はあるのだが、身勝手なふるまいの赦しを乞う。

唐澤が生活クラブ生協会員で、きょうは注文品の個別配達日。前週に続けて、鶏卵が一〇個入りパックに八個のみ。あまりの暑さで雌鶏が疲弊し、産む卵の数が減っている由。初めての事態だ。野菜にも欠品が目立つようになった。魚まで。付近の農家の無人野菜売り場を見ていても、それは分る。異常気象の影響が身近に感じられる。

九月三日（木）

先日入院した病院外来へ行き、検診を受ける。病名は当初から言われた「一過性全健忘」。てんかん発作（痙攣発作）症状があるかどうかを診る脳波検査の結果も異常なし。ＭＲＩ検査では、昔の梗塞の痕がいくつか見られるが、この年齢では当たり前のことで、問題なし。もろもろの検査数値も、失礼だがこの年齢としてはきわめてきれい。今回の症状が起こった理由は分らぬが、考えられるとすれば、講演によるストレスか？――という説明だった。「生活改善目標」もなく、これといった指示もなし。「ないない尽くし」。今まで通りの生活をすればよいということだった。肩の荷が下りた。

帰宅後、インターネットで改めて「一過性全健忘（Transient Global Amnesia）」の症状を調べる。東京都済生会向島病院脳神経内科部長、大野英樹医師の説明を借りると、「何の前触れもなく、直近数時間の出来事についての記憶を喪失することが主な症状。自分や家族の名前などはわかるが、今日何をどのようにしていたか、今自分はここで何をしているのかなどがわからなくなる。発症中はその時自分がしていることや状況などを記憶することもできない。そのため、周囲の人から状況をいくら説明されても理解できず、同じ質問を何度も繰り返してしまう。また、自分の置かれている状況がわからなくなるため、不安が増して興奮状態に陥ることがある。記憶がなくなること以外では脳機能障害は見られず、しびれやまひなどが出ることはない。ほとんどの場合、症状は二四時間以内に消失する。」

どの面から見ても、私の症状に一致している。記憶のない私には確信がないが、付き添ってくれた三人の意見を総合すれば。別な説明によれば、人口一五万人の都市で、一年に一〜三人が発症する程度という。「脳の海馬という記憶をつかさどる部位に血液が十分に通っていない。一時的な虚血」症状だとする説明もある。

事態を知ったひとから寄せられた意見——無理のし過ぎです。この暑さの中で、一週間のうちに二度も広島へ行くなどたいへんだったのではないか。／脱水症状だったのではないか。講演中に水を飲んだ？　ふだんから、講演中にはあまり飲まない。あの日は、一時間かかる道中のためにペットボトル二本（一本は半分凍った冷水、一本は冷たい麦茶）を持ち、バスの中、歩く間、会場へ着いてから、と顔を冷やしたり、飲んだりしていたが、講演中は飲まなかった。だめよ、講演中に飲まなければ。／孫は電話で言った。ロルカの詩を朗読している場合じゃないぞ——！

この混乱のさなか、小樽の兄夫婦から、トウモロコシが送られてきていた。ちょうど、二日前息子夫婦が来たので、分けることもできた。やはり、道産子トウモロコシのうまさは格別だ。また、琵琶湖西岸に住む知人からは、新米が届く。今年限りでコメ作りは止めるという。心して、最後の味を楽しもう。

駒込・東京琉球館での講演会に毎回来られる、都内でフェアトレード品を扱うお店を営むKさんが、大分県日田に住む友人が葡萄園を営んでいるということで、各種葡萄を送ってくださる。タイミング的には、今年はまるで《退院プレゼント》のようで、いつにもましてうれしい。

九月四日（金）

「人類学者」とだけ言っては収まり具合の悪い、つまり幅広い思想家にして反グローバリズムの活動家、デーヴィッド・グレーバーの訃報が届く。きのう九月三日、ヴェニスの病院に死す、と妻のニカ・ドゥブロフスキーがツイッターで明らかにした。死因は不明。一九六一年、ニューヨーク生まれだから、享年五九。〈未開社会〉の在り方をどう解釈するかについての画期的な論考である『石器時代の経済学』を著したマーシャル・サーリンズ（法政大学出版局、一九八四年）のもとで人類学を学んだと聞いていた。『アナーキスト人類学のための断章』（以文社、二〇〇六年）などに深いを示唆を受けてきた。

九月五日（土）

朝七時半に電話が鳴る。昔なら、社会運動関係で深夜でも早朝でも電話が鳴るのは当たり前だったが、さすがに最近はめっきりなくなっていた。K屋です、という。近所の厨房の店主だ。カツオのいいのがあったけど、要りますか。もちろん、要る、要ります。すぐ取りに行くから。お店に行くと、小ぶりだが、いかにも新鮮なカツオだ。下ろしてもらう。アラも頭も残してね。いくら？　原価一〇〇〇円で、消費税を入れて一〇八〇円。それじゃ儲けが出ないじゃない。いいんです、これで儲けるつもりはないから。悪いね、じゃもらっていくね、ありがとう。ほかの頭も入れておいたと言っていたが、帰ってから見ると、頭は三つ。三匹仕入れたようだ。あとで、ローレルの長い枝を切り落して五、六本届けよう。店頭にはよく草花を粋に活けているし、ローレルも枝ごと竹の筒にでも差しながら、葉を乾燥させるかもしれない、彼のことだから。彼が見立ててくれたカツオを、夕餉に刺身で食べた。うまかった。アラ煮もまた。

きょうは整体の日で、当番はＭさん宅。私は自宅が当番日（月一回）以外はあまり受けないが、先日のことがあったので、唐澤の勧めで受ける。唐澤は整体師のＫさんが道場で行なう、いわゆる「お稽古」に何度も通っており、素人にしては整体の世界に精通している。きょうはＫさんが私に「愉気」を施している場に唐澤も居合わせ、説明するという。私には内容が理解できないが、Ｋさんの説明に唐澤が耳を傾け、ノートを取る。退院直後は、唐澤が私に愉気を行なっても、「気が通らない」と言っていた。それは入院中に私が点滴を受けていたからだろうとＫさんは言う。ＭＲＩや脳波検査、レントゲンなど器械で身体内部を映し出し、それに基づいて科学的に診断する西洋医学、ひたすら手の平で愉気を施し、対象の身体状況を「内観」したうえで何ごとかを施す整体――その「何ごとか」が私にはよくわからないのだが――、おもしろい。

所沢の兄から、茶豆が届く。以前、兄と職場が一緒だった人が退職後、郷里の山形県は鳥海山の麓の高原で、茶豆づくりをしている。有機肥料を施し、除草剤は使わず、農薬は地域慣行の半分以下で栽培するという。毎年届く季節品だ。これはおいしい。同封されているレシピを見て、久しぶりに枝豆の味噌汁をつくる。

九月七日（月）

釧路の友人から、時しらずが送られてくる。これは、若い鮭のこと、脂はあるが、体全体に回っていないので、ノルウェー産や養殖のチリ産のような脂ぎった感じがしない分、おいしい。大根おろしを添えると、なお。この季節、私の子ども時代の釧路では、何と言っても、サンマとイカが主役だった。釧路港にはサンマ船がひしめき合い、幣舞橋の傍らでは、リヤカーに山と積んだサンマを売っていた。夜、家の窓からは、イカ釣り船の電球が見えた、朝六時を過ぎると、「イカ、いいか！」という呼び声が聞こえる。早朝に水揚げされた新鮮なイカを、リヤカーを曳いたおばさんが売りに来るのだ。母親に言われて、ボールをもって、買いに走る。六人家族で、一〇杯くらいを平気で買った。母はすぐそれをイカ刺しにして食卓に出す。子どもも、朝から、イカ刺しで朝めしだった。

九月八日（火）

去る九月二九日、私が一過性の記憶喪失に陥った時の講演会の主催者メンバーの方たち三人に会った。当時のことを語ってもらった。私の話をよく聞いている人からすれば、いつもの太田とちょっと違うな、という感想を途中から持ったようだ。おそらく、話の勘所を弁えない、冗漫だったり省略しすぎたりが共存している、低空飛行状態だったのだろう。それでも講演は何とか終えたが、質疑応答時の答えの際に、長いこと沈黙を続けたり、質問への答えとしてはズレていたりしたようだ。私が風呂敷に包んで持っていた本や冊子を売ってもらっていたが、それを見て、これ誰が持ってきたの？　と私が聞いた時点で、もはや私の「おかしさ」は明らかだったのだろう。二次会の席の冒頭で、熱中症ではないかという声が上がって、救急車を呼ぶに至ったようだ。救急車の中での検査で、熱はなく体温も高くないので、熱中症ではないとの結論は出ていたという。あまり時間もかからぬうちに、赤十字病院に空きのあることが分かり、そこへ入れられた。講演会のスタッフにはもちろん、病院側にも適切な対応をしてもらったことが改めてわかり、感謝に堪えない。

九月九日（水）

宇都宮の友人から梨が届く。ちょうど私たちは、お世話になっている方たちに、秋の味覚＝長野県は木曾の栗子餅と栗きんとんを注文する準備をしていた。この友人には、感謝の言葉と、秋の味覚をお送りしますという双方の言葉を書いて、はがきを出した。

朝、佐賀に住む友人から電話。元河合塾の世界史の講師、松永義郎氏。もう一五年近く前だったか、河合塾が外部から講師を招く「エンリッチ講座」の講師として、私を北九州校と博多校の連続講演に招いてくれたひとだ。テーマは拉致問題だったから、私が『「拉致」異論』（太田出版、二〇〇三年）を出して間もない〇三年か〇四年だったろう。何でも、ヤマザキマリの『国境のない生き方』という本を読んでいたら、ヤマザキさんが住んでいた頃のイタリアでの話題として、「チリのアジェンデ政権に迫害されてイタリアへ亡命」したひとの話が二度も出てくるのだが、アジェンデ政権の時代にもこんな弾圧はあったのか、ピノチェ政権の間違いではないかというのが、松永氏の質問だった。私はその本を読んでいないので文脈も分からず、図書館で読んでみるねとだけ言った。きょう図書館へ行ったが、あいにく、その本はなかった。夜、松永氏から再び電話があって、版元の小学館へ問い合わせたら、初版では確かにそう記述されていたが、その後間違いが指摘されて、今は訂正されているとの返答を得たそうだ。こういう熱心な読者がいてこそ、書き手と編集者が見過ごす誤った記述が訂正されることもある。

鹿児島県は霧島に住む友人カップルから電話。唐澤から私の「異変」を聞いたようだ。彼女はアーティスト。もともとは両親の稼業を継ぐ、陶芸作家としての彼女と唐澤が知り合った。白磁を思わせる、白の輝きとフォルムが美しい、彼女がつくるさまざまな食器に出会った。私が愛用する盃は、彼女の作だ。パートナーは建築家。

一〇月一〇日（木）

レイバーネット・ウェブマガジン上のコラム「サザンクロス」は第四七回目。以下を書いた。テーマを決めてから、ギリシャとその周辺の地図につくづく見入った。このあたりの地図は、今までにも何度も見つめているが、多島海国＝ギリシャの島々の中にはトルコにいかに近い地点にあるものかと改めて思う。

太田昌国のコラム「サザンクロス第四七回　二〇二〇年九月一〇日

エーゲ海・レスボス島の難民キャンプの火事に何を見るか

多島海国ギリシャの東端、トルコに近いレスボス島の名前は、難民の状況に関心をもってここ数年の動きを見てきたひとにとっては、馴染みのあるものだ。出身国がどこであるかを問わず、欧州を目指して海（エーゲ海）を渡ろうとする難民・移民の集結地として、あまりに有名だからだ。有名とはいっても、難民がトルコ、ヨルダン、レバノンなどのアラブ世界、そしてギリシャのようなヨーロッパの「辺境」に多数犇めいている限りは、世界の主要メディアの関心はあまり惹かない。難民の群れが、「正統」ヨーロッパの域内に入り込んで初めて、欧米メディアは「難民問題」が重大な局面を迎えていると報道し始めるのだ。

そのレスボス島にあるモリア難民キャンプで、九日火災が起こり、キャンプは全焼したのではないかとの報道がなされている。日本での報道は、いつものこととはいえ、驚くほどに少ない。二〇一五年に設置されたこのキャンプは定員三〇〇〇人ほどのスペースだというが、その四倍の一万二六〇〇人が「密」状態で暮らしていたという。うち四〇〇人は親を喪った子どもたちだ。現地で活動しているNGOによれば、（いつの段階かは不明だが）キャンプでは三五人の新型コロナウイルス患者が出たために閉鎖されていたという。日ごろから、諍い・喧嘩・暴行事件が多発していたといい、火災も時々起きていたが、今回は「放火」が疑われていることが痛ましい。

以上に記した年号や数字は、一〇日朝のNHK／BS「ワールド・ニュース」で放映されたZDF（第二ドイツテレビ）のニュースに基づくものだ。ほかの素材ともダブル・チェックしてみたが、大きな違いはない。ZDFのニュースで際立ったのは、今回の悲劇をEUの責任問題と結びつけて報道していた点だ。ドイツの内相や外相の発言を聞くと、ドイツはこのキャンプから、親のいない子どもたちを受け入れることはしてきたが、ＥＵ全体で取り組む態勢までは作ることができなかった。加盟国・ギリシャから、難民受け入れの協力・支援の要請があっても冷淡に無視してきたのが、総体としてのＥＵの在り方だった。ドイツ国内にも、一定の難民受け入れ姿勢を示すメルケル政府に対する排外主義政党・勢力からの厳しい批判があった。これらの態度が批判に曝されているという観点で難民キャンプの火災を捉える報道の在り方が、日本ＮＨＫの政治・社会・人権意識の低いそれと比較して、かなり意味深い「救い」と思えた。

イスラム学者・内藤正典氏によると、難民の七割はアフガニスタン人、ほかにシリアなど一七ヵ国から集まってきていた。このように、難民の出身国が明示されると、おのずと、ひとが難民とならざるを得なかった「因果」の関係が見えてくる。アフガニスタンの場合は、もちろん、二〇〇一年の「九・一一」以後の一連の出来事である。米国中枢部で展開された「九・一一」同時多発自爆攻撃に対して、米国が「対テロ戦争」なる国家テロの発動をもって応え、日本を含めて「先進」主要各国が多様な形でこの戦争に加担したことが、国外に流出せざるを得ない膨大なアフガニスタン難民を生み出したのだ。レスボス島のささやかなキャンプ場をすら失って、幾重もの意味で「難民化」した人びとの背景に、この「原因」を浮かび上がらせることのない報道や分析や解説は、虚しい。

地中海経由の難民をテーマにした映画に『海は燃えている――イタリア最南端の小さな島』（ジャンフランコ・ロージ監督、イタリア、二〇一六年）があった。サブタイトルがいうように、イタリア最南端にあって、チュニジアやリビアに近い島・ランペドゥーサ島が、アフリカ北部からヨーロッパへの越境を目指す難民たちの集結地になっている現実を描いた、すぐれたドキュメンタリー映画だった。

「国際政治」の中では見向きもされない小さな島――それは、時に、世界の偽りのない現実を浮かび上がらせる場となる。レスボス島も、今回、難民問題の重層性、「先進国」と「途上国」の間の矛盾、コロナによる差別と分断――など、今日的で世界に普遍的な問題の構造を、悲劇的な事件を通して明るみに出したのだと言える。■

九月一一日（金）

チリ軍事クーデターから四七年目（←一九七三年）にして、米国での同時多発自爆攻撃から一九年目（←二〇〇一年）の今日。チリのアジェンデ社会主義政権を打倒した軍事クーデターの背後には、CIA＋米国政府＋米国に本拠を持つ多国籍企業などが蠢いていたことを知るラテンアメリカの人びとは、二〇〇一年の「九・一一」の報に接して、すぐ一九七三年の「九・一一」を思い出した。そこでは、前者における米国の「被害」経験は、後者における米国の「加害への加担」と二重写しになって受け止められた。自分が被った被害だけを言うな。超大国としての力を思う存分ふるって、世界中の多くの国々に自らが与えてきた「加害の罪」をこそ思い出せ――という戒めの声だった。「11」という日付の形（フォルム）も、自爆攻撃で倒壊したツインタワーと重なり合った。

チリ革命については、何度か書いてきた。ここでは、この革命の過程を記録した映画、パトリシオ・グスマン監督の『チリの闘い』三部作をめぐる思いを書いておきたい。元来は、配給元・アイ・ヴィー・シーが発行した『チリの闘い：劇場用パンフレット』（二〇一六年九月）に収録されたものだ。

チリ革命の最深部では、何が起きていたのか

チリのドキュメンタリー作家、パトリシオ・グスマンの名は、その作品を一つも見ないうちから私の中に定着していた。一九八一年、ラテンアメリカの社会派映画に関する翻訳書を出版した時に、*巻末に年表を付したいと思った。原書にはなかったので、さまざまな資料に当たりながら、時代と切り離すことのできない社会派映画の制作年代リストを自力で作って、付け加えた。私自身も観ておらず、紙の資料にのみ基づいて掲載した作品が圧倒的に多い。グスマンの『チリの闘い』三部作は、一九七五年、七六年、七八年の欄に書き込まれている。同時代に進行していたチリ革命の鼓動を遠方にいて聞き取り、しかもその悲劇的な結末をも見届けていた私は、「革命と反革命」の攻防を描いているに違いないこの映像記録を観たいという思いを、熱く、もった。

それから三五年近くが経った二〇一五年秋、私は山形国際ドキュメンタリー映画祭の会場にいた。プログラムの柱の一つがラテンアメリカ映画だった。四〇年前に偶然にも現地で観ていた数本の映画に混じって、『チリの闘い』三部作がプログラムに入っていた。二度の休憩を挟んだ五時間あまり、私は少なからぬ興奮をおぼえながら画面に見入った。

＊　＊　＊

グスマンは、一九七〇年一一月、「世界で初めて自由選挙で成立した社会主義政権」（アジェンデ大統領）が発足したのを契機に、自らが共感をもつこの「武器なき革命＝チリの道」**の過程を記録するためにカメラを回し始めた。だが、第一部「ブルジョワジーの叛乱」と第二部「クーデタ」に明らかなように、図らずもおよそ三年（一〇〇〇日間）後の七三年九月一一日には、軍部がクーデタを図り、アジェンデ大統領らの籠る大統領府（モネダ宮）を攻撃し、社会主義政権が倒されてゆく結末をも撮影することになった。この事実一つをとってみただけで、この映画が歴史的証言として類まれな存在意義をもつ理由が理解できる。

だが、この映画の真の価値は、外在的に強いられたそのような条件によってもたらされているのでは、ない。革命を推進しようとする側と、これを妨害しあわよくばこれを打倒しようとする側との攻防を、きわめて生き生きと描き出している点にある。前者は左派政党の連携もあるが、基本的には当時人口の四〇％を占めていた貧困層の大衆である。後者は、富裕な保守層、大地主、軍部内右翼、保守の牙城というべきカトリック教会などである。映画は、この両者の間にはっきりと階層差があることを炙り出す。服装、人相（ひとの顔は、その思想と立場をここまで明かるみに出してしまうものなのか）、言葉遣い——二つの層の間を切り裂くようにして画面に如実に現われる「差異」が、当時チリで進行していたのがまぎれもなく階級闘争であったことを告げる。

この階級闘争は、チリ一国内で完結してはいない。米国は、アジェンデの優勢が伝えられた大統領選挙の時からすでに、アジェンデの勝利を妨害するための選挙干渉を行なっていた。これが失敗したと見るや、直ちにＣＩＡ（米国中央情報局）を媒介にして、アジェンデ政権打倒のための工作活動を全面的に開始する。アジェンデ政権は、米国の圧力の下で歴代政権が断交していたキューバとの国交を回復する。米国資本が経営する銅鉱山や電信電話事業の国有化を図る。大地主の特権を奪う農地改革にも手をつける。米国から見れば、もはや一刻の猶予も許されない。内政干渉は、ますます熾烈を極めるものとなる。

映画は、主としてナレーションを通じて、この干渉の実態を暴露する。エリート軍人を、当時はまだパナマ運河地帯にあった米軍の軍事訓練学校に招き、クーデタのための工作活動を教え込む。貧困層に根強いアジェンデ支持を切り崩すために、組合運動内部の者を買収し、反革命の煽動家に仕立て上げる。南北に長い、あの特異な地形を有するチリの物流はトラック業者の手に握られていることに着目し、これを抱き込んで長期にわたるストライキを実行させて、経済活動を麻痺させる。もちろん、右派メディアに対する工作も行なって、物流が途絶えて日常必需品すら不足しているのは「アジェンデのせいだ」と宣伝させる。

第一部と第二部が描くのは、主として、アジェンデ政権が発足して二年数ヵ月を経た一九七三年三月に行なわれた議会選挙以降の情勢だ。左派が多数を占めたことから、右派は焦る。選挙によってアジェンデ政権を倒す道は断たれた。国内保守層、軍部内右翼、ＣＩＡは「合法性」をかなぐり捨てて、その意図を剝き出しにする。このあたり、画面に見入る者には、もはやクーデタは必至だとの思いが過る。実際にカメラを回していたグスマンらにも、その思いはあっただろう。危機的な状況下で「表現」するとは、どういうことなのか。そんな問いかけが観る者の内心に生まれてくる、切ないシーンの連続だ。

二〇〇一年「九・一一」、世界貿易センタービルなどへの自爆攻撃を受けて、米国は被害国としての「悲劇」を独占し、未だ終わることなき「対テロ戦争」の泥沼へ入り込んだ。この事件を知ったラテンアメリカの人びとは、一九七三年「九・一一」のチリ軍事クーデタの日付を思い起こし、米国の画策なしには起こり得なかった、この「もうひとつの九・一一」に注目しようとの声を挙げた。そのことも改めて考えさせられる第一部・第二部の展開である。

第三部「民衆の力」は、チリ革命の最深部で何が進行していたかを観る者に伝える。ここで描かれるのは、反アジェンデ派が次々と繰り出すさまざまな妨害工作に対して、社会の基層を形成する民衆がどんな動きを示していたか、ということである。トラック業者のサボタージュで物流が途絶えると、自分が働く工場の車を調達して、日常必需品を運び、住民間で公平に分配する。食糧品などを隠匿している業者の倉庫を摘発し、これを市場に出す。工場や農場を自主管理して、経営する。とりわけ産業コルドン（紐帯）は、他国の社会革命の経験と比較しても、その自律性において際立っている。工場内の活動家が、地域を基礎にして結集した組織だが、それは時に自治コマンド（遊撃隊）の形成にまで至り、併行的地域権力の萌芽形態とも言えよう。チリ内富裕層とＣＩＡの策動に抵抗する形をとりながら、実は、ソヴィエト（評議会）に依拠した人民権力の創出過程がチリ革命の最深部では進行していたのだ。このことを知るだけでも、私たちは、この映画によって、社会思想とその実践をめぐる新しい地平に招かれているのだと言える。

軍事クーデタ直後に、パトリシオ・グスマンは逮捕された。三年間にわたって撮りためてあった膨大な量の一六ミリ・フィルムは、軍政によって焼却されることもなく、どうやって「保存」され得たのか。どんなルートで、それらはキューバへ送り出されたのか。映画史上屈指のドキュメンタリー映画『チリの闘い』は、フィルムの延命と編集の過程にも興味深い謎を孕みながら、ようやく日本の私たちの前に公開される。『チリの闘い』の画面に見入りながら、私はしきりに、現在の日本の政治・社会状況と重ね合わせていた。「社会主義」も「階級」も「闘争」も、「ソヴィエト」「自律」「自治」も、すっかり姿を消したかに見えるこの社会の地下水脈で不可避的に進行する、何かしらの闘争を「幻視」した。

見逃すには、あまりに惜しい映画だ。

註（＊）ホルヘ・サンヒネス＋ウカマウ集団＝著『革命映画の創造――ラテンアメリカ人民と共に』（三一書房、一九八一年、絶版）。これはその後、太田昌国＝編『アンデスで先住民の映画を撮る――ウカマウの実践40年と日本からの協働20年』（現代企画室、二〇〇〇年）として、増補改訂し刊行している。

（＊＊）ボリビア南東部に設置されたチェ・ゲバラ指揮下のゲリラ根拠地を訪問後、そこから出た後でボリビア官憲に逮捕された、フランスの哲学徒、レジス・ドブレは、長期刑の判決を受けたが、チリ大統領に就任したアジェンデの尽力もあって、早期釈放された。ドブレはチリを訪れ、アジェンデとの論争的な対話を行なって、それは一九七一年イタリアで出版された。この本の邦題が『銃なき革命　チリの道』として出版された（風媒社、一九七三年）。そこから採っている。■

九月一三日（日）

明日は、第一六回死刑囚表現展の選考会議。それに備えて、応募作品を読み進める。細かな書き文字は、ますます読むことが難しくなってきた。

息子の連れ合いのご両親から、焼きさば鮨が送られてくる。福井県は若狭小浜の名産品。父親が、「鯖街道」の起点であるこの町のご出身だ。幼馴染の漁師さんに頼んで時々地元で獲れる魚の加工品を送ってくださるが、幼いころから北の海の幸で育った私には、珍しくも美味しい品が多い。木曽の甥たちからも、高原野菜が届く。夕顔や白菜が入っているのはうれしい。

九月一四日（月）

夜、第一六回死刑囚表現展の選考会。作家の加賀乙彦さん、アートディレクターの北川フラムさん、精神科医の香山リカさん、映像作家の坂上香さん、私の五人が集まる。ドイツ文学者の池田浩士さんは欠席で、文章作品の講評を送ってこられている。文学評論家の川村湊さんも欠席。この表現展の由来と現況については、私が『創』誌二〇一九年一二月号に書いた以下の文章を参照していただきたい。

処刑直前に送られてきた応募作品を読む――第一五回死刑囚表現展を終えて

【注記】「死刑廃止のための大道寺幸子・赤堀政夫基金」の由来――発足は二〇〇五年。前年、確定死刑囚・大道寺将司（二〇一七年五月、病気のため東京拘置所で獄死）の母親が亡くなった。遺された資金を、彼女が晩年熱心に関わった死刑廃止運動に役立てることにした。使い道は二つ、再審請求のための補助金、そして死刑囚が応募する死刑囚表現展の「賞金」として、である。二〇一四年、冤罪が晴れて死刑囚の境遇から「生還」できた赤堀政夫からも拠金があって、現在の名称となった。表現展の審査は、加賀乙彦、池田浩士、北川フラム、川村湊、香山リカ、坂上香、太田昌国の七人によって行なわれている。より詳しい経緯は、『創』誌二〇一七年一二月号に掲載された私の『「死刑囚表現展」の十三年間を振り返って』を参照願います。【敬称略】

＊　＊　＊

この社会に暮らす多くの人びとにとって、死刑とは「他人事」には違いない。本誌『創』は、或る事件を起こして死刑囚となった人びとについて熱心な取材を行ない誌面に反映させてきているから、いかなる犯罪も、それが行なわれた時代の「一断面」を隠しようもなく映し出すものであることに、読者は気づいておられよう。そう、自分には無縁に思えるかもしれない「事件」も「犯罪」も、そして「死刑囚」も、深い社会的な意味合いをもって、同じ時代を生きる私たちに語りかける何ごとかをもっていると言える。

二〇〇五年以来開かれていて、今年第一五回目を迎えた「死刑囚表現展」の講評を書き始めようとして、まず触れておかなければならないことがある。この表現展に縁の深い、河村啓三と庄子幸一の二氏の死刑がこの一年の間に執行された。一八年一二月二七日に執行された河村は、表現展初期の段階で、自らが起こした事件や人生を振り返って『こんな僕でも生きてていいの』『生きる　大阪拘置所・死刑囚房から』『落伍者』の三作品が、いずれも優秀賞や奨励賞を受賞して、すべて単行本として出版されている（インパクト出版会）。一九年八月二日に執行された庄子は、第二回以降毎回数多くのすぐれた俳句・短歌作品を応募してきており、ほぼ毎回のように何らかの賞を受賞してきた。

こうして、この一五年の間に、「表現」を通して知り合った幾人もの死刑囚を、私たちは彼岸に見送ってきた。喪失感は深く、死刑廃止への道はなお遠い、と自らの無力さをかこちつつ、講評を書くことにしたい。庄子はいつも響野湾子の筆名を使っていた。今年は、四月二八日の日付で、二〇〇〇首近い短歌といくつもの詩篇の応募があった。応募の〆切日は毎年七月末日なので、選考委員の手元には、八月一〇日頃に作品コピーが送られてくる。だから今年の私たちは、つい一週間前の八月二日に刑死した庄子の作品と対面することになった。

嚙み砕く二錠の痛み止めなれど　次々過ぎる悔痛《いた》み湧く胸
罪悪深き底方《そこい》の井の中で　詫びの届かぬ歌ばかり書く

ここ数年の庄子が詠む歌には、自らが犯した殺人行為を悔い、それをいかに表現しようとも、すでにこの世にいない犠牲者にその思いが届くことはないことの「絶望」を表現するものが目立った。同時に、処刑された「仲間」への思い、処刑される自分を想像する歌も頻出した。

迫り来る我が執行の時期感じ　物書く量の増えし夕暮れ

庄子が詠む短歌と俳句にはすぐれた作品が多く、ここに掲げた歌は必ずしも庄子の代表作とは言えない。しかし、ここ数年私のこころにはこの種の歌や句が重く残り、居座っている。罪過と悔悟、罪と償い――そのことにとことん苦しんだひとりの人間がここにはいる。庄子は今回が死刑囚表現展の最終回だと思い込んで、選考委員宛ての書簡も認めていた。

詩句作り選者と触れむ空間に　今生きているビバ・ラ・ビーダ（生きてるっていいね）

この作品は、人間的な交感を断ち切られた孤絶した空間にあって、選者が行なう講評を無上の楽しみにしていたらしい心情がうかがわれて、こみ上げてくるものがある。書簡の末尾には、「処刑され続けた友に遺す」言葉として、「アディオス・アミーゴ、ケ・エステー・ビエン、ヤ・メ・カンセー」というカタカナ書きのスペイン語が現われる。これは「友よ、さらば。お元気で。私はもう疲れた」の意だ。少し読みづらい書き文字のカタカナの末尾が「ヤ・メ・カンセー」だと解読できた時、文字表現に拘っていた庄子の最後の気持ちが溢れ出ていると思えて、ギクッとした。すでに処刑された友に「お元気で」と声をかけつつ、自分は「もう疲れた」と呟く姿が、私には堪えたのだ。いくら詠んでも書いても、自らが犯した事件を思い起こせば果てしのない自己懐疑が生まれる文字表現に対する「疲れ」を、彼は言いたかったのかもしれぬ。他方、庄子は今回初めて、四点の絵画作品も応募してきた。選考会場の壁に貼られた庄子の作品を見た選者の北川フラムは、一目見て「透明感のある絵にびっくりした。何かもうスウッとしている感じ。

楽天というか、透明になっているというか」と言った。そうか、庄子は、文字表現の壁に突き当たり、別な表現方法に挑んでいたのか。そこでは、せめても「透明な」境地に行き着けたのだろうか。あまりに深い印象を残した表現者だけに、受け止める側の私の思いもあちらへこちらへと浮遊する。同時に、新たな表現方法を見つけていた庄子の命を絶った「制度としての死刑」を憎む。

なお、庄子の作品の一部は、「響野湾子詩歌句作品集」（『年報・死刑廃止２０１３』、インパクト出版会）で読むことができる。

加藤智大も常連の応募者だが、選者の従来の評言に批判と不満を持つ加藤の表現はいつも挑戦的だ。今年の複数の作品は、彼の表現に孕まれている言うに言われぬ「憤怒」の根拠を指し示しているように思える。無題の詩はいう。「僕の心に親が残した／しつけと称す暴力の傷／それを語れば人のせいにするなと責められ／そこを避ければ己から逃げるなと責められ／どちらにしても責められるとは／生きていることが悪いのか／お望み通り死にますよ／じゃあね」。

「ごった煮」と題する千句に及ぶ作品がある。「柿食えば金が無くなり拘留時」などの戯れ句も含めてそれこそごった煮の多様な作品が居並ぶ中に、定期的に現われる傾向的な作品群がある。「弟は床の残飯食わされず」「弟は裸足で雪に立たされず」「弟は便器の水を飲まされず」「弟は拾った子だと笑われず」「弟は口にタオル詰められず」……。一定のインターバルをもって現われる、親がなした自分と弟に対する「差別待遇」に触れた句を読んで、この過去の事実に拘らずにはいられない加藤の心情を思い、いたたまれぬ思いがした。他方、絵画作品からは、彼の独特の才能が変わることなくうかがわれる。作品の一つは「メルシー原正志」と題されている。いつも、それこそごった煮の政治的・社会的メッセージと裸婦像が混在一体化した作品を応募している原正志への、感謝を込めたエールなのだろう。昨年も作者は、後出する何力へのエールを送っていた。他者の表現にも深い関心を持ち続けている加藤が、今後書く（描く）文章と絵に注目したい。

例年は絵画作品を寄せる風間博子からは「病床二十八句」の応募があった。手術を受けるために医療センターに入院した時期もあって、絵を描くことができなかったという。「春雷や心に枷《かせ》のガン告知」「亀鳴くや隈無《くまな》く臓腑撮られたり」「青葉木菟《あおばずく》検査の日々の続きをり」「眼裏《まなうら》の亡《ち》父亡《ち》母《はは》吾子《あこ》や遠花火」など、季語の鮮やかな生かし方が素人目にもわかる病床句の群のなかに、「定まらぬ思ひにも似てあっぱっぱ」（あっぱっぱ＝簡単服）の句が混じり、読む者をほっとさせる。「雪兎」を期して表現に励む風間が、来年は絵画作品も応募できるほどに健康を取り戻すことを切に願う。

西山省三はこの間、政治・社会の在り方にストレートな怒りを表わす短歌や川柳を詠み続けている。その怒りは共有するが、それが生のままの言葉となって繰り出されると、「表現」としては今一つ物足りなくなる。そんな中に、「何も無き独房にてカメラの見張する」という句があった。「カメラ」には「監視」のルビが振ってある。選考会でも「カメラの」は主語なのか目的語なのかをめぐって若干の議論があった。私は、一日二四時間絶え間なく死刑囚独房の天井で作動している監視カメラを、西山が逆に監視している情景を読み取ってこそ面白味が生まれる作品だと思った。この解釈が作者の意に適うものかどうかは知らぬが、西山の表現にかつて込められていた切々たる心情とユーモアが復活することで、作品はいっそうの深みと広がりを獲得できると確信した。

音音（ねおん）も常連だが、彼もまた病を得て、拘置所の病舎にあって闘病中に書いた作品が多い。作者は、「闘病はせず、病いとどうにか上手く付き合っていこうと思い、沿病という気持ちで過ごす」と表現している。当初から機知に富む言葉遣いに長けたこの人らしい気構えだ。「誑歌・沿病譚」は、緊急治療を勧める医師と、それを拒否する作者とのやり取りから始まる。「社会なら救急車にて入院です　透析視野に入れてのことです」「それなりの覚悟を持って今日があり　今更治療は望みません」「それはそれ今は治療に専念し　身体治すの最優先に」「医療拒否その後起こした事件ゆえ　今更治療は受けられません」「医師として看過ごす事は出来ません　あなたの罪は領域外」「頑な態度に対し誰しもが　そうは言っても体治せや」「殺すしかないと言われたこの命　『治せ』に感謝も尚頑なに」……。

おそらく、お互いが現実にやり取りした言葉をそのまま生かしているのだろうが、双方の心の動きが手に取るようにわかり、読ませる力がある。その後、減塩食が始まり「治療」過程に入るのだが、作者の表現には、ユーモアと言葉遊びに加えて、自らを客観視する対象化の視点があることが、読ませる力の根源だと思う。拘置所で供されるランチを「スマホなく、素手補で写し」て投稿した一二点の絵も、着想が冴えている。死刑囚表現展について「出品より構想練るの楽しくて　七月末過ぎても練る練る練る」「表現展すでに伝統の格があり　新たな妄想個展開催」などと詠む作者の回復祈るや切、と伝えたい。

　堀慶末は第一三回の特別賞受賞作『鎮魂歌』が刊行されたばかりだ（インパクト出版会）。今回の「その歩むところ」は短篇集だが、拘りや屈折のない、あまりに素直な発想と文章の書き方に違和感が残った。『鎮魂歌』を含めて作者はこれまで六編の作品を応募してきているが、それぞれが持っていた独自の個性の輝きが懐かしいと思った。

　檜あすなろの小説「10連休」と「戦場の死刑兵」は、ここ数年来の作品の連作と考えられる。最初の作品には、働き方改革とか「どうせ殺される死刑囚を密に戦場に派遣する」とか現実の社会との接点を持ったモチーフの必然性が感じられた。だが、二度目以降は作品をいたずらに冗漫にさせるだけで、物語の展開を根拠づける内面的な核心が欠けているようだ。作者には酷な言い方かもしれないが、どうしても書きたいという動機を失った地点で綴られているとしか思えない。短い作品でよい、考え直して、頑張ってほしい。

　何力は、日本語の理解度がますます増している。だが、それは作者にとっては、苦痛が増したり怖いことでもあったりする。「日本語が上達したが虚偽調書　吟味するたび苦痛倍増」「文字だけでだんだん怖くなる刑死」。何力の短歌や俳句には、取り調べや公判の際に立ち会う通訳の力量次第で「人生が変わる外人」の運命に触れた作品が散見される。作品の外部のことではあるが、来日して働く外国人が増える現状に対して政治が責任をもって対処すべき対外国人日本語教育の充実、的確な通訳者の育成、そしてもちろん、日本語を十分には理解できない外国人の弱みに付け込むことのないまっとうな取り調べや調書の作成などの課題が浮かび上がる。行政や司法、報道に関わる人びとにも、死刑囚がなす表現に関心を持ってほしい理由はここにあるのだ。

北村真美はきわめて過酷な立場に置かれていると思うが、「差入に　本を送ると　姪の愛」という句に少し救われる思いがした。死刑囚の作品を読むという行為では、こうして、作品の外部に仄めかされている事柄に心動かされることが往々にしてある。

文章では他に、石川恵子、上田美由紀、川崎竜弥、北村孝、高尾康司、髙橋義博、西口宗弘、山田浩二、保見光成、露雲宇流布から作品が寄せられた。

絵画作品では、北村孝紘の「刺青入りの服」に注目した。さまざまなサイズの茶封筒に刺青が描かれていて、それを指示書通りに表現展のスタッフが組み立てると、高さ九〇センチほどの服が出来上がった。表現展に立体的な作品が現われ始めたのは数年前からだが、発想のユニークさと（北村の作品は例年そうだが）丹念な描き方において、一段階を画す作品となった。呆れるほどに制限が多く不自由な獄中にあって、その限界を突破して、創りたいものを自由に創る。そんな気概を感じ、ゆくりなくも、「限界芸術」を論じた鶴見俊輔の大事な仕事を思い出した。

奥本章寛の、一二枚の絵から成る「カレンダー」を見ることはこの表現展での楽しみとなった。それはこの人が描く絵が醸し出す、誰もが子どものころを思い出すよう誘われる雰囲気によるものなのだが、死刑囚として獄中にある人が二度と目にできないであろう情景を描いているだけに、私の中でその「楽しみ」は「切なさ」と同居している。

その対極にあるのが、西口宗宏の描く世界だ。昨年の「自画像」と但し書きのある作品「届かぬ光・阿鼻叫喚」も、己が自身への切り込み方に凄みがあったが、今年の「A SELF」と題する自画像の描き方も容赦ない。この人物はどんな事態に直面しているのだろう？　想像は尽きることがない。他の一枚一枚の絵にも物語性があって、観る者の感覚を刺激して止まない。西口は二〇一六年の第一二回に初めて応募して以降、表現展の場をとみに活性化させている
絵画では他にも、上田美由紀、金川一、北村孝、北村真美、高尾康司、原正志、山田浩二、露雲宇流布こと長谷川静央の皆さんからの応募があった。紙幅の制限上触れることができなかったことをお詫びしたい。

最後に、今年の受賞者は以下のように決まった。

響野湾子／絵画「明鏡止水賞」＋文章「鼓動賞」（作品タイトルに因んで）
加藤智大／絵画「アニマ程近し賞」
井上孝紘／刺青入りの服「新境地賞」
風間博子／俳句「清風賞」
音音／誑歌「敢闘賞」

死刑囚表現展は、来年の二〇二〇年には第一六回目を迎える。死刑囚の表現によって焙り出されるこの時代の諸断面は、ますます切実なものとなって私たちに迫り来るだろうと予感する。

（文中敬称略）■

九月一八日（金）

ベラルーシの映画作家、セルゲイ・ロズニツァの「群衆ドキュメンタリー3選」のうち『国葬』試写会へ（渋谷・イメージフォーラム）。一九五三年三月五日のスターリンの死から四日後に行なわれた、当時のソ連挙げての国葬の様子を記録したドキュメンタリー。クレムリンは、この歴史的な葬儀の模様を映像記録として残すために、連邦の津々浦々にカメラを抱えた記者を派遣したらしい。一九六四年生まれのロズニツァは、ある時、その膨大な記録（フィルム）に出会い、すべてに目を通したうえで、自ら編集したという。驚くべき仕事だ。

イメージフォーラムの代表、富山加津江さんが、上映終了後、客席の一席おきに貼られた「着席不可」の張り紙を剝がしていた。明日からこれなしでいいのよ、うれしいな、と言いながら。明日から満席でも営業できるが、問題は「お客」の心理だろう。「密」を避けよと刷り込まれた半年間の体験が、そう簡単に消えてなくなるものか。

思えば、富山さんと初めて会ったのは四〇年前。イメージフォーラムは四谷三丁目にあったころだ。ボリビアのウカマウ集団の作品『第一の敵』を上映したのは一九八〇年だが、その試写会の会場としてイメージフォーラムを幾日か借りた。ある日の試写会に、私の友人であった山谷の労働者がおおぜい来た。通常の試写会場ではあり得ない「風体」の男たちの群れ。富山さんは、きょうはいったいなんなの、と驚きの声を上げた。その挿話が忘れられないまま、記憶に残っている。来春三月、同劇場で公開予定のキム・ミレ監督の『東アジア反日武装戦線』を意識しながら、よろしくね、と声をかけた。太秦、頑張ってるよね、と彼女はこの映画の配給会社の名前を出して、答えた。

九月二〇日（日）

一週間後の「第一七回永山子ども基金チャリティトーク＆コンサート　ペルーの働く子どもたちへ」をオンラインで開くためのリハーサル。北区十条の「ダイニング街なか」で。ここ数年新たに加わった若い人たち（女性が多い）が次々と段取りを整えていく。スタジオとなる街なかでは、大谷恭子弁護士が司会をしながら、ペルーにいる写真家・義井豊氏と対話する。コロナウイルス蔓延下でペルーの働く子どもたちとその家族はどんな状況にあるか、去る六月に永山子ども基金が行なったペルーへの緊急食糧品援助はどんなふうに活用されたか、今後の課題は？　などについて話し合う。そのテストをペルーの義井氏と繫いで行なった。声は聞こえるか、音量はどうか、映像はどうか。挿入するペルーの子どもたちの映像はどうか。ときどき問題が発生しながら、若いスタッフはそれらを手際よく解決して、進行してゆく。私も、大谷弁護士も、することがない。というか、なすべきことを知らない。

三人の演奏家のライブ出演に加え、水野慶子さんの朗読劇、私のミニ講演もあるので、それらの位置も、何回もテストしながら、決めていく。四時間ほどでリハは終わった。

九月二二日（火）

霧島に住むアーティスト＋建築家のカップルから、南の野菜がどっさりと届く。サラダ牛蒡、葉肉が刺身のように食べられるというアロエ……など、珍しいものがある。

九月二五日（金）

東京琉球館で「太田昌国の世界」その第六三回目。今年も奇数月最終金曜日にはすべて実施した。コロナ流行との関連で言えば、三月と五月の実施は、主宰者にとっても参加者にとってもなまなかな気持ちではできなかったろうが、ともかく実現できた。

テーマは『「御復習い」と「傾向と対策」――二〇二〇年、安倍から菅へ』とし、惹句は「世論調査での安倍や菅の支持率がこんなに高いなんて、信じられない。私の周りには、安倍や菅を支持するひとなんて、誰もいない。いったい、どこの、誰が、支持しているんだろう？――この八年足らずの間に、多くのひとが思ったこと、口にした言葉。このような現状認識は、果たして、正しいのだろうか？　落とし穴はないのか、この考え方に。時空を超えて歴史を振り返り、任意の国家社会の、或る時期の「政治の在り方」は、畢竟、沈黙する／同時に熱狂する大衆＝群衆の支持なしには存続できないことを考える。」としたが、元首相・現首相の固有名詞にも政策路線にも触れずに、政治の在り方の問題として世界普遍的かつ歴史普遍的に論じるにはどうするか、自分なりに工夫したつもりだが……。そのうえで、先日観たロズニツァの『国葬』、配給会社からスクリーナーを送ってもらい、パソコン上で観た『粛清裁判』はとても役立った。次のようなレジュメを用意した。

１．セルゲイ・ロズニツァ『国葬』『粛清裁判』『アウステルリッツ』

映画監督セルゲイ・ロズニツァ（一九六四～　ベラルーシ生まれ）

『国葬』──一九五三年三月五日、ソ連の「国父」＝スターリンの死とその葬儀
『粛清裁判』──一九三〇年、ソ連「産業党」事件の真相＝大粛清の始まり
『アウステルリッツ』──二〇一六年、ベルリン郊外強制収容所跡に群れ集う観光客たち
　渋谷・イメージフォーラムで公開（二〇二〇／一一／一四～一二／一一）
ロズニツァはこれを〈三部作〉として撮ったわけではない。
にもかかわらず、日本の配給会社がこの三本の映画の共通項を〈群衆〉と捉えて、「ロズニツァ〈群衆〉3選」と題して公開することの意味
　←
【下記の項目は、それぞれのひとの経験と知識に基づいて、さまざまな置換が可能だろう。ここでは、単に、私の場合に即して、私にとって切実である事柄の、ほんのいくつかを例示するに過ぎない】
　一五五〇年（？）エティエンヌ・ド・ラ・ボエシの言葉
　　（『自発的隷従論』、ちくま学芸文庫）
　　シモーヌ・ヴェイユ、ピエール・クラストルが解説を書いている意味
一九二三年　関東大震災と下層日本庶民の暴力と朝鮮人虐殺
一九三〇年代　フリッツ・ラングの映画『M』（一九三一年）『激怒』（一九三六年）
一九五一～五二年　カミュ＝サルトル論争（『革命か反抗か』、新潮文庫）
一九五一年　ハンナ・アーレントの言葉（『全体主義の起源』、みすず書房）

二〇一〇〜一五年　カネック・サンチェス・ゲバラの言葉

（『チェ・ゲバラの影の下で』、現代企画室）

2.「群衆」と「個」

群衆の中での高揚感。人間存在の根源にある共同性／共同体精神／責任・良心・義務を伴うボランティア精神

＊皇居前広場で、皇居の「お立ち台」に並ぶ皇族たちに向かって日の丸を振り、「万歳！」と叫ぶ群衆に、それを感じた（感じる）か。

＊中国大陸など、銃を掲げてアジアの戦場をゆく大日本帝国軍人の隊列を見て、それを感じた（感じる）か。

＊ヒトラーの前の群衆やナチスの隊列に、それを感じた（感じる）か。

＊朝鮮各地で展開された「三・一独立運動」（一九一九年）に集う民衆の群れを見て、それを感じた（感じる）か。

＊ソ連・中国・キューバ・アルジェリア・ベトナムなどの革命の過程での群衆に、それを感じた（感じる）か。

＊天安門、クレムリン、万寿台などのひときわ高い位置に立ち並ぶ〈指導者たち〉に歓呼の声を送る群衆に、それを感じた（感じる）か。

↓

思想の違い、価値観の違いが、明快になる。そして……？

3．理想主義（＝左翼）全盛時代における「個」の主体性の欠如

党、指導部、革命の動力としての革命軍・解放軍の前に、〈主体性〉を喪失してしまう民衆の群れ。

逆に言えば、自らと民衆との関係を、そのように固定化して捉え、それを疑うことのない、むしろそこに〈利益〉を見出してしまう党、指導部、軍隊。

4．安倍＝菅などが跋扈する時代、そしてコロナウイルス流行の時代における、「個」の主体性の喪失と国家主義の台頭

＊論理も倫理も失った「安倍・菅時代」はなぜ生まれたのか。民衆がそれを許容してきたのは、なぜか。

＊コロナ対策において、批判を恐れて右往左往し、突発的に指示を出したりする為政者。権力者の指示に従うことを道徳的な義務と考えて、行動する「自粛警察」的な人びとが。なぜ生まれるのか。

＊ウイルス＝見えない〈脅威〉。自動車は自他を死に至らしめる危険な乗り物だが、目にも見え、対策も講じ得る。見えないものへの不安＝容易に扉を開ける排外主義への道。

＊不安に怯える人びとの心に、〈強い言葉〉、〈決める政治〉は、響きやすい。

大活躍する英雄としての「個」ではなく、ふつうに日々を生きる群衆の中の「個」の主体性／「個」であろうとする意識／「類」に繋がる意思を持つ「個」■

→

九月二七日（日）

永山子ども基金の「第一七回チャリティトーク＆コンサート　ペルーの働く子どもたちへ」をオンラインで開く。十条の「街なか」で。ペルー現地との中継、木下尊惇氏のギターとチャランゴによる演奏・歌、小川紀美代さんのバンドネオン演奏、宇佐照代さんのムックリとトンコリの演奏など盛沢山。私は、以下のタイトルで二〇分間話した。

コロナの時代の　変わらぬ生き方

皆さん、こんにちは。いつもなら一五〇人から二〇〇人くらいの参加者を前にお話しするのですが、きょう、この急ごしらえのスタジオにいるのは出演者の皆さん、スタッフ、わずかなお客さん、合わせて二〇人足らずの方々です。オンラインでどのくらいの方がご覧になっているのかわかりませんが、この方法は、先ほどのように遠く南米ペルーにいる人とも会話を交わすことができる、しかもどこにいようと視聴することができるという意味で、この時代ならではの画期的で、有意義なものです。同時に私は思うのです。これはあくまでもコロナウイルス感染予防のための臨時的な措置であって、少なくともこの場の在り方は人間同士の交流・会話・集まり方の本来の形ではない、と。やはり大勢の方々と一堂に会し、場を共有したいと強く思います。

電子顕微鏡でしか見ることができない極小の粒子であるウイルス――今回のは新型のウイルスなのですが――それが世界全体を震撼させてから、わずか九ヵ月です。まだ一年も経っていないのです。ところが、どうでしょう。この生物とは呼べない、かといって無生物でもない、目には見えないウイルスが全世界を変えた、変革してしまったのです。例えば、グローバリゼーション――市場経済という唯一の原理で世界全体を支配している現代経済の在り方を、ペルーと日本がそれぞれ抱える問題を交錯させながら考えてきた私たちは、批判的に捉えてきました。新型ウイルスは、このグローバル経済の在り方をズタズタに切り裂きました。グローバル企業の工場も店舗もオフィスも、閉鎖されました。連日連夜、大勢のビジネス客や観光客を運んでいた航空機は完全に止まりました。年間四〇〇〇万人を迎え入れるのだと日本政府が豪語していた外国人観光客の流れもピタッと途絶えました。ホテルも観光地もデパートも土産物屋も、閑古鳥が鳴いています。パリ、ロンドン、ベルリン、ニューヨーク、そして東京と、世界の大都市から人影が消えた事態も大きく報道されました。確かに、世界中が様々な意味で、危機に立たされたのです。

ここで、大事なことがあります。どの視点から、この危機を捉えるかという問題です。グローバル経済のこれまでの在り方から多くの利益を得てきた大企業から見れば、確かに、これは文字通りの危機です。ですから、日本の報道では、今回の最初の発症例が見られた中国・武漢、それゆえ世界で真っ先に都市封鎖された武漢に焦点が当てられました。航空路も高速道路も封鎖され、公共交通機関も止められ、厳格な外出制限も課されて、経済活動が全く不可能になったのです。ですから、そこに店舗を持つユニクロ、無印良品、イオン、工場を持つ日本の自動車工場などの危機が、まずは大々的に報道されたのです。

でも、私たちが、今回の新型ウイルス報道を通じて学んだ大事なことがあります。ウイルスは、人間と異なり、差別意識を持ちません。貧富の差、民族の差、国家の差、性の差、老若の差、階級の差、思想やイデオロギーの差——それらにいっさい配慮することなく、《気に入った》宿主の身体に侵入するということです。労働現場によっては、感染リスクがヨリ高い職場があり得るということは意識しなければならないとしても。

それだけに、経済力が強い者、国家権力を握っている者、大きなメディアを手中に収めている者など、すでに出来上がっている社会秩序・経済秩序の中で優位に立っている者の視点にのみしがみついていては、「世界とウイルスの闘い」の全体像が見えてはこないということです。

では、どうするのか。いまだかつてなかったような、ウイルスに純化した大量の報道がなされたのですが、そしてその多くは、強い者の立場からであることは事実です。しかし、目を凝らし、耳を澄ませば、世界をもっと深く、広く捉える材料はあちらこちらにあったと私は思います。具体例を挙げてみましょう。

一つ目。「世界の工場」とまで謳われてきた中国が、日本の一〇〇円ショップで売られている品々を多数製造していることは、私たちのよく知るところです。コロナ対策のために、中国の工場の稼働率が下がって間もなく、日本の一〇〇円ショップの棚にすき間ができた光景を目撃した方がおられるかもしれません。日本の私たちの関心は、ふつう、そこで止まります。でも、中国は、アジア、アフリカ、ラテンアメリカの途上国で、エイズ、結核、マラリアの三大感染症を防ぐために大きな役割を果たしてきた製品、つまり治療薬、診断キット、蚊帳などの工場でもあるのです。現場で働く人の証言によれば、この三大感染症は一日七〇〇〇人の命を奪っているといいます。工場閉鎖、交通路の途絶によって、中国からのこれら製品の物流さえもが留まったのです。これらの病に苦しむ途上国はどうなっているのか、気がかりなことです。

二つ目。私たち、いわゆる先進国に住む者の多くは、今回の新型コロナウイルスの蔓延に関して、一九一八年から二〇年にかけて世界的に流行したインフルエンザ以来の最大の感染症の流行だと言って、狼狽えています。一〇〇年前のことゆえ、その悲劇を知る者はおらず、教訓もほぼ引き継がれておりません。翻って途上国では、新型コロナウイルス以上の威力を持つ病原体がこの間にも多く流行してきました。一〇〇年前もの昔のことではなく、二一世紀に入ってからも起きていたことです。しかし、それは、欧米や日本での出来事ではないことで、全世界が挙げて真剣に取り組むことはなかったのです。「先進国」で流行しない限り、各国政府も世論も製薬会社も研究者も、関心を持たないという従来の在り方をどう捉え返すのか。そのことが問われていると思います。

三つ目。その延長上で言えば、コロナ対策のワクチンの開発問題も重要です。先進国の製薬会社も政府も、どこにも先んじて、有効なワクチンを開発するために全力を挙げています。グローバリズムが拠り所とする競争原理が正しいのかどうかが問われているときに、ワクチン開発で競争原理がはたらくままでよいのかと異議を唱える声が必要です。ワクチン開発や有効な検査キットの開発のために国際的な協力体制を作ること、医療分野における知的財産権を廃止することなどの大胆な方針が必要なのです。それは、製薬会社が、利潤を最大の目的とする私企業のままでよいのかという問いに繋がっていきます。夢だよ、理想論に過ぎないよ、すぐにはできないよという現実主義の大声が聞こえてきます。目の前の現実に異を唱える声は、しばしば、過度に理想主義的に聞こえます。しかし、ひとが罹る病を治すための仕事に、市場原理、すなわち儲け主義の原理がはたらくままでよいのかという問いかけは、世界中の人びとがコロナの脅威と向き合っているいま、ここで、現実主義的なものなのです。そんななかで、日本政府は、ワクチン開発競争で先行していると伝えられるイギリスのアストラゼネカ社との間で六〇〇〇万人分ものワクチンの供給を受けることで合意したと言っています。これは、国内世論向けには喝采を浴びるかもしれませんが、世界レベルで確立されるべき医療・医薬の倫理に悖るというべきでしょう。世界の人類が共通して取り組み、対等・平等な関係性の下で解決すべき問題に関して、これでは、大事なものを金に飽かして独占するという「国民国家」の論理で動いているにすぎないからです。国家を対外的に代表する政府・政治家のこのようなふるまいを、心底恥じるモラルが、この社会に定着するよう、努力を続けたいと思います。

四つ目。ペルーの働く子どもたちは「難民化」はしていませんが、途上国の大人も子どもも、いつ難民化するかわからない瀬戸際で生きています。世界経済の在り方が生み出す貧困の問題があるからです。現在、世界中には七五〇〇万人の難民・避難民がいるといわれています。世界総人口は七五億人前後ですから、実に一〇〇人にひとりがその境遇にあるのです。驚くべき数字です。先日ギリシャ東部の島で難民キャンプの火災がありました。衛生状態も悪く、「密な」条件下で暮らすことを強いられている難民が、コロナ対策でその狭い空間に閉じ込められたので、それに抗議して放火したという報道がありました。ここに暮らす難民の多くは、アフガニスタン、イラク、シリアの人びとです。米国が先頭に立ってきた「対テロ戦争」、シリアの場合はロシアがアサド政権に加担して遂行してきた民衆弾圧――このような超大国の無責任な方針が難民を生み出す原因になっていることは明らかです。大国が主導する戦争から派生する難民は、世界のどこからも「歓待」されず、狭いキャンプ地に幽閉される。そこを襲っている今回の新型コロナ感染症。まさに現代世界の縮図が、ここに見られるのです。難民・避難民は絶えず流動します。移住労働者もヨリ良い仕事を求めて常に流動します。感染症はひとの移動とともに、拡大します。超大国と先進国が、世界的な視野をもって、難民・避難民問題の解決に真剣に取り組むべきだとするのは、本来的には責任とモラルの問題なのですが、感染症がひとと共に移動するという現実を思えば、ほかならぬ先進国の《利害》が掛かることでもあることがわかります。

五つ目。外出を避けよ、在宅仕事を行なえ、密・人混みを避けよ、対面を避けよ――いくつものスローガンを政治家が語っています。感染症の拡大を防ぐために、ある程度は有効な手段なのでしょう。同時に視野に入れておきたいことがあります。日本の場合、日常的な交通の手段である電車は動いています。日常品を買うためのスーパーもコンビニも開いています。今や日常生活に欠かせない役割を果たしている宅急便の労働者も、宅配便の増加でコロナ以前にもまして忙しく働いています。医療や介護の現場には、「密な」労働をする人、せざるを得ない人びとが大勢います。つまり、私たちが日常生活を送るうえで、それを支える最も基盤となる種類の労働に従事している人びとは、《外へ出て、対面で、密な労働》をせざるを得ないのです。加えて、そのような労働に従事する人びとが得る賃金が、現在の日本では決して多額ではない、むしろその労苦や他者への貢献度に比すれば不当なまでに低いことを私たちは知っています。オンライン会議やリモートワークという言葉を「新しい生活様式」だと安易に受け入れる前に、仕事の性格からいって、それができない人びとの労働と生活の在り方を思う気持ちを持ち続けたいと思います。

六つ目。永山則夫さんが犯した犯罪、逮捕されてのちの彼の内省・贖罪の過程、そして二三年前の彼の刑死（死刑に処せられてこと）、彼が残した遺言――それらすべてに関わって私たち「永山子ども基金」の活動はあります。密な場所と言えば、刑務所・拘置所が思い出されます。ここはどんな状態でしょうか。つい数日前のことですが、堺市にある大阪刑務所に拘留されている男性が、刑務所の三密状態は「命に関わる」と考えて、人身保護法を根拠に感染対策を求める訴えを起こしました。哀しくも犯罪を起こしてしまった人びとが、自らの行為を内省し、贖罪の気持ちを深め、新たな生を求めるためには、拘置所・刑務所における処遇が、人権尊重の理念に基づいて行われていることが重要です。日本の場合はまた、在留資格を持たず退去強制命令を受けて入管施設に収容されている外国人が大勢います。彼ら・彼女らは、過密な施設の中で、基本的な人権も保障されないまま長期収容が続いています。コロナウイルスをめぐる一連の動きの中には、このように、拘置所・刑務所・入国管理センターなど、国家の責任においてひとを拘束している施設における人権状況の劣悪さを明るみに出すものもあるのです。

七つ目。死刑という問題でも、「密を避ける」コロナ対策という理由で、シンガポールやナイジェリアで、すでにズーム法廷によって死刑判決が出されています。公開法廷で対面しながら死刑判決を行なったとしても、その判決そのものが非人道的なのですが、ましてや、裁判官が直接に被告の顔を見ることもなく死刑判決を下すとは、すべてをコロナのせいにして持て囃されているオンライン会議、ズーム会議が使い方によっては持ちうる「非人間性」の極致に思えます。戦争での殺人行為について、よく言われる例があります。昔の戦争のように、相手方、いわゆる敵の兵士と刺し違えたり、銃殺したりするときには、どうしても、心理的な圧迫感か抵抗感を覚える。だが、はるか上空から核爆弾を落としたり、米国内の軍事基地に居ながらにして、コンピューターの操作でアフガニスタンやイラクの人びとに無人機爆撃を加えたりするのは、抵抗感が少ない。米兵は、朝自宅で家族と朝食を共にし、基地に出勤して日中は遠隔操作で人殺しをし、夕食は再び家族と一緒に楽しく食べることができる。これは、米国がこの二〇年間近く展開してきている「対テロ戦争」の中の実話のひとつです。コンピューター時代に生きる私たちが持つ、避けることのできない側面が、これです。人間同士の接触を避けることは、ここまで行き着くのです。

さて、以上、コロナウイルスの猛威を前に右往左往する私たち人間の姿を、駆け足で眺めてきました。世界のどこであっても隈なく、生きとし生けるすべての人びとに関わってくるのが、この新型コロナウイルスのはたらきの特徴ですから、現われている現象のすべてにはおろか、大事なことすべてにすら触れるわけにはいきませんでした。皆さんの経験と知見、お考えに基づいて、ぜひとも、私が話したことを補っていただきたいと思います。

最後に、二つのことを。

一つ目。ここまでお話ししてきたことからわかるように、視線をどこに据えるのか、どんな声を聞き取るのか――その立場の違いは、これほどまでに異なる態度の選択を私たちに迫るのです。このように、いま起きている事態を冷静に眺めるならば、コロナウイルスの威力は確かに恐るべきものがあるが、すべてをコロナのせいにして、何もかもを一新することはできない。コロナ以前にも、差別と分断は、この世界に厳として存在していた。その課題に取り組むことを蔑ろにしてきたからこそ、私たちは、いま、コロナの脅威を前に、必要以上に狼狽えているのかもしれないと思います。コロナは、確かに差別と分断の傾向を広げつつある。コロナに対して取るべき新たな方針もあるだろうが、だが、すべてをリセットして「新しい生活態度」などとそれを表現するのは、おかしい。コロナ以前にもあったこの社会の矛盾、弱肉強食という、グローバリズムの世界秩序の在り方自体が孕んでいた深刻な差別と分断の機能――それらが、コロナを通してよりいっそう明確な姿を取り始めたのだという認識が大切なのです。その意味で、

「コロナに対応しつつ」も、「変わらぬ生き方」が肝心だと私は思います。

二つ目。差別と分断はどのように表われているか。コロナウイルスは見えない。見えないのに、どこか巧みに動き回って、人間の世界を攪乱する。見えるものには防衛策や防御策を講じる知恵を持つ人間も、見えないものには打つ手を持たない。ひたすら不安を抱え、疑心暗鬼に陥る。そこに登場するのが、使うも嫌な言葉「自粛警察」であり、感染症患者を「黴菌」と呼んだり、よそから来た人に向かって「この町から出ていけ！」と貼り紙をしたりする行為です。不安に駆られた人びとは、ひたすら「強い」言葉を欲する。目に見える「敵」を欲しがる。コロナ危機に乗じて、政治的指導者、為政者の中には、内政的にも外交的にも強権的な言動に走る者が目立つのは、人びとのそのような心理を知っているからです。自民族中心の排外主義も、ここを好機と捉えて増長します。もっとソフトな言葉遣いをする政治家もいるでしょうが、その人物がしかるべき歴史観や文明観をもって「コロナと人類」の関係性を洞察する資質を持たない限り、この困難な時代に向き合うことはできないでしょう。誰にせよこんな時代を作り上げた現在の政治家に期待できる事柄ではないのですから、私たち一人ひとりが「個」として自立した動きを追求すること、その先にお互いが「類」として繋がり合う可能性を求めること、それが、か細くはあれ、私たちが歩むべき道だと思います。■

九月二九日（火）

反天連機関誌〝Alert〟に、連載第一二四回目を書く。

太田昌国のみたび夢は夜ひらく　第一二四回
群れ集う群衆と「個」

ソ連体制の終焉後、それまで共産党による厳重な管理下にあった文書資料が大量に明るみに出ていることについては、以前にも触れたことがある。とりわけ、レーニンの、個人的ならびに党派的な「名誉」のためには秘すべきだと文書管理スタッフが考えたのであろう類の文書も漏れ出ており、それを参照しないロシア革命研究はもはや成り立たない。考えてみれば当たり前のことだが、それは文書に限られることではない。ロシア革命は、「映像の時代」が急速に進化する過程と共に歩み始めており、ジガ・ヴェルトフのような優れたドキュメンタリストも存在したことを思えば、未公開のフィルムもまた、どこかにひっそりと埋もれている可能性はあったのだ。そのようなアーカイブの記録映像を繋いで、思いもよらない作品を作る人物が現われた。

セルゲイ・ロズニツァは一九六四年ベラルーシ生まれの映画作家であるが、間もなく三作品が日本で初公開される。彼は、二〇一七年、モスクワ郊外クラスノゴルスクで発見されたという、独裁者スターリンに関する膨大なアーカイブ映像を入手し、二〇一八年に『粛清裁判』、二〇一九年には『国葬』を編集・製作した。

『粛清裁判』は、一九三〇年代後半に吹き荒れる「大粛清」時代の序曲ともいうべき一九三〇年の産業党事件を扱っている。公開裁判であったために記録映像が残っていたのだ。試写会用の資料に解説を寄せている池田嘉郎によれば、ここで標的にされたのは技師たちだった。識字率が低く、教育格差が著しかった帝政時代が終わってまだ十数年、理工系の高度な知識を持ち、外国語も堪能で、最新機械設備の扱いに長けている技師は、労働者主体の革命を企図するスターリンの格好の餌食となった。強引な五ヵ年計画の過程で頻発した災害事故は技師たちの破壊工作やサボタージュによるものだとし、技術者約二千人の反革命組織「産業党」が摘発されたのである。これがでっち上げ事件であることを知る後世の目には、大学教授らの被告たちがこぞって自らの罪を認める法廷のシーンは奇異に見える。だが、被告の大半に死刑判決が下されながら、中執委幹部会決定で自由剝奪に減刑され、やがて特赦された者もいた経緯からするなら、検察のシナリオ通りの科白へと誘導されたのだろう。二週間に及ぶ公判の傍聴席が常にぎっしり満員で（数百人はいるだろう）、死刑判決が下されたときには拍手と歓声が沸き起こった。また、公判が終わるたびに挿入される、「反革命の死」を求める巨万のデモ（主要都市で数百万人が参加したとされる）のシーンに注目した。

『国葬』は、一九五三年三月五日のスターリンの死に際して執り行われた葬儀の模様を記録したものだ。近親者が粛清されなかった家族などいないとまで言われるソ連で、スターリンの死をこころから嘆き悲しむ連邦各地の人びとの群れに圧倒された。私はそのころ一〇歳だったが、社会主義にどことなく憧憬を覚えながら、ソ連社会に付き纏う〈暗さ〉は何なのだろうと幼心にも気になっていた。あのとき私は新聞や年鑑で棺の中のスターリンを観ただけだったが、この映像では彼に別れを告げるために次から次へと押し寄せる群衆一人ひとりの顔が映されていて、その悲しみの表情に嘘偽りはないことが感じ取られて、ひとの心の〈複雑さ／わからなさ〉を改めて実感した。

今回公開されるロズニツァ映画の三本目は『アウステルリッツ』である（二〇一六年）。ベルリン郊外のザクセンハウゼン強制収容所跡地に群れ集う観光客の姿をいくつかの地点に据えた固定カメラで撮った作品だ。痛ましい記憶を未来へと繋げる地が、いわゆる「ダーク・ツーリズム」の対象となっている現実が描き出されている。監督は、ここに集う観光客を見て「幸福そうな「悲しそうではない」と形容したという。

私は「ロズニツァ〈群衆〉ドキュメンタリ3選」と題してこれら三作品を一挙公開する配給会社の視点に注目する。人が群れている光景は、常にどこか感動的だ。人間の本源的な共同性――「類」への志向が感じ取れるときには、いっそう。だが、「民」の群れである群衆が、「個」を埋没させた者たちの集団となるとき、それは、恐るべき〈狂気／狂喜〉をも孕み、時の為政者を後押しする巨大な支柱にもなり得るのだ。

（九月二九日記）■

一〇月一日（木）

数年前までは、金木犀は決まって一〇月一日に開花した。不思議な〈律儀さ〉だが、本当にそうだった。ここ数年、開花の日が少しズレた。遅くなっていた。今年はどうか、と思っていたら、きょう開花した。この異常な暑い夏を体験しながらと思い、この〈律義さ〉にありがとうと言った。

早や半世紀近くも前のことになったラテンアメリカ諸地域に滞在していたとき、もっとも親しんだ漫画は、「マファルダ」（Mafalda）だった。アルゼンチンの漫画家キーノ（Quino）の手になるものだ。一〇歳にも満たないマファルダは、感性豊かな女の子。平和・戦争・差別・貧困・教育・大人と子ども・子ども同士の関係――あらゆる問題に関して、率直な物言いをして、時に、そんな問題に向き合わずごまかして生きている大人を困惑させる。ありきたりの地球儀では必ず「最底辺」にあるアルゼンチンの位置を生かした、たっぷりのユーモアとエスプリが、漫画を型ぐるしさから解放している。そのキーノが、きのう亡くなった。アルゼンチンはコルドバで。

あとがき

私の仕事場が東京神田の神保町にあった時、昼休みなどによく通ったのは、いわゆる地方の小出版社の刊行物を揃えている書店だった。そこでは、地域ごとの棚があって、一般の書店ではとても見かけることのない「地域色豊かな」書物が並んでいた。そのときどきの関心に応じて、じっくりと棚を眺めた。私は北海道釧路市に生まれ、高校を卒業するまで、つまり一八歳までそこに暮らした。東京へ出て初めて、北海道にあった「民族問題」に遅ればせながら気づき、アイヌに関わる書物をそこで買い求めた。沖縄の棚も刺激的だった。現地へは何度か行ってはいるが、見ても気づかなかったことを、そこで出会った書物から学んだことも多かった。北海道と沖縄の実像が見えてくるほどに、ヤマト中心の考え方から脱しなければ、と強く思った。

他にもどこかへ出かけるたびに、事前にその書店へ行って、何らかの本を入手した。いわゆる観光ガイドブックは置いていないから、一般的な興味とは少なからず違う観点から、その土地のことを学んだ。一八歳から半世紀以上も東京およびその周辺に住みながら、少なくとも意識としては「脱・東京」「脱・中央」を思いながら生きていこうとしてきたのは、あの書店で知った、そして実際に訪れたそれぞれの「地域」とそこに住まう人びととの魅力によるものか、と思う。

日本を離れて、世界全体についても同じことだった。今となっては遠い昔の、したがって現在のそれとは桁違いの差がある、一九五〇年代から六〇年代初頭にかけての思潮や雰囲気、メディアの在り方、家庭や教師の環境の中で、「多感な」と形容されることの多い一〇代半ばから後半にかけての時期を過ごした。身勝手なふるまいをする米国とソ連に代表される大国、そして政治的・軍事的に前者に追従するばかりの日本——そんなものからできる限り遠ざかるように心がけながら、世界や歴史を見つめるようになった。近くのアジア、遠くのアラブ・アフリカ・カリブ・ラテンアメリカ——そこに在る国々、住む人びとのことを身近に感じるようになった。

＊　＊　＊

「はじめに」に記したような経緯で、この日記的なものを九ヵ月間書き続けた。この稀有な時代の、ひとつの証言くらいにはなるかと思い、いささか個人的な記述も混じっているが公開することにした。読み返してみて、冒頭に述べた「傾向性」は私の中で生きていると考え、「地域の出版社」から出したいと思った。そこで、この五〇年来の付き合いのある、釧路の藤田印刷エクセレントブックスの藤田卓也さんに相談した。印刷業としての藤田さんとは、現代企画室の仕事もたくさん手掛けてもらったので付き合いはあった。二〇一五年からは出版にも乗り出していて、次第に積み重なってゆく出版リストに注目していた。その藤田さんが本書の出版を引き受けてくださったことに心から感謝したい。

二〇二一年五月五日

太田昌国

『コロナ異論』人名索引

＊この索引は網羅的なものではないが、本書をヨリよく理解していただくうえで重要な人名に絞って作成した。
＊外国人の表記は、本文に出てくる形のままで収録してある。

太田 昌国（おおた・まさくに）

1943年釧路市生まれ。1968年東京外国語大学ロシア語科卒。1973年～76年にかけラテンアメリカを旅する。帰国後「シネマテーク・インディアス」を主宰し、ボリビア・ウカマウ映画集団作品の自主上映会といくつかの作品の共同制作を実現する。1980年代半ばから現代企画室の編集者として、第三世界の歴史・思想・文学、世界と日本の民族問題、フランス現代思想などに関連する書籍の企画・編集を多数手がける。また執筆・講演などを通じて幅広く意見を発表し続けている。著書、翻訳書多数。

主な著書

1987 『鏡としての異境』（記録社／影書房刊）
1991 『鏡のなかの帝国』（現代企画室刊）
1994 『千の日と夜の記憶』（現代企画室刊）
1996 『〈異世界・同時代〉乱反射』（現代企画室刊）
1997 『「ペルー人質事件」解読のための21章』（現代企画室刊）
2000 『ゲバラを脱神話化する』（現代企画室刊）
2000 『日本ナショナリズム解体新書』（現代企画室刊）
2003 『「拉致」異論』（太田出版刊）
2004 『「国家と戦争」異説』（現代企画室刊）
2007 『暴力批判論』（太田出版刊）
2008 『「拉致」異論』（河出文庫版）（河出書房新社刊）
2009 『拉致対論』（蓮池透との対談）（太田出版刊）
2009 『チェ★ゲバラ　プレイバック』（現代企画室刊）
2011 『新たなグローバリゼーションの時代を生きて』（河合文化教育研究所〈河合ブックレット〉刊）
2013 『テレビに映らない世界を知る方法』（現代書館刊）
2014 『〈極私的〉60年代追憶』（インパクト出版会刊）
2015 『〈脱・国家〉状況論』（現代企画室刊）
2018 『「拉致」異論（増補決定版）』（現代書館刊）
2019 『さらば！検索サイト』（現代書館刊）

現代日本イデオロギー評註
――「ぜんぶコロナのせい」ではないの日記

2021年5月19日　第1刷発行

著　者　太田 昌国　OTA Masakuni
発行人　藤田 卓也　FUJITA Takuya
発行所　藤田印刷エクセレントブックス
〒085-0042　北海道釧路市若草町3－1
TEL　0154-22-4165
FAX　0154-22-2546

印刷・製本　藤田印刷株式会社
装　幀　須田 照生

ISBN 978-4-86538-120-7 C0076